Geweld tegen christenen, anno 2001

Samengesteld door dr. J.G. Orbán

Een uitgave van Kerk in Nood/Oostpriesterhulp

Colofon

Geweld tegen christenen, anno 2001

is een uitgave van:

Stichting Kerk in Nood/Oostpriesterhulp
Postbus 1645
5200 BR 's-Hertogenbosch
Peperstraat 11-13
5211 KM 's-Hertogenbosch
Telefoon: +31 (0)73-6130820
Fax: +31 (0)73-6141095
E-mail: kinoph@wxs.nl
Internet: www.kerkinnood.nl
Uw giften kunt u storten op:
ABN AMRO: 52.42.24.846
Postbank: 11.34.348

Redactie:
Dr. J.G. Orbán
K. Orbán-Tóth

Ontwerp omslag en typografie:
Communicatie Team 's-Hertogenbosch, Nederland

Drukwerk:
Drukkerij VNV Kapellen, België

ISBN 90-806189-2-6
1ste druk 2002

Inhoudsopgave

1. Inleiding

De verschijning van het jaarboek ***Geweld tegen christenen anno 2000*** *heeft veel reacties opgeroepen. De reacties varieerden van verbazing over het aantal slachtoffers tot aanmoediging om door te gaan met het verzamelen van dergelijke informatie.*

In de editie van 2000 citeerde ik bronnen die meldden dat christenen de meest vervolgde religieuze groepering ter wereld vormen. Dat geldt voor 2001 nog steeds. Op 26 juni 2001 vond een zogenaamde 'commemoratiedag' voor de slachtoffers van geweld plaats. Op die dag meldde de Zwitserse Evangelical Alliance, dat christenen nog altijd de meest vervolgde groepering zijn. De Evangelical Alliance meldde verder dat niet-geregistreerde christenen in China worden gearresteerd en gefolterd, evenals in Noord-Korea en Laos. In Zuid-Sudan worden zij verkocht als slaven en zijn ze slachtoffer van de ergste vormen van psychologisch en lichamelijk misbruik. In moslimlanden worden mensen die zich bekeren tot het christendom vaak gemarteld of gedood, aangezien afvalligheid niet getolereerd wordt door de islam. Geconfronteerd met dit geweld tegen christenen, heeft de Evangelical Alliance de wereld opgeroepen tot actie en gebed voor de slachtoffers van religieuze vervolging.[1]

Mensenrechtenorganisaties constateren dat in het bijzonder de politiek en de media weinig aandacht besteden aan de schending van de vrijheid van religie. 'Religionsfreiheit als grundlegendes Menschenrecht wird von Weltöffentlichkeit, besonders der Politik und den Medien, sträflich vernachlässigt. Dabei ist die Glaubensfreiheit eine der wichtigsten Voraussetzungen für Demokratie. Diese Ansicht vertritt der Leiter der US-Menschenrechtsorganisation 'Freiheitshaus', Paul Marshall'.[2]

Helaas worden zaken als religie en geloof nog steeds door velen, ook door politici en media, beschouwd als een privé-aangelegenheid. 'Men moet het maar zelf weten'. Natuurlijk, zo nu en dan komt men een uitspraak over of een veroordeling van christenvervolging door politici tegen. Zo heeft de Europese Unie, bij monde van de Zweedse ambassadeur Johan Molander, onderdrukking van religie en vervolging van gelovigen veroordeeld. 'Tief besorgt über die Menschenrechtslage in Saudi-Arabien: Folterungen, Hinrichtungen, diskriminierende Gesetze, Mangel von Grundrechten. Besorgniserregend sei auch die Behandlung religiöser Minderheiten in anderen islamitischen Ländern wie Afghanistan und Pakistan'.[3]

---

[1] CRTN, 07-07-01
[2] IDEA SPEKTRUM, 24/2001
[3] IDEA SPEKTRUM, 15/2001

Wat ik verontrustender vind, is het bericht dat bepaalde islamitische landen - het gaat om landen waar christenen het meest vervolgd worden - kennelijk in het westen christelijke activiteiten bespioneren. 'Islamische Länder wie der Iran schreckten selbst in Deutschland nicht vor dem Ausspionieren christlicher Gemeinden zurück, um so Christen vor Ort 'wirksamer verfolgen zu können'. Wie die aus dem Iran stammende Christin Nerges Turkpur berichtete, habe z. B. in der vor ihr besuchten freikirchlichen Gemeinde in Berlin-Kreuzberg lange Zeit ein iranischer Spion unerkannt Listen von Gottesdienstbesuchern und Seminar-teilnehmern angelegt. Diese Listen seien der iranischen Regierung übermittelt worden. Später sei der Spion, der sich gegenüber der Gemeinde als iranischer Oppositioneller ausgab, enttamt und aus Deutschland ausgewiesen worden - kurz bevor der im Iran inhaftierte Deutsche Helmut Hofer freigelassen wurde'.[4]

Het is belangrijk om te formuleren wat ik in dit verband onder geweld versta. In de editie van 2000 heb ik al onderscheid gemaakt tussen lichamelijk en psychisch geweld tegen christenen. Het laatste is niet meetbaar en moeilijk te constateren. Daarom beperk ik me tot fysiek geweld tegen christenen: foltering, mishandeling, gevangenname, moord. Slechts in twee gevallen heb ik informatie opgenomen waar deze definitie niet opgaat. Het betreft hier Griekenland en de Oekraïne. Beide landen heeft de paus in de loop van 2001 bezocht; in beide landen was er veel verzet tegen de paus, c.q. tegen de lokale katholieke en Grieks-katholieke groeperingen. Hoewel het verzet vaak grensde aan geweld, wil ik hier nadrukkelijk stellen dat in dit verband de enge definitie van het begrip 'geweld' niet opgaat.

Van veel kanten was te beluisteren dat het lijkt alsof geweld tegen christenen en geloofsvervolging door de media stilgezwegen worden. In ieder geval krijgt deze vorm van geweld weinig aandacht. Heeft dat te maken met de nog steeds toenemende secularisatie van het westen, van Nederland? Ik denk het wel. Kardinaal Simonis heeft in maart 2001 in een interview in De Volkskrant[5] *gezegd dat het Nederlandse paarse kabinet religie marginaliseert, wegdrukt naar de rand van de samenleving. Letterlijk zegt de kardinaal: 'Oorspronkelijk betekende scheiding van kerk en staat, dat de staat zich niet bemoeit met interne kerkelijke zaken. Maar dat is nu zo ver doorgeschoten, dat geloof en kerk voor de regering geen enkele publieke rol van betekenis meer spelen. De regering ziet burgers slechts als individu, het maakt niet uit of ze geloven of niet. De kerk wordt daarmee volkomen gemarginaliseerd. Ze lijkt voor dit kabinet een non-entiteit. Woorden als religie en levensbeschouwing komen in*

[4] IDEA SPEKTRUM, 46/2001, 14-11-01
[5] De Volkskrant, 06-03-01

de troonrede niet meer voor. Dat is vreselijk. In de afgelopen troonrede staat letterlijk, dat kunst en cultuur een grote rol spelen bij de immateriële kant van het leven. Godsdienst noch levensbeschouwing wordt genoemd. Dit is een volstrekt consequent doorgevoerde secularisatie. Alles wat enigszins riekt naar bovennatuur, naar openbaring, naar godsgeloof, daar bemoeit men zich principieel niet mee. Dat sommige mensen zo gek zijn wel te geloven, moeten ze zelf weten, maar voor de regering lijken godsdienst en kerk niet te bestaan'.

Het Volkskrant Magazine[6] heeft een artikel gewijd aan het gevaar van de islam in landen als Kirgizië, Oezbekistan en Tadzjikistan. Er wordt gewezen op het feit dat zulke landen, die nog zwakke politieke structuren kennen, een gemakkelijke prooi zijn voor fundamentalisme. Centraal-Azië is in de ban van het islamitisch gevaar. Kirgizië, Oezbekistan en Tadzjikistan zijn zwakke staten, niet opgewassen tegen de onafhankelijkheid. Ze zijn pas in 1991 op de wereldkaart verschenen. Niet na een lange vrijheidstrijd, maar alleen omdat de Sovjet-Unie onverwachts ophield te bestaan. De problemen die de nieuwe staten de baas moeten worden, zijn enorm. De grenzen zijn onlogisch, de nationaliteiten hopeloos door elkaar geklutst, uitbarstingen van etnisch geweld altijd mogelijk. In die omstandigheden verschijnen in 1998 de moslimguerrillastrijders ten tonele. Wie zegt dat de verpauperde bevolking niet hun kant zal kiezen? Beloven zij niet letterlijk het paradijs op aarde? Ze hebben een oplossing voor alle problemen - de islamitische wet, de shari'a - en ze hebben de wil en de wapens om voor de shari'a te vechten. Die eerste keer in Gaz, blijft het bij schermutselingen. De tweede keer dat guerrillastrijders Kirgizië binnenvallen, in augustus van het vorig jaar, klinkt er voor het eerst artillerievuur en gieren de straaljagers. En komende zomer? De radiozender De Stem van het Shariaat heeft al omgeroepen: '2001 wordt het beslissende jaar van onze jihad'. Iedereen weet wat de guerrilla-strijders van plan zijn.

In verband met de positie van de islam in de wereld, de verhouding tussen christenen en moslims, maar vooral ook in verband met het moslimfundamentalisme, verwijs ik naar een kort artikel van Hans Jansen In HP/De Tijd.[7]
Hij maakt duidelijk onderscheid tussen de islam, het moslimfundamentalisme en het gebruik danwel misbruik van de islam voor politieke doeleinden. Naar mijn idee bagatelliseert hij echter de gevaren van het moslimfundamentalisme door te (blijven) herinneren aan de christenen in de tijd van de kruistochten. Zulke herhaalde verwijzingen naar duizend jaar geleden beginnen de schijn te wekken van een soort 'rechtvaardiging'.
Indien men de berichten over geweld tegen christenen onder ogen krijgt, kan

6 Het Volkskrant Magazine, 03-03-01
7 Hans Jansen: Te vuur en te zwaard. In: HP/De Tijd, 23-03-01

men constateren dat de relatie tussen christenen en moslims nog steeds onder zware druk staat. The Catholic World Report heeft een interessant artikel gewijd aan deze problematiek.[8] De schrijvers beginnen met de opmerking dat de bezoeken van Paus Johannes Paulus II in de loop van 2001 aan het H. Land en Syrië veel goeds gedaan hebben aan deze relatie. 'Most recently his pilgrimage to Syria, where he visited sites associated with St. Paul and became the first Pontiff to enter a mosque, strengthened his reputation as a religious leader anxious to embrace those not only within, but also outside, his own faith'. Direct daarop tonen de beide schrijvers zich echter al zeer voorzichtig over toekomstige ontwikkelingen binnen de relatie christenen-moslims.
'But recent developments in the Middle East suggest that there is much work still to be done in the field of inter-faith relations. On May 30, a Vatican envoy was dispatched to the Holy Land, as tension between Palestinians and Israelis continued to simmer, with the constant threat of renewed warfare. Only two days before the papal legate left Rome, fourteen villages in the predominantly Christian region of southern Sudan were attacked by fighter jets representing the Islamic government in the north. Each of these situations carries central importance in the development of relations between Christians and Muslims - a relationship that is bound up in a complex history of friction interspersed with friendship'.

'However, inter-religious dialogue is not without its critics. When the Pope visited Jerusalem last May, the Grand Mufti refused to attend an inter-religious discussion with the Holy Father and the Chief Rabbi of Jerusalem; in fact he was vehemently criticized for simply greeting the 'Great Heretic' (as the Pope is known in extremist Muslim circles) in a separate meeting on the holy Islamic site of Al-Haram Al-Sharif'.

Men mag niet beweren dat religieuze tegenstellingen dé oorzaak zouden zijn van de slechte verhoudingen; het zijn de politieke leiders die religie gebruiken om hun eigen macht te vergroten.
'However, even if religious conflicts are not the primary causes of armed clashes, political leaders usually find ways to invoke religion in their quest for power. It is the use and misuse of religion that complicates the situation', Msgr. Akasheh says. He points out that 'it is not Muslims in general who are causing Christian suffering in the Sudan, but the political regime'. Still the Muslim leaders in Khartoum speak of building a single Islamic regime, while southern rebels warn Christians and animists of the Nuba Mountain region about the forced 'Islamicization' that could befall their children'.

---

[8] The Catholic World Report, August/September 2001. Michael Hirst-Nicholas Jubber: Together, More than Half the World. Prospects for Catholic-islamic relations in the 21st century.

Dit was ook het jaar van de onmenselijke terreuraanvallen op de Verenigde Staten, waar duizenden dodelijke slachtoffers zijn gevallen. De aanvallen zijn in verband gebracht met het moslimfundamentalisme. Het gevaar bestaat dat ten gevolge van deze onmenselijke daden een generalisatie ontstaat: islam staat gelijk aan terreur, aan fundamentalisme. Het is noodzakelijk om goed te beseffen dat deze generalisatie even gevaarlijk is als het moslimfundamentalisme zelf, of welke vorm van fundamentalisme dan ook.

Verschillende bronnen wijzen erop dat 'meerdere extremistische groeperingen die in Afrika en Azië de christenen zeer bloedig vervolgen, banden hebben met Bin Ladens netwerk, Al-Qaeda genaamd. De groepering omvat cellen in Algerije, Nigeria, Indonesië, Filipijnen, en in mindere mate in Maleisië, Bangladesh, Pakistan en Afghanistan. Vastere contacten heeft Bin Ladens netwerk met de radicale islamitische militaire regering van Sudan, dat tot de ergste christenvervolgers behoort. Sinds 1998 zijn ongeveer twee miljoen mensen het slachtoffer geworden van de islamiseringspolitiek, vooral christenen en aanhangers van natuurreligies'.[9]
Men heeft zich vaak afgevraagd wat er achter de opvattingen van Bin Laden zou kunnen zitten, dan wel achter de opvattingen van de Talibanstrijders die hem steunen. Gedurende de laatste maanden van 2001 heb ik mezelf wel eens afgevraagd: is het wel de islam die Osama bin Laden motiveert? Of is het de macht die hem stuurt? Gebruikt hij de islam om zijn macht te onderbouwen?
De Financial Times van 17 november heeft een interessant artikel gewijd aan de leer achter de Taliban en Bin Laden. De Taliban is opgevoed in de traditie van een van de snelst groeiende scholen in Zuid-Azië, de zogenaamde Deobandi-beweging; zo genoemd naar de eerste madrasa, de islamitische school.
De Deobandi-beweging heeft sinds de jaren zestig van de vorige eeuw in de islamitische wereld meer dan vijftienduizend madrasas. De leermeester van de harde islamitische scholing van de Taliban schijnt Marghoob Ur-Rehman te zijn. Hij is de vice-president van de Darul Uloom, het Huis van de Wetenschap van de madrasa in Deoband.
De opvattingen binnen de school zijn echter tegenstrijdig. Wie met de maluna (geleerde van de school) over vreemdelingenhaat binnen de islam spreekt, krijgt als reactie: 'Wij geloven in de verzen van de koran die zeggen dat het wegnemen van een onschuldig leven de hele wereld verwoest'. En verder: 'Zelfs Mohammed leefde samen met joden'.[10]
Echter, in de recente fatwa's (religieuze edicten) suggereren de geleerden van Darul Uloom dat 'de joden verantwoordelijk zijn voor hetgeen op 11 september

[9] Stimme der Märtyrer, 11/2001
[10] Financial Times, 17-11-01. Edward Luce: The Taliban may be retreating as a military force but the philosophy that underpinned it is thriving in the Deobandi schools and their 'medieval' syllabus.

is gebeurd en dat joden van het begin af aan vijand nummer één van de islam zijn geweest'.

In dit verband is zelfs het begrip jihad verwarrend. 'Many interpreters of jihad in the Muslim world, and an equal number in the West, have explained that jihad has a double meaning: it stands for jihad bia al saif (holy war by means of the sword) and also for jihad al nafs (literally, the struggle for one's soul against one's own base instinct). Both interpretations are true, but Islamic militants have rejected the spiritual explanation as a dangerous heresy. They invoke time and again those sections of the Koran that say warfare is ordained to faithful Moslims; only cowards and the unfaithful will turn away from this sacred duty to fight those 'in the path of Allah'. They say that struggle should continue until there is no more sedition or competing religion in the world.[11]
De schrijver voegt hier nog aan toe: 'The Taliban in Afghanistan and many militants are not impressed by the speeches and writings of more moderate exegetists about 'the poverty of fanaticism' and the 'spiritual mission of Islam', and this fact is what matters in the present discussion'.

De jihad wordt gezien als een oproep om de 'niet-gelovigen' te bestrijden. Volgens de koran betekent jihad in feite: zich moeite getroosten en inspanning leveren voor het geloof.[12] Jihad heeft evenwel de betekenis van 'heilige oorlog' gekregen. Het is hier dat de interpretaties van de klassieke leermeesters van de islam uiteenlopen. De één vindt dat de jihad er is om moslimgebied te verdedigen, de ander zegt dat het gaat om expansie van de islam.
Dat laatste is in bepaalde - wat wij - fundamentalistische groepen noemen sterker geworden door bepaalde stukken uit de koran die op een strijd wijzen. Zo staat in Soera 61,5: 'Voorzeker, Allah heeft diegenen lief die ter wille van Hem strijden in geordende gelederen, alsof zij een hechte muur vormen'.[13]
In dit verband wordt ook vaak verwezen naar een ander citaat: 'En bestrijdt hen totdat er geen vervolging is en de godsdienst geheel voor Allah wordt. Maar als zij ophouden, dan ziet Allah voorzeker hetgeen zij doen'.[14]
En toch wil ik nogmaals benadrukken, dat de fundamentalistische en gewelddadige interpretatie van de islam en bepaalde koranverzen, voornamelijk voor rekening komen van kleine groepen binnen de islam.
Wat zegt de koran over de strijd tegen niet-moslims? 'Der Prophet Mohammed hat in seinem Offenbarungsbuch den Kampf gegen Nicht-Muslime zwar für verdienstvoll erklärt. Befragt man jedoch daraufhin den Koran, mit welchem Absichten dies geschah, so ist die Antwordt keineswegs leicht zu finden'.[15]

[11] W. Laqueur: The new terrorism, blz.130.
[12] Islam. Personen en begrippen van A tot Z. (Amsterdam, 1995)
[13] De Heilige Qor'an. Arabisch-Nederlands. (Hoevelaken.2001), blz.560, no.5.
[14] De Heilige Qor'an. Arabisch-Nederlands. (Hoevelaken.2001), blz.560, no.5.
[15] De Heilige Qor'an. Arabisch-Nederlands, blz.168, no.40

Op de ochtend dat Nederland de slachtoffers in de VS herdacht, gaf ik ter overweging voor ons gebed op kantoor de tekst van Matteus 8, 23-26'. Toen Hij in de boot stapte, volgden zijn leerlingen Hem. Opeens raakte de zee in hevige beroering, zodat de golven over de boot sloegen; Hij echter ging slapen.
Zij gingen naar Hem toe en maakten Hem wakker met de woorden: 'Heer, red ons, wij vergaan!' Hij sprak tot hen: 'Waarom zijt gij bang, kleingelovigen?' Dan stond Hij op, richtte zich met een dwingend woord tot de winden en de zee, en het werd volmaakt stil.
Wij staan in onze pijn niet alleen; al die christenen, maar ook andere gelovigen die om het geloof vervolgd worden, staan niet alleen. Christus lijdt met hen mee; Hij staat naast hen.
Maar ik voegde aan de voorgaande woorden nog toe: willen wij werkelijk vrede bereiken, willen wij werkelijk Gods vrede op aarde realiseren, dan zullen wij naar het voorbeeld van Christus ook moeten vergeven. Op Zijn kruis zei Hij: 'Vader, vergeef hen, want ze weten niet wat ze doen'. Pas als we aan vergeving toe zijn, hoe moeilijk dat ook is, zal er vrede komen.

Dr. J. G. Orbán

2. Aartsbisschop Perko: 'Zonder de steun van 'Oostpriesterhulp' was het ons bijna onmogelijk geweest, de zware tijden van het communisme te overleven'

Wenen/Königstein, 19 maart 2001
'In de Zuidoost-Europese landen is de materiële bijstand van katholieke organisaties zoals Kerk in Nood nog steeds een noodzaak. Zonder de steun van Kerk in Nood was het ons bijna onmogelijk geweest, de zware tijden van het communisme te overleven', benadrukt aartsbisschop Franc Perko. Hij zegt dat op de hoogst interessante bijeenkomst die op 14 en 15 maart in Wenen plaatsvond met de voorzitters van de katholieke bisschoppenconferenties van Albanië, Bosnië-Herzegovina, Kroatië, Slovenië en Joegoslavië. Voor deze bijeenkomst werden ook katholieke hulporganisaties die op het gebied van de humanitaire en pastorale hulp werkzaam zijn uitgenodigd, waaronder Kerk in Nood.
Ook na de omwenteling in Zuidoost-Europa is de financiële steun uit het westen, bijvoorbeeld voor de grondige vorming van leken, dringend nodig. Zij zouden het werk van de priesters ter plaatse ondersteunen en vooral tot een verspreiding van het geloof onder de jonge mensen bijdragen. Zij zijn eerder tot een open dialoog met leden van andere geloofsbelijdenissen bereid, beklemtoonde de Kroatische aartsbisschop Jospi Bozanic. Kerk in Nood steunt sinds het einde van de oorlog de wederopbouw van talrijke parochies en geeft de mensen op die manier hoop en vertrouwen in de toekomst.

Tijdens de conferentie, die gezamenlijk werd georganiseerd door de Raad van Europese Bisschoppenconferenties (CCEE) en de Commissie der Bisschoppenconferenties van de Europese Gemeenschap (COMECE), werd erover gediscussieerd hoe de katholieke kerk het best kan bijdragen tot verzoening en stabiliteit in Zuidoost-Europa. Alle deelnemers waren het erover eens, dat interconfessionele bijeenkomsten tussen vertegenwoordigers van de katholieke en de orthodoxe kerk enerzijds en islamitische geloofsgemeenschappen anderzijds uiterst nuttig zijn in het verzoeningsproces en ook in de toekomst moeten worden voortgezet.

Bovendien is de voortgezette vorming van journalisten een goede mogelijkheid om de verzoening door middel van de media te bevorderen. Tot nu toe werden de staatsmedia in de bovengenoemde landen bijna uitsluitend door postcommunisten gedomineerd. Een vervolmakingcentrum, waar journalisten uit het oosten en het westen hun vorming kunnen voortzetten op basis van christelijke waarden, bestaat reeds in Falenica bij Warschau. Het Centrum voor Communicatie en Cultuur, dat Kerk in Nood samen met Renovabis financierde, werd de vorige herfst geopend.[16]

[16] Persbericht, Info-Secretariaat, 20-03-01

3. Landen (in alfabetische volgorde) waar christenen worden vervolgd

AFGHANISTAN

Oppervlakte: 647.500 km^2

Bevolking: 25.824.882

Religie:
Sunnieten: 73%
Shieëten: 25%
Een heel kleine christelijke minderheid.

Etnische groeperingen:
Pashtuns, Tajiks, Uzbeken, Hazara's.[17]

De grootste extremistische groepering wordt gevormd door de Taliban. Het is een ultraconservatieve beweging die grotendeels door de Pashtuns wordt gedomineerd. De Taliban heeft een nieuwe theocratische regering geproclameerd die volledig steunt op de interpretatie van de shari'a. Vrijheid van religie is volledig beperkt. Niet-moslims mogen in principe hun geloof wel praktiseren, als zij maar niet evangeliseren. Het aantal christenen neemt de laatste tijd vanwege vervolging en economische motieven af.[18]

19 januari 2001
'Afghaanse moslims die zich bekeren tot het christendom, worden geëxecuteerd'. Dat deelt een leider van het fundamentalistische Talibanbewind in Afghanistan mee. In een decreet zegt de leider dat Afghanen ook zullen worden gedood als ze andere godsdiensten dan de islam aan de man proberen te brengen. Hij zegt dat vijanden van de islam moslims, door het bieden van geld, tot het christendom of jodendom proberen te bekeren. Een woordvoerder licht toe dat het decreet is uitgevaardigd na berichten van buitenlanders die in Afghanistan mensen zouden proberen te bekeren. Hij zegt dat deze mensen waarschijnlijk bij internationale hulporganisaties horen.[19]

Lahore, 14 maart 2001
Nadat fundamentalistische moslims, de Taliban, in Afghanistan systematisch boeddhistische beelden vernield hebben, bestaat de angst dat het vernietigen

[17] International Christian Concern en: CIA The World Factbook, 1999
[18] Open Doors International: Country Profiles, 28-08-01
[19] Bisdomblad, 19-01-01. Zie ook: International Christian Concern, 19-02-01. Zie ook: CRTN, 09-01-01. Verder: Catholic World News Briefs, 08-01-01. Ook: De Volkskrant, 09-01-01

van christelijke beelden de volgende stap zal zijn. De vrees wordt uitgesproken door pater Emmanuel Yousaf, het hoofd van de Pakistaanse Justitia et Pax.[20]

Kabul, 22 mei 2001
De fundamentalistische moslim-Taliban regering van Afghanistan, die ongeveer negentig procent van het land in handen heeft, beslist dat alle niet-moslims oranje of gele kleren moeten dragen om zich zo te onderscheiden van de moslims. Ook moeten zij hun huizen met gele vlaggen markeren. Volgens de nieuwe wet mogen niet-islamitische mannen geen tulband dragen; niet-islamitische vrouwen moeten een gele doek dragen. Deze maatregelen gelden met onmiddellijke ingang in de provincie en stad Kandahar, waar de leiding van de Taliban is gevestigd. Spoedig zal de wet in alle delen van Afghanistan worden ingevoerd.[21]

Juni 2001
Bij de aankondiging van de Taliban dat bepaalde religies herkenbaar moeten zijn (zie bericht 22.05) stellen zij: 'Er zijn in Afghanistan geen christenen'. Deze verklaring is niet juist, en het is duidelijk dat de voornoemde bepaling ook van invloed zal zijn op christenen.[22]

06 augustus 2001
Afghaanse Talibanautoriteiten sluiten een westerse hulporganisatie, Shelter Now International en arresteren 24 leden van de organisatie. Zij worden beschuldigd van verspreiding van het christendom.
Onder de arrestanten bevinden zich acht buitenlanders, van wie zes vrouwen. Talibanfunctionarissen beweren dat één van de vrouwen is gearresteerd op het moment dat zij een Afghaanse familie probeerde te bekeren tot het christendom. Twee van de vrouwen, rond de twintig jaar, komen uit de VS.[23]
De Talibanautoriteiten maken bekend dat twee vrouwelijke, christelijke hulpverleners die gearresteerd zijn, bekend hebben moslims bekeerd te hebben tot het christendom: zo is de weg vrijgemaakt om hen ter dood te veroordelen. Deze verklaring wordt afgegeven door de minister voor de religieuze politie, Mullah Mohammed Salim Haqqani. Hij voegt eraan toe: 'Zij hebben de emir en de moslims gevraagd hen te begenadigen en zullen behandeld worden volgens de regels van de shari'a. Zij hebben geen boodschap meegegeven aan hun familie of hun regering en maken het op dit moment goed'.

---

[20] CRTN, 15-03-01
[21] CRTN, 23-05-01
[22] International Christian Concern, 28-06-01
[23] BBC NEWS, 06-08-01

Tegelijkertijd nemen de autoriteiten 59 Afghaanse kinderen in bewaring, omdat zij onder invloed van het christendom zouden zijn gekomen. Zij worden heropgevoed. 'Wij hebben hen in een heropvoedinghuis opgesloten om zo de christelijke leer uit hun harten en uit hun hoofden te halen. Zodra dat gebeurd is, zijn zij vrij'.[24]

23 augustus 2001
Ondanks herhaalde oproepen door de secretaris-generaal van de VN, Kofi Annan, hebben diplomaten tot nu toe geen toestemming gekregen om de 24 gearresteerde hulpverleners te bezoeken. Volgens berichten worden de niet-Afghanen redelijk behandeld; de zestien Afghanen onder de gearresteerden worden zeer slecht behandeld.[25]

30 augustus 2001
Deze week las ik de on-line editie van The St. Petersburg Times. Het intrigeerde me hoe de columnist de lezer verzekerde dat 'pure onwetendheid en christelijke bekeringsijver buitenlandse hulpverleners ertoe gedreven heeft de wet te overtreden'. Daarom zouden zij op 3 augustus door de Taliban gearresteerd zijn. Hij beschuldigt de hulpverleners ervan de schuld te zijn van de dood van tienduizenden kinderen en moeders 'doordat zij er koste wat het kost het geloof willen verspreiden'.[26] Dit geeft overduidelijk aan hoe men in Rusland denkt over christelijke hulpverleners en over proselitisme, geloofsijver door bepaalde christelijke groeperingen.

12 september 2001
Gedurende het laatste weekeinde heeft de Taliban opnieuw op zijn minst 35 hulpverleners van IAM (International Assistance Mission) gearresteerd. Met deze arrestaties loopt het aantal arrestanten op tot meer dan vijftig. De Taliban-minister voor Ontucht en Deugd, Mohammed Wali, verklaart dat de arrestanten opgepakt zijn wegens evangelisatie.[27]

---

[24] Ahmed Rashid in Lahore: Taliban may execute women aid workers, 07-08-2001. Jubilee Campaign heeft in een persbericht van 08-08-01 ook enkele namen genoemd van gearresteerde christenen: Dana Cury (VS), Nicole Bernardhollon (VS), George Taubmann (Duitsland), Margrit Stebnar (Duitsland), Kati Jelinek (Duitsland), Silke Duerrkopf (Duitsland), Peter Bunch (Australië), Diana Thomas (Australië). Zie voor dit bericht ook: NRC Handelsblad, 13-08-01, blz.4. Zie ook: The Voice of the Martyrs, Canada, 16-08-01

[25] The Voice of the Martyrs, Canada, 23-08-01

[26] The Voice of the Martyrs, 30-08-01

[27] The Voice of the Martyrs, 12-09-01

04 oktober 2001
De zitting van het hof waarin de zaak van acht christelijke hulpverleners uit het westen wegens blasfemie besproken wordt, was gepland op zondag, 30 september, in de hoofdstad Kabul. Het hoofd van de Taliban zegt toe dat bij de beoordeling van de hulpverleners de dreiging van een Amerikaanse aanval niet van invloed zal zijn. Het lot van de Afghanen die tegelijk met hen gearresteerd zijn, is onbekend.[28]

Rome, 09 november 2001
Pater Giuseppe Moretti verlaat Afghanistan; hij is van mening dat met hem de laatste katholieke priester Afghanistan verlaten heeft. 'Ik kan niet zwijgen over het feit dat de bevolking gedurende de laatste twintig jaar zo zeer geleden heeft. Vandaag spreekt iedereen over de Taliban en Osama bin Laden. Maar wie heeft er voor gisteren ooit één vinger uitgestoken om Afghaanse vrouwen en kinderen te helpen? Eén ding is zeker: de bevolking is vergeten en ter dood veroordeeld. De steden zijn reeds verworden tot een hoop puin', aldus pater Giuseppe. Hij voegt eraan toe: 'De Taliban is de ergste vijand van het Afghaanse volk'.[29]

Conceptanalyse Afghaanse vluchtelingenproblematiek na terugtrekking van de Taliban[30]

1. Achtergronden

Tweeëntwintig jaar na de inval van de Sovjet-Unie in 1979 is Afghanistan opnieuw verwikkeld geraakt in een internationale oorlog en stromen honderd-duizenden vluchtelingen samen in de grensgebieden van Pakistan, op de vlucht voor de bombardementen van de geallieerden.

De huidige uittocht is het gevolg van een aanhoudende reeks tegenslagen, waaronder de internationale oorlog, ernstige binnenlandse conflicten en droogte. CNN meld op 20 november dat slechts elf procent van Afghanistan over watervoorzieningen beschikt. Hulporganisaties en NGO's zijn een race tegen de klok begonnen om de Afghanen die vastzitten in hun dorpen te hulp te komen. Gepoogd wordt om de schaarse voedselvoorraden aan te vullen en de bevolking uit te rusten voor de strenge wintermaanden die nu hun intrede doen. De Wereldgezondheidsorganisatie (WHO) heeft melding gemaakt van uitbraken van verschillende ziektes. Deze vormen een nieuwe beproeving, zowel voor de Afghaanse bevolking als voor hulpverleners en ontwikkelingswerkers.

[28] The Voice of the Martyrs, Canada, 04-10-01
[29] CAN News, 09-11-01
[30] INFO-Kirche in Not, Königstein.

Vluchtelingen blijven in de eerste weken van november de grensplaats Quetta in het zuidwesten van Pakistan binnenstromen, ondanks een grensafsluiting, afgedwongen door de Pakistaanse regering op 17 september 2001. De VN-vluchtelingenraad (UNHCR) bevestigt dat de situatie in Afghanistan kritiek is. Kinderen die ernstig ondervoed in Quetta aankomen, maken duidelijk dat Afghanistan honger lijdt; pas gearriveerde vluchtelingen berichten over verschillende sterfgevallen als gevolg van de kou. De WHO slaat alarm na recente uitbraken van geelzucht, tuberculose en malaria.

Afghanistan telt 25 miljoen inwoners, die deel uitmaken van verschillende etnische groeperingen: zestig procent behoort tot de Pashtuns, twintig procent tot de Tadzjiks, tien procent tot de Hesareh en tien procent tot de Uzbeken, Turkmenen, Aimaq en andere minderheden. Recente schattingen, bekendgemaakt door internationale nieuwszenders, gaan ervan uit dat de bevolking van Afghanistan na 11 september is geslonken tot twintig miljoen.

Al wekenlang vormen duizenden Afghanen een menselijke keten, op weg naar grensplaatsen in Pakistan, waar aanvankelijk uitsluitend mensen met geldige reisdocumenten werden toegelaten. Berekeningen van de UNHCR laten zien dat Pakistan slechts druppelsgewijs vluchtelingen toelaat sinds de start van de bombardementen op 7 oktober, maar maken eveneens duidelijk dat naar schatting 150.000 vluchtelingen illegaal de grens met Pakistan hebben overschreden, terwijl vier- tot zeshonderd families bivakkeren in het niemandsland bij de grens ter hoogte van Quetta.

Spontane vraaggesprekken zijn gehouden met talloze Pakistani en Afghanen. De hieronder weergegeven informatie geeft een beeld van deze gesprekken.

2. De vluchtelingensituatie binnen Afghanistan

Talloze meldingen van geweld en plundering worden opgetekend in de grensplaatsen van Pakistan, sinds de Taliban zich op 14 november 2001 hebben teruggetrokken uit Kabul en de Noordelijke Alliantie (ook wel het Verenigd Front genoemd) de hoofdstad van Afghanistan hebben ingenomen. Vluchtelingen blijven massaal Afghanistan uitstromen, aangezien het land op geen enkele manier meer wordt geregeerd. De VN trachten een overgangsregering in het zadel te helpen van onder meer de leiders van de verschillende etnische groeperingen in het land.
De redenen die naar het buitenland gereisde vluchtelingen aanvoeren voor hun

onwil om terug te keren naar hun woonplaats, zijn dezelfde als die van de groeiende groep die binnen de grenzen van Afghanistan een veilig heenkomen zoekt, de zogenoemde IDP's. Hun redenen luiden als volgt.

a. Aanhoudend geweld in Afghanistan; vluchtelingen en journalisten die Pakistan bereiken berichten dat de Taliban en de strijders van de Noordelijke Alliantie gewelddadig optreden tegen onschuldige burgers.
b. Aanhoudende water- en voedseltekorten in Afghanistan; tot één week na de bezetting van Kabul, staat de Noordelijke Alliantie niet toe dat hulporganisaties voedselvoorraden voor de winter leveren aan de hongerende bevolking.
c. Aanhoudende politieke instabiliteit; de meerderheid van de Afghanen meent dat de weg naar vrede onder de etnische leiders en militaire machthebbers van Afghanistan een lange is en dat de VN en buitenlandse interventie weinig tot geen garantie bieden op een spoedig einde van de burgeroorlog in hun land.
d. Een aanhoudend gebrek aan medische voorzieningen; CNN bericht op 20 november dat slechts drie procent van de bevolking van Afghanistan toegang heeft tot medische en gezondheidsvoorzieningen.
e. Het ontbreken van een gezonde economie; de Afghanen hebben door de huidige burgeroorlog en internationale oorlog weinig kansen op vast werk en een redelijk inkomen.
f. Gebrekkige woonomstandigheden; het koude winterweer in combinatie met de slechte of zelfs geheel afwezige infrastructuur in Afghanistan drijft de bevolking naar de grenzen met andere landen.

3. Aanbevelingen

De bovengenoemde redenen die Afghaanse vluchtelingen binnen en buiten Afghanistan aanvoeren zijn gegrond. Duidelijk mag zijn dat het Afghaanse volk behoefte heeft aan een uitgebreid hulpprogramma, dat zo snel mogelijk van start zou moeten gaan. Een dergelijk programma moet de Afghanen bijstaan op hun weg naar verzoening en wederopbouw op de lange termijn.

De onderstaande aanbevelingen zijn uit een humanitair perspectief opgesteld. Ze vormen een voorlopige lijst van maatregelen die kunnen worden getroffen om de leefomstandigheden van de Afghanen te verbeteren.
a. Stel ontwikkelingsprogramma's en noodhulpprogramma's op voor de vluchtelingenkampen in Pakistan. De steun zou o.a. kunnen bestaan uit onderricht in technische vaardigheden en handwerk (naailes).

b. Start gezondheids- en medische hulpprogramma's. Richt bijvoorbeeld speciale kampen of afdelingen op voor zuigelingen en verstrek medicijnen ter preventie van bepaalde ziekten.

c. Laat NGO's en hulporganisaties, die actief zijn in Afghanistan, hun krachten bundelen en samenwerken om de huidige noodtoestand op te heffen.

4. Conclusie

Het is onze overtuiging dat de stroom vluchtelingen voorlopig zal aanhouden en dat vluchtelingen op alle mogelijke manieren de grenzen zullen oversteken. Hun aantallen zijn moeilijk in te schatten, maar het staat vast dat miljoenen Afghaanse vluchtelingen in Afghanistan en Pakistan dringend hulp nodig hebben. Snelle voorbereidingen van hulpacties zijn een eerste vereiste om nog meer leed onder de vluchtelingen en IDP's te voorkomen. Humanitaire waarnemers en organisaties moeten zo snel mogelijk het voortouw nemen in de hulp aan het Afghaanse volk en de wederopbouw van het land. Een bekende zegswijze luidt: 'Stel niet uit tot morgen wat je vandaag nog kunt doen'. Wanneer de aanbevelingen in deze korte conceptanalyse niet ter harte worden genomen en er niet snel actie wordt ondernomen, zal er aan de situatie van de Afghanen de komende jaren niet veel veranderen en zullen velen van hen nog lang op de vlucht zijn.

Een interview met aartsbisschop Lawrence Saldanha

Door Verenia Keet, Caritas Pakistan, 19 november 2001

Lahore, Pakistan, 20 november 2001

'Aartsbisschop Larry', of 'Monseigneur', geen woorden die men dagelijks in de mond neemt. Pakistans bisschop Larry werd beloond voor zijn vele jaren trouwe toewijding, toen hij op 11 september werd uitgeroepen tot aartsbisschop van Lahore 11 september, een datum die hij nooit zal vergeten. Aartsbisschop Larry was één van de pioniers van de nieuwsuitzendingen van Radio Veritas, op de Filipijnen. Iets minder ver van huis is Zijne Hoogwaardige Excellentie momenteel nationaal directeur van twee CBCP-commissies: de katholieke bisschoppelijke synode Pakistan, de Justice and Peace Commission (Commissie Recht en Vrede) en Rabita. Rabita is de communicatietak van de katholieke kerk in Pakistan. Rabita produceert video's, cd's en muziekcassettes op bijbelse of religieuze leest geschoeid.

Zijne Hoogwaardige Excellentie was de eerste nationale directeur van Caritas Pakistan, toen de stichting, met een startkapitaal van tienduizend US-dollar van de Paus, werd opgericht ten behoeve van vluchtelingen tijdens de Indo-Pakistaanse oorlog in 1965. 'De katholieke bisschoppelijke synode van Pakistan keert momenteel terug naar de doelstellingen van het oorspronkelijke Caritas Pakistan. Maar de vluchtelingenproblematiek van vandaag is anders ... de context van de crisis is niet te vergelijken met die van toen. Het ligt heel gevoelig'. Aartsbisschop Larry heeft ook nagedacht over de reactie van de CBCP, volgens hem het sterkste christelijke platform in Pakistan. Een orgaan dat in kracht blijft toenemen, terwijl de invloed van de andere kerkelijke instanties afbrokkelt.

11 september moet voor u een gedenkwaardige dag zijn, om twee redenen. Wat is uw visie op de dramatische terroristische aanslagen op de Verenigde Staten die dag?

De haat die heeft geleid tot deze terroristische aanslagen is diepgeworteld. De aanslagen zijn voortgevloeid uit een onvermogen om frustraties en gevoelens van onvrede te uiten en het idee onrechtvaardig te zijn behandeld. Ik zou een terroristische daad als deze nooit kunnen vergeven.

Wat is uw visie op de crisis die Pakistan na 11 september heeft getroffen?

In Pakistan heeft de gebeurtenis een economische inzinking veroorzaakt die aanhoudt en het leven doet stagneren. Uit psychologisch oogpunt is de situatie met name voor de minderheden en christenen in Pakistan ontmoedigend, vooral vanwege de Bahawalpurmoorden op 28 oktober, waarbij zeventien christenen werden doodgeschoten tijdens een zondagsmis.

In hoeverre hebben de Bahawalpurmoorden de verhoudingen tussen christenen en moslims in Pakistan veranderd?

De hulp en het medeleven van de kant van de moslims waren verrassend en bemoedigend. De moslims betoonden zich opmerkelijk solidair en bezochten massaal de herdenkingsmis in de Gulbergkerk in Lahore. Maar liefst vierhonderd moslims woonden de mis bij. Hoogopgeleide moslims in de steden van Pakistan zijn toleranter.

Hoe zou u de verhoudingen tussen christenen en moslims in de landelijke gebieden willen omschrijven?

Vooroordelen zijn de belangrijkste oorzaak van botsingen tussen moslims en christenen in de landelijke gebieden van Pakistan. Vooroordelen komen vaak voor onder de arme delen van een bevolking. De relatie tussen christenen en moslims vormt een zeer gevoelig punt in de landelijke gebieden, waar geen enkele vorm van scholing is. De Bahawalpurkerk bevindt zich in een zeer afgelegen gebied. Hoopgevend is de erkenning dat de Pakistaanse christenen niet verantwoordelijk zijn voor de oorlog in Afghanistan.

De Pakistaanse regering heeft veiligheidsmaatregelen ter bescherming van de minderheden getroffen. Vindt u deze afdoende?

Hoewel de christenen nog steeds met angstgevoelens kampen, heeft de regering de veiligheidsmaatregelen aanzienlijk verbeterd. Ik ben van mening dat de regering alles doet wat mogelijk is. Mensen hebben ook zelf initiatieven ontplooid om hun veiligheid te vergroten.

Wat voor initiatieven?

De christenen die in de stad leven, zijn automatisch al beter beschermd, vanwege de sociale controle in de stad. Bovendien zijn ze met velen - en in een groep leven is altijd veiliger. De situatie in de dorpen is heel anders. Daar leeft men geïsoleerder en is bescherming van overheidswege vaak ver te zoeken.
De mensen in de landelijke gebieden hebben we aangeraden om zich bij elkaar aan te sluiten, zodat ze geen individuen meer zijn, maar een hechte groep.
Zo hebben de mensen in het dorp Chichiwatni in het bisdom van Faisalabad zich verenigd. Ze zeggen dat zij zich op deze manier veel veiliger voelen.

De kathedraal en het bisschoppelijk huis hier pal in het centrum zijn ruim en uitgestrekt. Voelt u zich hier veilig?

Zeker. De kathedraal ligt in een bruisende wijk van de stad Lahore en er dreigt hier geen gevaar. De Masjid-e-Shoodamoskee hier om de hoek is altijd drukbezocht en er is steeds veel politie in de buurt aanwezig. Een aanslag op de kathedraal is zeer onwaarschijnlijk, gezien al deze drukte. We hebben bovendien goede contacten met de staf van de lokale politiepost hier vlakbij. Sinds *de moordaanslagen in de Bahawalpurkerk wordt de kathedraal in de gaten gehouden door een bewapende wacht en ook de kleinere kerken in de stad worden bewaakt.*

Hoe heeft de Justice and Peace Commission gereageerd op de situatie waarin Pakistaanse christenen zijn beland na 11 september?

De katholieke kerk van Pakistan heeft geantwoord door het Social Harmony Committee (Comité Sociale Eendracht) op te richten. Dit comité heeft alle katholieke commissies samengevoegd tot één platform, waaronder de Justice and Peace Commission, Caritas Pakistan en Rabita. Het Social Harmony Committee heeft contact opgenomen met alle geestelijken en zusters en richtlijnen verstrekt voor het nemen van voorzorgsmaatregelen, teneinde de veiligheid van de christelijke gemeenschap te vergroten.

Hebben de christenen in de dorpen gehoor gegeven aan de richtlijnen verstrekt door het Social Harmony Committee?

De christenen hebben zich terughoudend opgesteld ten aanzien van het post-11 september draaiboek.

Aan het einde van het interview attendeerde Aartsbisschop Larry me op de Christus Koningprocessie in Lahore op 25 november 2001. 'De vredesprocessie', zo zei hij. 'We verwachten een grote opkomst van zowel moslims als christenen'.

P. S. De christelijke minderheid in Pakistan beslaat ongeveer twee procent van de totale bevolking van 140 miljoen. In 1998 werd geschat dat er 130.000 diocesane katholieken in Islamabad/Rawalpindi wonen, 120.000 in Faisalabad, 500.000 in Lahore, 180.000 in Multan, 135.000 in Hyderabad en 135.000 in Karachi. De protestante kerk heeft naar schatting 800.000 volgelingen in Pakistan.

ALGERIJE

Oppervlakte: 2.381.740 km^2
Bevolking: 31.133.486
Religie: Moslim: de grote meerderheid
Etnische groeperingen: Arabieren[31]

Militante moslimgroeperingen voeren regelmatig aanvallen op niet-moslimdorpen uit. Eén van de meest extremistische groeperingen is de Armed Islamic Group (GIA), die streeft naar de vorming van een islamitische republiek. Zulke groepen bestaan ook in Iran en Arabië. Al in 1994 heeft deze groepering aangegeven dat het haar bedoeling is joden, christenen en polytheïsten te elimineren.

Algiers, 28 maart 2001
De moordpartijen van fundamentalistische moslims in Algerije gaan door. Gewone burgers zijn er slachtoffer van. Zo wordt er op 25 maart midden in de nacht een aanval uitgevoerd op het plaatsje Sidi Abderrahmane, waar twaalf mensen, onder wie vijf vrouwen en vier kinderen, worden vermoord. Een baby raakt zwaar gewond. De aanvallers behoren tot de islamitische Armed Islamic Group, die vooral in het zuiden en het westen van de hoofdstad actief is. Vorige week werden 25 mensen vermoord. Een paar dagen eerder zeventig.

Sinds het begin van 2001 zijn meer dan achthonderd mensen vermoord. Alleen in de maand maart al driehonderd. Sinds het begin van de gewelddadigheden is het totale aantal doden opgelopen tot 150.000.[32]

Algiers, 09 augustus 2001
Zestien jonge mensen worden in Algerije gearresteerd wegens bezit van bijbels en christelijke literatuur, aldus het rapport van ZENIT op 3 augustus 2001. De personen variëren in leeftijd tussen de twintig en eenendertig jaar en zijn lid van een christelijke gemeenschap. Zestien van hen zijn gearresteerd op 26 juli in Cap Falcon, 450 km van de stad Algiers.[33]

---

[31] International Christian Concern, 19-02-01, en CIA The World Factbook 2000
[32] Catholic World News, 28-03-01
[33] The Voice of the Martyrs, Canada, 09-08-01. Zie ook: Open Doors, 21-08-01. Zie ook: KATHPRESS, verder: Christen in Not, 09/2001, 31-07-01

ANGOLA

Bevolking: 10.366.031
Oppervlakte: 1.245.700 km^2 [34]
Religie: Inheems: 47% Rooms-Katholiek: 38% Protestant: 1%
Etnische groeperingen: Ovimbundu: 37% Kimbundu: 25% Bokongo: 13% Mestico: 2% Europees: 1% Ander: 22%

Cabinda[35], 07 juli 2001
Bisschop Paulino Fernandes Madeca van Cabinda, in het noordwesten van Angola, vertelt aan het Portugese persagentschap LUSA dat een priester van zijn bisdom, Casimiro Kongo, door de Angolese autoriteiten wordt vervolgd. De Voice of America bericht dat de pater is ontvoerd. Volgens de bisschop ligt de reden van zijn arrestatie besloten in de kritiek die pater Kongo recentelijk geuit had ten aanzien van de connecties van de regering van Luanda met olie-maatschappij CHEVRON. De pater wees erop dat de lokale bevolking in extreme armoede leeft, terwijl de olie-inkomsten negentig procent van de regionale inkomstenbronnen uitmaken.

---

[34] African Websites - Angola - Profile on Angola. www.africanconservation.com. Zie ook: CIA The World Factbook.
[35] CRTN, 05-07-01

AZERBEIDZJAN

Bevolking: 7.000.000
Oppervlakte: 86.000 km^2
Religie: Moslim: 93% Russisch- en Armeens-Orthodox: 5%[36]
Etnische groeperingen: Azeri, Dagestani, Russen

Ten tijde van de communistische revolutie is er een katholieke parochie in Baku. De kerk wordt in 1950 verwoest en de katholieke priester, Stefan Demurov, verdwijnt in de concentratiekampen van Siberië. In 1997 komt de Poolse priester Jersey Pilus, die behoort tot de neocatechumenaten, naar Baku. Hij richt een nieuwe parochie op. Zo ontstaat een gemeenschap van katholieken. Met steun van seminaristen uit Warschau, Londen en Kopenhagen, richt hij tevens twintig groepen van catechisten op. Op 11 oktober 2000 richt de paus de Missio sui Iuris voor Baku op. Hoofd van de missie is pater Daniel Pravda, die door een leek wordt geassisteerd.[37]

Een herleving van de islam in het recente verleden heeft tot gevolg gehad dat vele Azerbeidjani het christendom openlijk de rug toekeren. De regering heeft vanaf 1996 direct of indirect bijgedragen aan een slechte situatie voor christenen.[38]

Mei 2001
Christenen in Ismailly worden door de politie en moslimmoellahs aangevallen en gemolesteerd. Op 10 april worden zeven leden van een lokale christelijke kerk gearresteerd. De politie verricht zonder toestemming huiszoeking en neemt bezittingen in beslag. Twee van hen worden veroordeeld, omdat zij 'niet gehoorzamen aan de politie'. Azer Gasymov wordt veroordeeld tot tien dagen; Asif Mardanov ontloopt een straf wegens slechte gezondheid. Na zijn vrijlating moet Gasymov afstand doen van zijn baan in het lokale ziekenhuis.[39]

Juni 2001
De vijandelijkheden jegens christenen nemen toe. Zo weigert de overheid in de hoofdstad Baku een christelijke gemeenschap te registreren. Het gaat om een gemeenschap van honderdtwintig christenen, die nu door de weigering hun ere-

[36] International Christian Concern, 28-02-01 en CIA The World Factbook 1999
[37] FIDES, 16-02-01
[38] Open Doors International: Country Profiles, 29-08-01
[39] International Christian Concern, 07-06-01

diensten in het bos moeten houden. Als alternatief biedt de overheid een vroegere concertzaal aan, waar de gemeenschap voor elke bijeenkomst 920 DM moet betalen.[40]

BANGLADESH

Oppervlakte: 144.000 km^2
Bevolking: 126.060.000
Religie: Moslim: 87% Hindoe: 11,7% Boeddhist: 0,6% Stamgebonden religie: 1,1% Christen: 0,44% Anders: 0,3%
Etnische groeperingen: Bengali en Hindoe.[41]

Vooral gedurende de laatste jaren neemt de invloed van de islam in het land toe. De tolerantie in de voorgaande jaren werd vooral bepaald door de behoefte aan buitenlandse steun. Ofschoon de groep fundamentalisten vrij klein is, oefent ze steeds meer druk uit op de regering om de shari'a in te voeren. Deze beweging, de Jamaat-i-Islami, roept op tot de invoering van de wet op blasfemie.

In Bangladesh zijn op dit moment twee christelijke kerken, de ondergrondse bestaat uit vooral bekeerde islamieten, de bovengrondse kerk bestaat voor een groot deel uit Hindoes die overgestapt zijn naar het christendom. De grootste christelijke kerk is de katholieke kerk die ongeveer 200.000 leden telt.

07 juni 2001
Bij een bombardement op een kerk in Baniarchar, in de provincie Gopalganj, komen tien mensen om het leven en raken er zestien zwaargewond. Twaalf daarvan verkeren in kritieke toestand. Het bombardement vindt plaats op 3 juni 2001, in een gebied waar het christendom relatief sterk aanwezig is. Aanvallen op christenen in dit vooral door moslims gedomineerde land, komen

[40] IDEA Spektrum, 11-07-01
[41] Open Doors International: Country Profiles.

zelden voor. Voor deze bombardementen heeft nog niemand de verantwoordelijkheid opgeëist.[42]

Dhaka, 11 juni 2001
De eerste minister van Bangladesh, Sheikh Hasina, bezoekt de katholieke kerk van Baniarchor, die op Pinksterzondag werd gebombardeerd en vernield. Ten gevolge van het bombardement op 3 juni zijn tien kerkgangers gedood, en 26 zwaar gewond. De premier belooft de mensen die verantwoordelijk zijn voor deze doden te zullen vervolgen. Hij stelt dat bescherming van de godsdienstvrijheid één van de eerste taken is van de regering.[43]

Dhaka, 17 oktober 2001
Christenen in Bangladesh zeggen dat zij regelmatig aangevallen en gemolesteerd worden, nadat op 1 oktober de moslimmeerderheid de algemene verkiezingen heeft gewonnen. 'Wat is erger dan dat je zoon vertelt dat hij het land moet verlaten vanwege bedreigingen door de lokale bevolking?', aldus een katholieke inwoner van Bangladesh. In Dhaka hebben onlangs katholieke leiders een bijeenkomst georganiseerd om te protesteren tegen de onderdrukking van de minderheden na de verkiezingen van jongstleden oktober.[44]

BHUTAN

Oppervlakte: 47.000 km^2
Bevolking: 1.800.000
Religie: Lama-Boeddhisme: 24%[45] Hindoe: 24% Moslim: 5% Animist: 0,6% Christen: 0,33% (onder wie 500 katholiek)[46]
Etnische groeperingen: Bhote, Nepalezen, inboorlingen[47]

42 The Voice of the Martyrs, Canada, 07-06-01. Zie ook: HMK-Kurir, 07/2001
43 CRTN, 12-06-01
44 ACN News, 17-01-01. Zie ook: UCAN, 10-11-01
45 International Christian Concern spreekt van Mahayana boeddhisme en stelt dat 65% van de bevolking hiertoe behoort. 30% zou hindoe zijn, en minder dan 2% christen (International Christian Concern, 12-06-01, en CIA The World Factbook, 2000
46 FIDES, 20-04-01
47 International Christian Concern, 12-06-01, en CIA The World Factbook, 2000

Christenen in Bhutan, die 0,33% van de bevolking uitmaken, worden geconfronteerd met zware geloofsvervolging, aldus Christian Solidarity Worldwide. Bhutanse christenen wordt verteld dat zij de keuze hebben tussen het verzaken van hun geloof of het verlaten van hun land. Bhutan kent geen geschreven grondwet. Er is geen garantie voor vrijheid van godsdienst. Boeddhisme is staatsreligie en niet-boeddhisten worden politiek en sociaal gediscrimineerd. Vervolging van christenen gebeurt systematisch. Op Palmzondag bijvoorbeeld, gaan politie en ambtenaren van de regering van kerk tot kerk om christenen te registreren.[48]

08 april 2001
Politie verzoekt christelijke gemeenschappen met het doel om alle namen van álle gelovigen en leiders te noteren. Geestelijken worden ondervraagd en bedreigd met gevangenisstraffen.[49]

10 mei 2001
De Baptist Press maakt op vrijdag 4 mei 2001 bekend, dat de vervolging van christenen in Bhutan is toegenomen. De recente golf van geweld is begonnen aan het einde van 2000, toen de koning zijn volgelingen voorhield dat zij beter af zouden zijn als zij slechts één religie zouden volgen: het boeddhisme. Volgens het rapport hebben lokale leiders na de toespraak de onderdrukking van christenen geïntensiveerd, misschien na aanmoedigingen door boeddhistische leiders. Mensen die deelnemen aan de eredienst worden aangepakt, kerken worden gesloten, lichamelijk geweld wordt gebruikt tegen gelovigen, christenen verliezen hun banen, priesters worden ondervraagd en bedreigd.[50]

Het gaat om ongeveer 65.000 christenen wier positie steeds moeilijker wordt. De overheid stelt geen garanties voor vrijheid van religie. Palmzondag hebben milities de kerken in het land bestormd en de namen van allen die aan de eredienst deelnamen, genoteerd. Meerdere evangelische pastores zijn gearresteerd en veroordeeld tot lange gevangenisstraffen. FIDES stelt dat er sprake is van een zeer harde vervolging. Aan de christenen wordt de keuze voorgelegd: het geloof afzweren of het land verlaten.[51]

Juni 2001
In de maand juni 2001 worden christelijke dorpen in het district Tsirang aangevallen door regeringsfunctionarissen. 34 christenen lopen zwaar lichamelijk letsel op; twee christenen probeert men van hun geloof af te brengen. De ver-

[48] Catholic World News Briefs, 20-04-01, en FIDES, 20-04-01
[49] International Christian Concern, juli 2001
[50] The Voice of the Martyrs, Canada, 10-05-01
[51] KATHPRESS, 22-04-01

wondingen variëren van kneuzingen op de rug tot gebroken ribben en oorbeschadigingen. De twee die onder druk zijn gezet om hun geloof af te zweren, hebben verklaringen moeten ondertekenen waarin vermeld staat dat zij zullen deelnemen aan bepaalde hindoerituelen. De anderen krijgen de tijd tot 2 juli om hun geloof af te zweren.[52]

BOSNIË

Oppervlakte: 51.129 km^2
Bevolking: 4.510.000
Religie: Soennieten: 44% Servisch-orthodoxen: 31% Rooms-katholieken: 17%
Etnische groeperingen: Bosnische Moslims: 44% Serviërs: 31% Kroaten: 17% Joegoslaven: 5,5%[53]

17 februari 2001

Katholieken in Bosnië worden zwaar gediscrimineerd. Een oudere priester vertelt aan een journalist van The Tablet dat zes jaar na het einde van de oorlog de positie van katholieken heel slecht is.[54] Kardinaal Puljic zoekt de oorzaak in de toenemende islamisering van het land.[55]

[52] International Christian Concern, juli 2001
[53] Islam, personen en begrippen van A tot Z, blz.196
[54] The Tablet, 17-02-01
[55] KATHPRESS, 04-12-00

BRUNEI

Oppervlakte: 5.770 km^2
Inwoners: 336.376
Religie: Moslim: 80% Boeddhist: 10% Christenen: 10%
Etnische groeperingen: Malay, Chinezen[56]

Islam is de officiële religie van het land. Aan niet-moslims is verboden om bekeringsactiviteiten te ontwikkelen. De invoer van religieuze boeken en religieus materiaal is verboden.

30 januari 2001
Al op 17 december 2000 zijn twee christenen in Bandar Seri Begawan gearresteerd wegens religieuze activiteiten. Hun bijbels en ander materiaal zijn geconfisceerd en vernietigd. Vandaag worden nogmaals vier christenen om dezelfde reden gearresteerd: Tokching bin Ikas, Mariam Murang, Mary Chedong en Ibu Roslin.[57]

12 februari 2001
Vier christenen die vastgehouden werden wegens religieuze activiteiten worden vrijgelaten. Malai Taufick Haji Malai Mashor, Fredie Chong, en Yung Murang blijven om dezelfde redenen in hechtenis. Murang is veroordeeld tot twee jaar gevangenis wegens het invoeren van Indonesische bijbels in het land.[58]

April 2001
Van de zeven christenen die in december 2000 en januari 2001 gearresteerd zijn in het Oost-Aziatische oliestaatje Brunei, zitten er nog twee vast: Taufick Mashor en Yunus Murang. De overige vijf zijn midden februari 2001 vrijgelaten.
De christenen werden er aanvankelijk van beschuldigd dat zij Indonesische bijbels het land ingesmokkeld hebben.[59]

[56] International Christian Concern, 21-06-2001. En: CIA The World Factbook, 2000
[57] International Christian Concern, 06-08-01
[58] International Christian Concern, 06-08-01. Zie ook: Christen In Not, 05/2001
[59] Open Doors, april 2001, blz.10

BURUNDI

Oppervlakte: 27.834 km^2
Bevolking: 6.223.897
Religie: Christen: 67%, (hiervan 62% rooms-katholiek) Inheems: 23% Moslim: 10%
Etnische groeperingen: Hutu: 80% Tutsi: 15% Twa pygmeeën: 1%[60]

Burundi: de bisschoppen roepen op tot het beëindigen van de burgeroorlog

Königstein, 15 juni 2001
In een schrijven aan de oorlogvoerende partijen, hebben de Burundese bisschoppen onlangs gewezen op de omvang van de burgeroorlog en opgeroepen tot het beëindigen van de vijandelijkheden. 'Kijk zelf in welk een afgrond van lijden de oorlog uw gezinnen en medeburgers heeft gestort', luidt het in de brief die bisschop Joseph Nduhirubusa van het bisdom Ruyigi voorlegt aan vertegenwoordigers van Kerk in Nood. Hij overhandigt de brief tijdens een bezoek aan Königstein. 'De hongersnood breidt zich uit, er woeden epidemieën en deficiëntieziekten. Ontheemden en vluchtelingen leven in mensonwaardige omstandigheden (...) Maak een einde aan dit drama. Stop deze oorlog en bouw met ons mee aan een samenleving waarin mensenrechten en sociale rechtvaardigheid worden geëerbiedigd en waarin iedereen kan meewerken aan een betere toekomst voor onze kinderen'.

De burgeroorlog tussen de Hutu's, die 85 procent van de bevolking uitmaken, en de Tusti-minderheid die de kleine Oost-Afrikaanse staat controleert, heeft aan 200.000 mensen het leven gekost en 370.000 mensen op de vlucht gejaagd naar de omliggende landen. Herhaaldelijk werden er in de voorbije jaren priesters en pastorale werkers vermoord. Bisschop Nduhirubusa benadrukt dat die niet werden gedood omdat ze tot de kerk behoorden, maar omdat ze intellectuelen

[60] Africa on a shoestring, blz.90-96. Zie ook: CIA The World Factbook.

waren, die in conflict waren met de dictatoriaal heersende machthebbers. Veel Burundezen vestigen hun hoop op de kerk. Daarom hechten de bisdommen zoveel belang aan de opleiding van priesters; zij kunnen jonge mensen opvoeden tot verdraagzaamheid en verzoening en ze in hun geloof bevestigen.

Burundi is een van de Afrikaanse landen met het hoogste percentage katholieken. Meer dan zestig procent van de zes en een half miljoen inwoners noemt zich katholiek. Alleen al in het voorbije jaar, heeft Kerk in Nood de Burundese kerk meer dan 220.000 US-dollar ter beschikking gesteld. Dit jaar steunt de hulporganisatie onder andere de uitbreiding van het grootseminarie van het bisdom Gitega en de bouw van het parochiecentrum Esprit de Sagesse in de hoofdstad Bujumbura. De polyvalente zaal van de universitaire parochie moet enerzijds plaats bieden aan liturgische diensten en anderzijds aan gespreksgroepen van intellectuelen en belangstellende burgers en aldus bijdragen aan de verzoening tussen vijandige bevolkingsgroepen.[61]

Juli 2001
De katholieke zuster Claire Nduwakristu is met een konvooi onderweg naar de hoofdstad Bujumbura als zij, zo meldt MISNA, in een hinderlaag van rebellen loopt. De eerste wagen kan de versperring nog doorbreken; de laatste maakt een snelle achterwaartse beweging. De middelste komt onder vuur te liggen. De zuster wordt gedood, haar twee begeleiders raken zwaargewond.[62]

[61] Persmededeling INFO, Königstein, 15-06-01
[62] Christen in Not, 07-07-01

CHINA

Oppervlakte: 9.596.960 km²
Bevolking: 1.246.871.951
Religie: Taoïsme: Boeddhisme: 100.000.000 Moslim: 20.000.000 Katholiek: 5.000.000 Protestant: 10.000.000[63]
Etnische groeperingen: Han Chinezen, Zhuang, Uygar en Hui[64]

In feite is het boeddhisme de grootste religie in China: er zijn ongeveer één miljoen boeddhisten in het land. Ondanks vervolging van alle religies heeft het boeddhisme duidelijk veel invloed op de Chinezen. De communistische Volksrepubliek China telt niet alleen getalsmatig, maar ook verhoudingsgewijs het grootste aantal atheïsten ter wereld. Dat blijkt uit een onderzoek van het Duitse tijdschrift Weltbild.
21,4% van alle Chinezen zegt atheïst te zijn. Op de tweede plaats staat Rusland. In dat land noemt zich 10,4% van de mensen atheïst. Daarna volgt Oost-Azië zonder Japan (7,42%), Italië (6,7%) en op de vijfde plaats Duitsland (6,45%). In Europa kennen Oostenrijk en Zwitserland (1,5%), Spanje en Portugal (1,2%) en Griekenland (0,34%) het geringste aantal atheïsten. Canada en de VS tellen volgens het bericht 3% atheïsten. Vooral in Afrika en Amerika zijn uitermate weinig atheïsten. Helemaal onder aan de lijst staan de islamitische landen Iran (0,03%) en Pakistan (0,003%).
Volgens een Amerikaanse religiestatisticus zijn er wereldwijd 150 miljoen atheïsten (2,5% van de wereldbevolking), 2 miljard christenen, 1,2 miljard moslims, 811 miljoen hindoes, 360 miljoen boeddhisten en 14,4 miljoen joden.[65]
Het is onmogelijk om het aantal katholieken in China juist te tellen. Indien iemand dit zou proberen, dan zouden veel katholieken weigeren hun naam op te geven. Zij hebben in het verleden hun les geleerd. Wat vandaag als 'onschuldige informatie' wordt opgevraagd, wordt allicht morgen voor minder onschuldige doeleinden misbruikt.[66] *Verbiest Koerier geeft wel enkele cijfers inzake katholieken en de katholieke kerk in China.*

[63] De patriottische katholieke kerk beweert dat er ongeveer tien miljoen katholieken zijn. De protestante patriottische beweging spreekt ook van tien tot vijftien miljoen protestanten. Ook leest men elders dat het aantal protestanten rond de dertig miljoen ligt.
[64] International Christian Concern, 19-02-01en CIA The World Factbook 1999
[65] KERKWEB, 25-01-01
[66] Verbiest Koerier, maart 2001, blz.22

1. Aantal katholieken	12.000.000[68]
2. Aantal bisdommen	138
3. Aantal kerken/kapellen	5.000
4. Aantal bisschoppen: **a. officiële** **b. niet-officiële**	 79 49
5. Aantal priesters: **a. officiële** **b. niet-officiële**	 1.200 1.000
6. Aantal geprofeteste zusters: **a. officiële** **b. niet-officiële**	 2.150 1.500
7. Aantal seminaries: **a. officiële** **b. niet-officiële**	 24 10
8. Aantal grootseminaristen: **a. officiële** **b. niet-officiële**	 1.000 700
9. Aantal zusternoviciaten: **a. officiële** **b. niet-officiële**	 40 20[69]
10. Aantal zusters in vorming: **a. officiële** **b. niet-officiële**	 1.500 1.000[70]

Het is onjuist om over een tweedeling van de Chinese katholieke kerk te spreken. Er zijn wel twee geledingen binnen de kerk: er is de Chinese katholieke Patriottische Associatie en de zogenaamde ondergrondse kerk. Die tweedeling komt niet vanuit de kerk zelf, maar is van buitenaf opgelegd. Ook de structuren van de Patriottische Associatie zijn door de overheid opgelegd. De Patriottische Associatie is overigens de enige instantie op dit gebied die door de Chinese communistische partij wordt erkend. Er is een permanent comité met 51 leden, waaronder vijf vrouwen. Erevoorzitters zijn Jin Luxian, Dong Guangqing en Yu Chengcai. De voorzitter van de Patriottische Associatie is bisschop Fu Tieshan. Verdere leden zijn: mgr. Liu Yuanren, mgr. Tu Shihua, mgr. Huo Cheng en pater Gong Qiusheng. Verder de leken Liu Bainian, Yu Jiadi, Lu Guocun. De secretaris-generaal is de heer Liu Bainian.

[68] Het is evident dat in dit verband ook andere aantallen worden genoemd. Het probleem in zulke landen is dat er geen volkstellingen gehouden mogen worden waarbinnen gevraagd wordt naar religie. Daarom zijn zulke aantallen altijd slechts schattingen. Naar mijn idee is echter de informatie van de Verbiest Stichting zeer betrouwbaar. In dit verband wijs ik erop dat Jean Charbonnier in zijn 'Guide to the Catholic Church in China' (Singapore, 2000) op blz.14 ook spreekt van tien miljoen katholieken in China.

[69] Jean Charbonnier schrijft over 1.500 novicen in door de staat erkende noviciaten en van 1.000 niet officiële novicen. (Zie: J. Charbonnier: Guide to the Catholic Church in China, blz.14)

[70] Verbiest Koerier, maart 2001, blz.22

In de loop van 2001 werden diverse artikelen gepubliceerd, waaruit blijkt dat de geschiedenis van het christendom in China veel verder teruggaat dan men tot nu toe had aangenomen. Martin Palmer ontdekte in een ruïne de restanten van een zeer ver christelijk verleden. Deskundigen zijn het er nu over eens dat er tussen de zevende en de achtste eeuw christelijke gemeenschappen bestonden in China. Palmer is vertaler van oosterse filosofieliteratuur en is directeur van de Alliance of Religions and Conservation in Engeland. Tot voor kort nam men aan dat het christendom in China op zijn vroegst in 1600 verscheen.[71]

Hong Kong, 04 januari 2001
Ongeveer zeventig studenten en professoren zijn verwijderd van het nationale seminarie van Peking, omdat zij in de loop van 2000 de wijding van patriottische bisschoppen geboycot hebben, aldus UCA News. Volgens dezelfde persorganisatie hebben ongeveer honderd studenten en professoren de wijding geboycot omdat aan de benoeming van de nieuwe bisschoppen geen goedkeuring van Rome was gekoppeld.[72]

Hong Kong, 04 januari 2001
De laatste door de H. Stoel benoemde bisschop in China, Matthias Duan Yinming, overlijdt op 10 januari 2001 op 92-jarige leeftijd. Hij werd in 1937 in Rome tot priester gewijd. Bij zijn terugkeer in China werd hij rector van het seminarie van Wanxian. Op 9 juni 1949 werd hij door paus Pius XII tot bisschop benoemd. Hij is als zodanig erkend door de communistische regering. Hij werkte tien jaar in katoen- en batterijenfabrieken en verbleef ook tien jaar in heropvoedingskampen en indoctrinatiescholen. Pas in 1979 mocht hij terugkeren naar Wanxian.[73]

Amsterdam, 22 februari 2001
China maakt misbruik van de psychiatrische wetenschap voor politieke doeleinden. Het land sluit politieke en religieuze dissidenten op in speciale psychiatrische inrichtingen, die vallen onder het Ministerie van Openbare Veiligheid. Er zijn ongeveer twintig van dergelijke inrichtingen. China moet daarom worden geschorst als lid van de World Psychiatric Association, het overkoepelende orgaan van landelijke verenigingen voor de psychiatrie. Dat stelt de Geneva Initiative on Psychiatry. De GIP baseert zich op een rapport dat in haar opdracht is geschreven. Auteur Robin Munro, een China-expert verbonden aan de universiteit van Londen, put rijkelijk uit officiële vakpublicaties. Zo meldt de Chinese Journal of Psychiatry dat 2,8% van de patiënten die onder dwang

[71] Palmer onthulde zijn ontdekking op 23 februari 2001 in een toespraak in Hong Kong.
Zie: KERKWEB, 29-06-01
Het verhaal is gepubliceerd door Chicago Tribune op 03-06-01. Vervolgens heeft Bay Fang een artikel gewijd aan de ontdekking. Dit is gepubliceerd door US NEWS op 10-03-01

[72] CRTN, 05-02-01

[73] Verbiest Koerier, maart 2001, blz.23

worden verpleegd in forensische inrichtingen misdaden heeft begaan 'van politieke aard' ... in China lijden 'patiënten' aan 'dysfrenie' of 'qigong-psychose' (qigong is de benaming van meditatieoefeningen).[74]

Maart 2001
Een gemeenschap van dertig katholieke zusters van de officiële patriottische beweging in Harbin wordt gedwongen de deuren te sluiten, omdat zij de door de staat aangewezen priorin weigert toe te laten. Zij worden uit hun huis gezet.[75]

21 maart 2001
Leden van het Veiligheidsbureau hebben de vorige week een predikant en zijn zoon gearresteerd. De vader is predikant van een van de kerken in de provincie Guangdong. Kort na het begin van de dienst in de kerk stormen dertig veiligheidsagenten de ruimte binnen en laten zij de eredienst stoppen. Daarna arresteren zij de predikant Yang Quan en zijn zoon. De zoon wordt spoedig na de arrestatie vrijgelaten. De vader zit nog vast.

Bartlesville, 06 april 2001
Een Amerikaanse mensenrechtenrechtenorganisatie maakt bekend dat 24 Amerikaanse christenen, die per vliegtuig China bezochten, vastgehouden worden. The Voice of the Martyrs stelt dat zoiets niet ongebruikelijk is in China. 'Duizenden Chinese christenen worden in Peking dagelijks vastgehouden, eenvoudig omdat zij weigeren hun geloof te ontkennen en niet toetreden tot de door de overheid erkende christelijke bewegingen', aldus de woordvoerder van de beweging, Gary Lane.[76]

26 april 2001
Gedurende de paasdagen wordt de 79-jarige Shi Enxiang van de Chinese ondergrondse katholieke kerk gearresteerd, tijdens zijn bezoek aan Bejing op 13 april. Bisschop Shi, van het bisdom Yixian, wordt sinds 1996 vervolgd. Hij heeft dertig jaar van zijn leven in gevangenissen doorgebracht; de laatste keer tussen 1990 en 1993.

Tegelijk met de bisschop worden in de Goede Week ook vijf priesters en op zijn minst tien leken gearresteerd. Onder de priesters bevinden zich pater Li Jianbo (34) uit de provincie Hebei, gearresteerd op 19 april in Binnen-Mongolië, pater Lu Genjun (29), vlak voor Pasen gearresteerd in de provincie Hebei en

[74] Trouw, 22-02-01
[75] HMK-Kurir, 05/2001
[76] Catholic World News Briefs, 06-04-01

onmiddellijk veroordeeld tot drie jaar werkkamp; een priester die alleen bekend staat als Yin, eveneens in Hebei gearresteerd en veroordeeld tot drie jaar werkkamp; pater Feng Yungxiang op Goede Vrijdag gearresteerd in de provincie Fujian, pater Lioa Haiqing (rond zeventig jaar oud) wordt op Goede Vrijdag gearresteerd in de provincie Jiangxi.[77]

Minstens 22 katholieken worden in de paastijd gearresteerd. Een 79-jarige bisschop, zeven priesters en dertien leken zijn midden april in Fujian, Hebei en Jiangxi en in Binnen-Mongolië gearresteerd, aldus de Kardinaal Fung Stichting. Volgens een bericht van FIDES is de 82-jarige bisschop van Peking, mgr. Matthias Pei Xiangde, al in het begin van april gearresteerd.[78]

Washington, 01 mei 2001
De US Commission on International Religious Freedom roept op 30 april de regering-Bush op om er bij China op aan te dringen te stoppen met de onderdrukking van religieuze vrijheid. 'De situatie in China is gedurende het afgelopen jaar erger geworden', aldus Elliott Abrams, de voorzitter van de commissie in zijn tweede jaarverslag. De commissie noemde ook met name andere landen waar religieuze vrijheden worden geschonden: India, Indonesië, Rusland, Pakistan, Nigeria, Iran, Sudan, Vietnam en Noord Korea.[79]

18 mei 2001
The Voice of the Martyrs bericht dat op dit moment het Staatsveiligheids Bureau roekeloos maatregelen neemt tegen de zogenoemde huiskerken. Leiders van de kerken in Qiqihar (in het noordoosten van Heilongjiang), Urumqi (in het noordwesten van Xinjiang), in de provincies van Hebei, Hunan,en in de stad Guanghzu (in de provincie Guangdong), vertelt dat de vervolging vreselijk is. Soortgelijke berichten komen echter ook vanuit andere delen van China.
Een priester, pastoor Samuel Lamb, bericht: 'Luister niet naar de desinformatie van de regering. Vervolging en onderdrukking van de huiskerken in China nemen toe'.[80]

Guangzhou, 28 mei 2001
De katholieke aartsbisschop van Guangzhu, mgr. Lin Binglinag, overlijdt op 25 mei 2001 op de leeftijd van 88 jaar. Hij werd in 1941 tot priester gewijd, en in 1990 tot bisschop.[81]

---

[77] Catholic World News Briefs, 23-04-01 en FIDES, 23-04-01. Zie ook: Katholiek Nieuwsblad, 04-05-01
[78] Christen in Not, 06/2001
[79] Catholic World News Briefs, 01-05-01
[80] The Voice of the Martyrs, Canada, 24-05-01
[81] FIDES, 28-05-01

Hong Kong, 30 mei 2001
De communistische autoriteiten in China arresteren 35 christenen wegens illegale religieuze activiteiten, en veroordelen hen tot vijftien jaar werkkamp.[82] Het zijn protestante christenen en ze worden gearresteerd tijdens het bijwonen van een kerkdienst in een huiskerk in Dongsheng, in Binnen-Mongolië. Onder de gearresteerden is een vrouw, Wang Yulan, wier positie ernstiger is dan die van de anderen: haar man is eerder gevangen gezet. Gevolg daarvan is dat hun twaalf jaar oude zoon zonder ouderlijke zorg komt te staan. Twintig anderen worden vrijgelaten nadat zij elk een bedrag van 200 Yuan betaald hebben; dat is ongeveer 25 US-dollar.[83]

Juni 2001
NEWSWEEK bericht dat de positie van christenen, van katholieken in China zich verbetert. Als verklaring wordt aangevoerd dat de Chinese regering bereid is meer vrijheid toe te laten vanwege de naderende Olympische Spelen van 2008, waarop Peking ook heeft ingetekend als organisator. Zo zou zij haar kansen om de Spelen naar Peking te krijgen vergroten.[84]

New York, 08 juni 2001
China en Turkmenistan zijn twee van de landen die onlangs geweigerd hebben om een recente resolutie van de VN inzake bescherming van religieuze plaatsen te ondersteunen. Beide landen zijn er onlangs door mensenrechtenorganisaties van beschuldigd kerkelijke gebouwen vernield te hebben. De woordvoerder van China bij de VN, verklaart dat China de resolutie niet ondersteunt, maar het wel eens is met de strekking ervan.[85]

[82] Keston Institute geeft de volgende namen van geestelijk leiders en bisschoppen die (nog steeds) in gevangenissen verblijven: Bisschop Jia Zhigou (bisschop van Zhending, provincie Hebei, gearresteerd op 15 augustus 2000), bisschop Han Dingxiang (bisschop van Yong Nian, provincie Hebei, gearresteerd in november of december 1999), Wang Chengqun (katholieke lekenleider in Baoding, in de provincie Hebei, gearresteerd vóór Kerstmis 1999), pater Guo Yibao en pater Wang Zhenhe (katholieke priesters van de ondergrondse kerk in Anjiazhuang, Xushui, in de provincie Hebei, gearresteerd tijdens de Paasmis in 1999), pater Jiang Sunian (priester in Zhejiang, in het zuidoosten van China, gearresteerd op 25 mei 2000), Li Dexian (protestante kerkleider in de provincie Guangzhou), de geestelijke Wang Li Gang en de assistent-geestelijke Yang Jang Fu (beiden gearresteerd op 23 november 1999, samen met negentien anderen tijdens een kerkelijke bijeenkomst in Han Ku), Zhang Rong Liang, (uit Tanghe, provincie Hebei, samen met 31andere leiders gearresteerd op 22 augustus 2000), Xu Yongze, protestante kerkelijke leider, gearresteerd op 16 maart 1997.

[83] Catholic World News, 30-05-01, zie ook: Open Doors, juli/augustus 2001, blz.11

[84] Newsweek, 11-06-01

[85] CRTN, 11-06-01

14 juni 2001
The Voice of The Martyrs (Australië) meldt de arrestatie van broeder Huang, een 28 jaar oude kerkelijke leider van een huiskerk in de provincie Heilongjiang. Tijdens zijn arrestatie wordt hij met zijn hoofd naar beneden opgehangen. Hij wordt beschuldigd van de verspreiding van religieuze literatuur.[86]

20 juni 2001
Twaalf protestanten worden veroordeeld tot twee tot drie jaar durende werkkampen in het noorden van China, wegens religieuze activiteiten. Dat berichten mensenrechtenorganisaties in Hong Kong. De twaalf behoren tot een groep van 35 die op 26 mei 2001 is gearresteerd.[87]

Washington, 18 juli 2001
Katholieke priesters en bisschoppen van de patriottische kerk stellen zich meer en meer negatief op jegens de regering. Aldus bisschop Joseph Zen Ze-kiun van Hong Kong in een gesprek met CNS op 17 juli 2001. Patriottische priesters hebben bijvoorbeeld de plechtigheid van de wijding van een regeringsgetrouwe bisschop geboycot. Velen bezoeken geen politieke bijeenkomsten meer en tekenen geen regeringsmanifesten. Volgens bisschop Zen wordt niet alleen de ondergrondse kerk vervolgd; ook leden van de patriottische kerk worden vervolgd.[88]

Hong Kong, 25 juli 2001
Volgens UCA NEWS is door de Chinese autoriteiten de bisschop van de ondergrondse kerk, Li Honngye van Luoyang (83) samen met de lokale deken en veertien zusters gearresteerd. Vooralsnog zijn geen officiële beschuldigingen bekend. Het Italiaanse agentschap ANSA maakt ook de arrestatie bekend van zestien priesters van de ondergrondse kerk in de provincie Jiangxi. Pater Liao Haiqing van het bisdom Yujiang wordt in zijn huis opgepakt. De vijftien andere priesters worden midden in de nacht opgepakt.[89]

26 juli 2001
De geestelijke Li Dexian wordt op 26 juli 2001 om halftwee 's middags gearresteerd tijdens een huisviering in Hua Du, niet ver van Guongzhou. Om drie uur arriveren agenten van de veiligheidsdienst die een eind maken aan de bijeenkomst. Zij arresteren pastor Li en nog twee kerkleiders. Pastor Li wordt binnen 24 uur vrijgelaten, maar mag geen preken meer houden.[90]

---

[86] The Voice of the Martyrs, Canada, 14-06-01
[87] The Voice of the Martyrs, Canada, 28-06-01. Zie ook: KNA, 21-06-01
[88] CRTN, 19-07-01
[89] CRTN, 26-07-01. Zie ook: ZENIT, 20-07-01
[90] The Voice of the Martyrs, Canada, 01-08-01

Rome, 02 augustus 2001
Volgens bronnen van FIDES is bisschop Joseph Zhang Weizhu recentelijk vrijgelaten. Na zijn arrestatie op 25 januari 2000 is niets meer gehoord van de bisschop. Mgr. Zhang (45), afkomstig uit Xianxian, (Habei) is de 'ondergrondse' bisschop van Xiang Xian. Hij is in het verleden diverse keren opgepakt. De voorlaatste keer in mei 1998.[91]

16 augustus 2001

Dear Friend,
We request your support of this meritorious initiative that originated in Buenos Aires, Latin America, in favour of 12 million Chinese Catholics, whom are presently persecuted by the communist regime.
Please read the attached report and send a message in protest (it can be done in any language, preferably in English) to the Chinese embassies in the United States, Argentina, Geneva and the United Nations (please see links below).
We have been collaborating for years, via Internet, in the cause of the liberation of Cuba, and also in the denouncement of the communist narco-guerillas of Colombia.

Greetings and many thanks.
Sincerely,
Giovanni Han Zhimin
Massachusetts Institute of Technology (MIT)
Cambridge, MA USA

[91] FIDES, 02-08-01. Informatie over zijn arrestatie in 1998, zie FIDES, 12-06-98

China: 'The world cannot continue ignoring the persecution of 12 million catholics'

An outcry is underway in favour of bishops, priests and Catholic worshipers that are currently being held as prisoners and tortured in communist China, 'live martyrs of the third millennium'.

Press contact: Andres Silva Haro Tel. : (54 11) 4375 5969 Buenos Aires / Argentina

BUENOS AIRES, August 12, 2001(NFC) - 'The world cannot continue ignoring the cruel persecution of 12 million Catholics in communist China, which has been increased in the past months with new kidnappings of bishops, priests and worshipers. The time has come to voice our support in favour of these persecuted brothers, live martyrs of the third millennium', affirmed the directors of the magazines Cristiandad. org and Panorama Catolico Internacional, Andres Silva and Marcelo Gonzalez (www.cristiandad.org). Both of the Catholic directors, quoting recent reports of the Vatican agency Fides and of Cardinal Kung Foundation, mention as examples of the particularly painful religious persecution in China, the detention at the beginning of April, of the elderly Bishop of Peking, Monsignor Mathias Pei, 82 year old, and of Bishop of Hebei, Monsignor Shi Enxiang, 79 years old, who has spent 30 years of his life in communist jails. In addition to these victims are many young priests and lay men and women like Father Li Jiambo, 34 years old, and Father Lu Genjun, 39 years old. Fides points out that at least 10 bishops from the Church of Silence are imprisoned, remain kidnapped in unknown locations or are under house arrest.
'A mobilization of 1.000 million Catholic worshipers in the entire world, firmly demanding of the Chinese embassies in the respective countries; of all means of communication; of governments; and of human rights organizations are capable of creating an international climate that will make it difficult for the persecution in China to continue, that being for religious motives, as in the case of the Catholics, or ideological', added the director of Cristiandad.org. The magazine Panorama Catolico Internacional, edited in Buenos Aires, in its latest edition, raises the subject of the Chinese Catholics (panorama@infovia.com.ar).
Sources that were consulted by the Vatican agency Fides affirm that the recent release of the Bishop of Henan, Monsignor Giuseppe Zhang, 45 years old, was due to 'his grave health condition' in which he is in. Therefore, there is no evidence of a change in the methods of the Chinese communists, denounced by Fides in the same news report: that 'the government has launched a campaign

to eliminate the underground Church' which is loyal to Rome. Meanwhile, in the United States, Cardinal Bernard Law, Director of the International Affairs Committee of the Catholics Bishop Conference, in a stern letter to the Chinese Ambassador in Washington classified the wave of persecution against Catholics and dissidents in China as an 'unacceptable situation'. Other recent reports indicate the resurgence of religious persecution in Cuba and Vietnam, both having communist governments. (NFC / News From China)

Peking, 21 oktober 2001
De Chinese regering slaat een aanbod van paus Johannes Paulus II af om open onderhandelingen te beginnen over het aangaan van diplomatieke betrekkingen. Volgens de Chinese regering heeft Rome wel een positieve stap gezet, maar het is nog niet voldoende voor onderhandelingen Wij merken op dat de paus nog steeds zijn verontschuldigingen niet heeft aangeboden voor de canonisaties die de gevoelens van het Chinese volk diep gekrenkt hebben'.[92]

Vaticaanstad, 07 november 2001
Paus Johannes Paulus II stuurt bij gelegenheid van het feit dat Matteo Ricci vierhonderd jaar geleden Peking bereikte, een boodschap aan het Chinese Volkscongres. In zijn brief biedt de paus zijn excuses aan voor de fouten die tegenover het Chinese volk zijn gemaakt.[93]

08 november 2001
Volgens UCA News, een katholiek persagentschap in Thailand, heeft de regering van de provincie Zhejiang, in het oosten van China, de katholieke kerk van de stad Linjianyuan voor de derde keer in achttien maanden verwoest. Gedurende de vrije dagen van 1 tot en met 7 oktober heeft de parochie de kerk hersteld; op 25 oktober heeft de regering het gebouw weer verwoest. Dat gebeurde nadat de parochie weigerde lid te worden van de lokale patriottische kerk.[94]

---

[92] CWN News, 31-10-01
[93] FIDES, 07-11-01
[94] The Voice of the Martyrs, 08-11-01

COLOMBIA

Oppervlakte: 1.138.910 km^2
Bevolking: 39.685.655
Religie: Katholiek: 93,1% Evangelisch: 3,8%
Etnische groeperingen: Mestizo's: 74,6% blanken: 20% mulatto's en centavos.[95]

Verslag van de ontmoeting met twee hulpbisschoppen in Colombia, 16 juli 2001[96]

Hulpbisschop Daniel Caro uit Bogota, Colombia
Hulpbisschop Ismael Rueda uit Cartagena, Colombia

1. Een algemeen beeld van het huidige Colombia

Het is niet langer mogelijk om een algemeen beeld te schetsen van Colombia in de vorm van een geïsoleerde opsomming van individueel-sociale, politieke en culturele aspecten. Ongeacht hoezeer men zijn best doet om te proberen een duidelijke en vaste omschrijving te geven van individuele aspecten van de situatie in Colombia, die over het algemeen alleen maar verslechtert, moet men daar uiteindelijk toch andere aspecten bij betrekken en deze interpreteren - zo zegt bisschop Daniel Caro, hulpbisschop van de hoofdstad van Colombia, Bogota. Een werkelijk begrip van de situatie van het land, die op het eerste gezicht zo tegenstrijdig lijkt, kan slechts worden verkregen wanneer men al deze afzonderlijke aspecten met elkaar in verband brengt en plaatst in een breder, algemeen beeld.

Hun neutrale positie en het daaruit voortvloeiende inzicht in het leven van de verschillende fronten binnen het land, waren de factoren die ervoor zorgen dat de bisschoppen en de priesters waarschijnlijk de meest aangewezen personen zijn voor het geven van uitleg, zei hulpbisschop Ismael Rueda uit Cartagena. Het nieuws en de informatie die hen ter ore komen in hun hoedanigheid van bisschop, zijn vaak nauwkeuriger en waarheidsgetrouwer dan de berichten van de verschillende media en vaak ook dan de berichten van de staat. Ten gevolge

[95] International Christian Concern, en CIA The World Factbook 2000.
De meest recente statistieken maken melding van minder katholieken.

[96] Info-Sekretariat, Kirche in Not, 07-08-01

van de onrust en de constante angst die heersen in het dagelijkse leven op het platteland, zijn de dorpen beroofd van de meest essentiële elementen van het dorpsleven die er eerst wèl waren: politieagenten, burgemeesters, onderwijzers, enzovoort. Allemaal ambtenaren die een belangrijke functie vervullen in het gemeenschapsleven van iedere samenleving en die hier uit angst op de vlucht zijn geslagen naar de grotere dorpen en steden. Vaak blijven dus alleen de priesters achter in de verschillende individuele gemeenschappen, als teken van het gemeenschapsleven dat daar ooit bestond en functioneerde.

De burgers voelen zichzelf voortdurend gevangen tussen de muren van vier verschillende, elkaar bestrijdende fronten; burgers zijn altijd de eerste slachtoffers van deze rivaliteit. De vier groepen zijn:
- *de guerrilla's;*
- *de partizanen of paramilitares- een groep die op militaire wijze georganiseerd is;*
- *de narcotráfico - de drugsdealers en*
- *de ejercito - het eigenlijke leger van het land.*

De 'guerrillabeweging'- vroeger een groep partizanen die geïnspireerd werd door een liberale agenda - is niet langer zo actief als eerst. Ofschoon hun directe en indirecte criminele operaties nog net zo wreed zijn als voorheen, kan er nu geen enkele politieke inhoud meer in ontdekt worden. Van de bevolking van rond de veertig miljoen Colombianen, maken er op dit moment slechts ongeveer vijftienduizend deel uit van de guerrillabeweging - en dat terwijl er in deze groep jaarlijks meer geld omgaat dan in de staat Colombia zelf. De chantage van commerciële ondernemingen - bijvoorbeeld door opnames van bankrekeningen, die eerst bestemd waren voor de ondersteuning van de guerrilla's die streden voor een liberaal en vrij Colombia, dient nu nog slechts ter bevrediging van de hebzucht van de leden. Bij de strijd die nu door de 'guerilleros' wordt uitgevochten, gaat het alleen om geld. Zij huldigen niet langer de noodzakelijke intellectuele principes en hebben niet meer de grootse doelstellingen voor ogen die vroeger betekenis gaven aan hun strijd, zei bisschop Caro. De guerrilla's hebben bijvoorbeeld de grote olieleidingen van de internationale ondernemingen in brand gestoken, om zo die bedrijven te chanteren. Maar zelf hebben ze geen idee van het bedrag dat ze willen afpersen, noch van de bestemming van het geld. De druk op de burgerbevolking, vooral in de plattelandsgebieden, is erg hoog en dat geldt nu niet alleen meer voor de mannen, maar ook voor de jeugd en de vrouwen. Volgens bisschop Caro is er echter niemand die betere contacten onderhoudt met de guerrillero's die in het land leven èn met de burgers die door hen worden afgeperst dan de clerus. Niet alleen de partizanen komen naar hen toe met hun geestelijke nood, maar ook de burgers die zich bijvoorbeeld genoodzaakt zien om, zonder enig perspectief, te vertrekken omdat ze zich niet bij de guerrillero's willen aansluiten. De neutrale positie van de kerk is het grootste en belangrijkste goed in deze kwestie, want als de kerk haar neutrale positie zou verliezen, dan zou het contact met deze toch al zeer gesloten mensen wegvallen en zou zij geen invloed meer kunnen uitoefenen voor wat betreft een verbetering van de situatie.

Hetzelfde geldt voor de op militaire wijze georganiseerde groep, de 'paramilitares'; er zijn maar weinig verschillen. Er is nog maar weinig over van de tijden waarin de leden van deze groep actief waren als een soort politieke contra's van de partizanen en het leger van de staat. Ook bij hen is de enige haalbare doelstelling verdwenen en gaat het alleen om zoveel mogelijk geld. De naam van deze groep is nu even zinloos geworden als de acties die zij voeren, zegt bisschop Rueda. Ofschoon de naam para-militair bedoeld is als verwijzing naar een soort militaire benaderingswijze, behoren de afpersingen, de moorden en de bloedbaden die zij aanrichten tot de allerergste. Het totale gebrek aan logica dat naar voren komt bij veel van hun acties is zo groot, dat men zich soms afvraagt of het om een angstaanjagend spel of om een onbegrijpelijke realiteit gaat.
Voor aanhangers van zowel de guerrilla's als de paramilitairen is het bijvoorbeeld de gewoonste zaak van de wereld om over te lopen en zich bij hun respectievelijke vijanden aan te sluiten: ze nemen lijsten met namen mee en verraden hun vroegere kameraden. Deze laatsten worden vervolgens gechanteerd voor geld. Als deze afpersing resulteert in financieel succes, dan worden de verraders rijkelijk beloond. Als de poging tot afpersing echter mislukt, om welke reden dan ook, dan worden de verraders in talloze gevallen gewoon vermoord, vertelde bisschop Rueda ons.
De zinloosheid van deze strijd kent geen grenzen. De burgerbevolking lijdt hier niet alleen onder, maar werkt ook voortdurend zowel voor de paramilitairen als voor de partizanen - zelden uit eigen vrije wil, maar onder dwang. Er hoeft niet eens een vermoeden van te zijn dat je een spion bent of sympathiseert met de tegenstander: het simpele feit dat je ooit gedwongen bent om één van deze groepen te helpen, is al reden genoeg om vermoord te worden. En in deze gevallen kan helpen alles betekenen: van echte steun in de vorm van organisatie of informatie tot het bieden van een slaapplaats voor een nacht.

Geografisch gezien is Colombia een uitermate rijk land, en theoretisch gesproken zijn er enorme hoeveelheden natuurlijke bronnen die zouden kunnen worden aangewend voor een verbetering van de economische situatie. Maar in plaats daarvan is de enige bloeiende handel de drugshandel. Geen enkele andere business is zo lucratief als de handel in drugs, en dat geldt natuurlijk niet alleen voor Colombia en de Colombianen. De 'narcotráfico' levert zo'n enorme winst op, dat zowel de guerrilla's als de paramilitairen er al jaren bij betrokken zijn, hetgeen alles te maken heeft met al het bloedige geweld. Bisschop Rueda gelooft zelfs dat deze drugshandel de individuele groepen voedt. Bovendien is er tegenwoordig niemand meer die nog gelooft dat leger en staat zich volkomen afzijdig houden van de situatie. De drugshandel verergert het fundamentele kwaad in het land nog meer, want er is geen enkele andere manier waarop zoveel geld verdiend kan worden in zo'n korte tijd als met de verkoop van deze verdovende middelen. Volgens bisschop Rueda heeft juist daarom iemand gezegd dat deze criminaliteit jaarlijks meer levens kost dan de werkelijke huidige conflicten.

Eén van de meest macabere incidenten waarover bisschop Rueda vertelde, was misschien wel een incident dat zich voordeed in de hoofdstad, Bogota. Enkele jaren geleden werd, na een onderzoek dat werd uitgevoerd door een grote stadskrant, bekend gemaakt, dat tijdens een drugsdeal één miljoen peso's (ongeveer DM 1000,00) werd aangeboden voor de moord op een bepaalde politieagent. Nadat de man was omgebracht, werd deze som ook daadwerkelijk uitbetaald. Sindsdien spreekt men in Bogota over politiemensen in termen van 'waarde' en er doet een zwarte grap de ronde: wanneer mensen een geüniformeerde agent zien, zeggen ze: 'Kijk, daar loopt weer een miljoen weggegooide peso's'. De machtswellust en de hebzucht gaan zó ver, dat wanneer de handel slecht is, de drugsdealers zelfs aanhangers van de guerrilla ontvoeren en hen slechts vrijlaten in ruil voor grote geldbedragen. Maar de schuld voor deze bloeiende drugshandel ligt geenszins alleen bij de Colombianen. Nog afgezien van het feit dat de meeste drugs naar de Verenigde Staten worden gestuurd - en het grootste deel van het geld van de verkoop dus daar vandaan Colombia binnenkomt - zijn alle chemische producten en de knowhow voor de productie van de drugs afkomstig uit Europa, Azië en de Verenigde Staten. Daarom treft, zoals zo vaak, ook alle andere landen schuld, die de Colombiaanse drugshandel steunen door directe bijdragen of door de vraag naar drugs.

Het leger dat eigenlijk de grootste en belangrijkste instantie is die voor vrede en veiligheid in het land zou moeten zorgen, verkeert eveneens in beklagenswaardige omstandigheden. Vroeger was het leger een gerespecteerde, doeltreffende en machtige instelling, die het land stevig in de hand hield tijdens crises en conflictsituaties. Maar de talrijke en vaak langdurige gevechten met de guerrillabewegingen in de tijd dat die nog in de kinderschoenen stond en het meest gemotiveerd was, hebben veel slachtoffers van het leger geëist en veroorzaakten een hopeloos minderwaardigheidsgevoel binnen de gelederen. Steeds minder soldaten waren uit vrije wil bereid tegen de partizanen ten strijde te trekken. In de loop van vele jaren is men het leger van Colombia gaan beschouwen als een instelling die niet meer serieus genomen hoeft te worden. Toch kan niemand, met het huidige corruptieniveau van land en staat, echt geloven dat het leger zich verre houdt van corruptie en onsmakelijke deals. Desalniettemin beginnen mensen te voelen dat het morele besef van de soldaten geleidelijk aan weer groeit, en daarmee dus ook het belang van de wet en de openbare orde, zei bisschop Rueda. Hij zei ook dat hij blijft hopen dat, mocht deze tendens doorzetten, het leger opnieuw een bron van hoop wordt voor de verbetering van de algemene situatie van het land.

2. De situatie van de katholieke kerk in Colombia

Tussen al diegenen die op zoek zijn naar de beste manier om veel geld te verdienen, bekleedt de katholieke kerk in Colombia een moeilijke positie. Ofschoon de priesters in de stad en op het platteland nog het vertrouwen van de meeste Colombianen genieten, ongeacht of het gaat om partizanen of soldaten, berust hun status op zeer zwakke fundamenten. In een oorlog die niet politiek, maar financieel van karakter is, is bewustmaking door te leven als een christen en God's Woord te verkondigen belangrijker dan ooit tevoren en waar dan ook, zegt bisschop Rueda. Volgens hem is de enige uitweg uit het culturele dilemma van hebzucht onder de Colombianen, het zo vroeg mogelijk bijbrengen aan kinderen van de waarden van een goede, christelijke opvoeding. Dat is iets wat op dit moment alleen de katholieke kerk in het land kan bewerkstelligen. Maar tegelijkertijd is het niet mogelijk door een uitgesproken offensief tegen het algemeen dalende morele besef, maar alleen indirect, als het ware door 'via de achterdeur binnen te komen'.

De priesters moeten bewijzen dat ze absoluut neutraal zijn, zodat er in de toekomst zowel door de guerilleros als door de paramilitares en de drugsdealers naar hen geluisterd zal worden. Het kan vaak gebeuren dat in een mis die wordt opgedragen, partizanen, soldaten en paramilitairen in burger naast elkaar zitten. Alleen de sterke innerlijke overtuiging dat al deze priesters en bisschoppen noch bij de guerrilla's, noch bij enige andere groepering horen, maakt dat mogelijk. Bisschop Rueda denkt dat, mocht het ooit gebeuren dat een priester openlijk stelling zou nemen, de kerkelijke leiders gechanteerd en mishandeld zouden worden op dezelfde manier waarop dat nu met de burgerbevolking gebeurt. Het is bijna overbodig om te zeggen dat op dat moment ook het laatste gemeenschappelijke referentiepunt voor het Colombiaanse volk, temidden van het corrupte klimaat van Colombia, zou verdwijnen.

Al degenen die een zekere macht bezitten in het land, van partizanen tot militairen, profiteren van de oorlog in Colombia, die door velen wordt beschouwd als een handel die gedreven wordt uit hebzucht. Iedereen, dat wil zeggen, met uitzondering van de gewone burgers, zoals altijd de zwakste leden van de samenleving. Het meest getroffen onder de gewone burgerbevolking zijn de 'desplazados', de 'ontheemden' - de mensen van het platteland die de druk van de individuele terroristische groepen in het land niet langer aankonden en als vluchtelingen naar de grote steden zijn getrokken, op zoek naar werk en huisvesting. Dit was de kerk al eerder duidelijk, en in 1988 werd besloten om een synode te houden in Bogota, om te bespreken welke wijzigingen moesten worden doorgevoerd in de culturele benadering van de priesters om te kunnen voldoen aan de behoeften van de bevolking. Vanaf het begin van het voorbereidend onderzoek tot aan de publicatie van de uiteindelijke oplossingen nam dit project maar liefst twaalf jaar in beslag We mogen echter niet vergeten dat het uiterst moeilijk is om in een dergelijke multiraciale samenleving een kerkraad bijeen te roepen om zulke diepgewortelde problemen te bespreken, zei bisschop Rueda. Toch was het een schandaal dat het zo lang geduurd had. Uiteindelijk werd de conclusie getrokken, dat er op drie belangrijke punten fundamentele wijzigingen moesten worden doorgevoerd in de loop van de komende jaren.

a) Er moet minder sociaal gepreekt worden. In de loop der tijd, ten gevolge van de instroming van zoveel mensen van het platteland, was de sociale preek steeds gewoner geworden. Alledaagse situaties zijn dan hoofdonderwerp van de preek en het prediken, expressis verbis, van de meest elementaire christelijke waarden wordt tot een minimum beperkt. Er werd besloten om de fundamentele inhoud van de preken in ere te herstellen en niet meer zoveel aandacht te besteden aan individuele dagelijkse problemen.

b) De parochies moeten kleiner worden. In sommige stedelijke gebieden en parochies nam het aantal desplazados dusdanig toe, dat het steeds moeilijker werd om contact te houden met de individuele parochianen. Ten gevolge daarvan vonden er steeds minder persoonlijke gesprekken plaats en werden spirituele problemen niet onderkend. De religieuze opvoeding van de jongere parochianen werd, gezien het grote aantal kinderen, dusdanig bemoeilijkt, dat het nauwelijks nog mogelijk was om er enige werkelijke inhoud aan te geven. Daarom werd besloten tot het opleiden van meer priesters en het aantal parochies te vergroten, waardoor hun omvang kleiner werd.

c) Er moet een actieve campagne gevoerd worden tegen hebzucht. De meeste mensen die deelnamen aan de synode wisten al voordat deze begon, dat hebzucht het grootste probleem is waar de Colombiaanse samenleving mee te maken heeft. Er werd besloten om deze hebzucht actief te bestrijden door de mensen aan te sporen tot gulheid, liefdadigheid en medelijden. In de parochies werden projecten gelanceerd waarin bijvoorbeeld de betekenis en het doel van liefdadigheidsinstellingen of giften werd uitgelegd.

Bovendien werd besloten dat duidelijk zou worden uitgelegd wat de werkelijke waarden zijn, los van alle materiële vooroordelen.

Bisschop Rueda, die dezelfde problemen heeft in Cartagena met ontheemden die hun cultuur, bezittingen en vaak ook hun familie verloren hebben, is van mening dat de benadering van de synode goed is, maar dat het een druppel op een gloeiende plaat is. Zonder de steun van de regering kunnen veel goede ideeën niet worden uitgevoerd. Er zijn al veel pogingen ondernomen om tot een dialoog te komen met de individuele radicale groeperingen; pogingen die zeker meer succes zouden hebben gehad als de regering wat meer druk uitgeoefend had. Maar bisschop Rueda vraagt zich af: 'Wat kun je verwachten van een regering die de ban op abortus en bigamie heeft opgeheven op grond van het feit dat er sinds 1936 slechts drie processen zijn geweest?' De belangrijkste punten die bisschop Rueda zou willen toevoegen aan de bevindingen van de synode van Bogota zijn de volgende.

- *Geweld en gevechten moeten verboden worden;*
- *de staat moet het Verdrag van Genève ondertekenen, en vooral de Internationale Verklaring van de Rechten van de Mens;*
- *er moet een nationaal project op touw gezet worden om de christelijke waarden bij kinderen onder de aandacht te brengen en te versterken.*

3. Conclusie

Samengevat: er zijn veel factoren die sterk met elkaar samenhangen en waarmee rekening gehouden moet worden in de huidige situatie in Colombia. De hulpeloze en lijdende burgerbevolking wordt geconfronteerd met vier grote radicale organisaties, die gedreven worden door hebzucht en de liefde voor geld - de guerrilla's, de paramilitairen, de drugsdealers en het leger. Zij vechten tegen elkaar zonder enig duidelijk politiek motief en ten koste van alle Colombianen die zichzelf niet kunnen of willen verdedigen en die zichzelf daardoor genoodzaakt zien alles achter te laten en van het platteland naar de stad te trekken. Vooropgesteld dat zij haar neutrale positie behoudt, kan de kerk op haar beurt proberen een christelijk bewustzijn op te roepen en de mensen te vertellen over alle fouten die worden gemaakt. De meest elementaire factor waartegen zij in deze campagne moet vechten en die diepgeworteld lijkt te zijn in de hele Colombiaanse samenleving, is hebzucht - hebzucht als drijvende kracht achter een oorlog zonder politieke doelstellingen, maar vol afschuwelijke en onmenselijke daden.

Verslag van Xavier Legorreta
Königstein, Duitsland

In Colombia zijn er twee extremistische groeperingen:

- *Revolutionary Armed Forces of Colombia (FARC). Het is een linkse, militante organisatie die ernaar streeft om in het land een socialistische regering te vormen. De leden zijn betrokken bij drugssmokkel om zo aan geld te komen voor de financiering van hun acties. De beweging is antireligieus.*
- *National Liberation Army (ELN), te vergelijken met het FARC. Evenals het FARC is de ELN vooral actief op het platteland.*

14 februari 2001
Op 14 februari werd de priester Jorge Enrique Gomez gekidnapt vanuit zijn woning. Hij werd ontvoerd door een tiental gewapende mannen. Pastoor Gomez leidt diverse christelijke radiostations. Men neemt aan dat hij ontvoerd is om zo verkocht te kunnen worden aan de FARC (Revolutionary Armed Forces of Colombia).[97]

20 juni 2001
Compass Direct rapporteert over het groeiend aantal kinderen van protestante geestelijken dat gedurende de laatste twee weken is vermoord. Op 8 juni

[97] The Voice of the Martyrs, 22-02-01. Zie ook: International Christian Concern, 28-02-01

ontdekt dominee Ederino Renteria het lichaam van zijn 22 jaar oude zoon, die eerder was ontvoerd. Julio Cesar Cabera, president van de Association of Inter-American Churches, vertelt dat het niet duidelijk is of het hier gaat om religieuze vervolging; naar zijn mening is dat wel het geval, vooral vanwege de evangeliserende rol van deze kerken. Op 17 juni wordt de twintig jaar oude Joni Palacio, actief jongerenwerker en Francisca Palacio, dochter van de president van de Inter-American Churches, neergeschoten. Niemand eist de verantwoordelijkheid op.[98]

Juli 2001
Tussen 25 en 29 juli 2001 houden Colombiaanse christenen een gebedsactie voor de slachtoffers van marxistische en paramilitaire organisaties. Gedurende de laatste tien jaar zijn meer dan 39.000 Colombianen door hen vermoord; duizenden zijn gekidnapt en op dit moment zijn ongeveer tweeënhalf miljoen mensen op de vlucht. Marxisten hebben het vooral gemunt op christelijke leiders die heel sterk evangeliseren in het land. Sinds 1998 zijn zeker driehonderd kerken gesloten en 52 geestelijken vermoord.[99]

31 augustus 2001
De Colombiaanse marxistische rebellenorganisatie FARC heeft vorige week tijdens een overval op een stad een katholieke kerk en een kinderopvangtehuis verwoest. Bij de gewapende overval, waarbij geen slachtoffers vielen, werden ook nog de pastorie en 25 huizen verwoest. Het parochiële opvangtehuis bood plaats aan 110 kinderen. Volgens de pastoor van San Juan de Arama, zijn degenen die de rebellen zeggen te vertegenwoordigen, het hardst getroffen door de aanval.[100]

27 september 2001
Gebaseerd op getuigenverklaringen van meerdere leden van de guerrilla's, concludeert New Tribes Missions dat Dave Mankins, Rick Teneoff en Mark Rich drie jaar na hun kidnapping op 31 januari 1993 doodgeschoten zijn. Men neemt aan dat zij medio 1996 vermoord zijn, nadat de guerrilla's door Colombiaanse troepen zijn ingesloten. Hun lichamen zijn nooit gevonden.[101]

[98] The Voice of the Martyrs, 21-06-01
[99] The Voice of the Martyrs, Canada, 26-07-01
[100] Katholiek Nieuwsblad, 31-08-01
[101] The Voice of the Martyrs, Canada, 27-09-01

CUBA

Oppervlakte: 110.860 km^2
Bevolking: 11.141.997
Religie: Rooms katholiek: 41,1% Atheïst: 30,9% Spiritisme: 25% Protestant: 2,82%[102]
Etnische groeperingen: Mulatto, blank, zwart

Nieuws uit Cuba

The New Herald[103]
Pablo Alfonso'.The New Herald'

Regering bereidt zich voor op antireligieuze acties in Havana
De groeiende toevlucht van Cubanen tot de verschillende geloofsvormen en het religieuze leven, heeft een reactie van de communistische autoriteiten van het eiland uitgelokt.

In navolging van instructies van het Buró Provincial del Partido Comunista, het provinciaal bureau van de Communistische Partij, heeft de Consejo de Administración de Ciudad de La Habana, de Raad voor Stadsbeheer van Havana, een zogenaamd Actieplan opgesteld, dat door staatsorganisaties dient te worden uitgevoerd, om zo de toenemende religieuze invloed in de hoofdstad in te dammen.
De akkoorden, die onlangs zijn gesloten in een vergadering van de regering in de Cubaanse hoofdstad, hebben betrekking op verschillende provinciale besturen, waaronder volksgezondheid, onderwijs, huisvesting, justitie, werkgelegenheid en sociale zekerheid.

Volgens een document dat als vertrouwelijk is aangemerkt en dat The New Herald in handen heeft gekregen, heeft de Raad voor Stadsbeheer van Havana deze maatregelen aangenomen om de acties die in de hoofdstad worden gevoerd kracht bij te zetten, waarbij aandacht wordt besteed aan en een oplossing wordt gezocht voor verschillende sociale problemen. Dit in navolging

102 International Christian Concern, 19-02-01 en CIA The World Factbook 2000. Het aantal protestanten groeit per jaar met ongeveer 6,1%
103 Gepubliceerd in The New Herald, 18-06-01

van de 'Politieke Analyse van het fenomeen religie in Havana'. Deze acties worden gevoerd door de Partido Comunista de Cuba, de PCC, de Cubaanse Communistische Partij.

Het document van de PCC bevat een gedetailleerde, kritische recensie van de activiteiten van alle religieuze groeperingen van de hoofdstad, waarin bijna alle religieuze manifestaties die in dit land bestaan zijn terug te vinden. Het doel is om actie te ondernemen tegen deze manifestaties.

Het gaat onder meer om de volgende activiteiten:
- *Revisie van de vakken spaans, wiskunde en engels en computerlessen in katholieke kerken.*
- *Geleidelijke toename van de aankoop van gebouwen via testamenten door religieuze instelling en door het plaatsen van vertegenwoordigers van vrouwenbewegingen in particuliere huizen.*
- *Aandacht voor gezinnen met kinderen die het Downsyndroom hebben, waarbij geprofiteerd wordt van tekortkomingen en gebrek aan systematiek in de hulp die geboden wordt door instellingen van Volksgezondheid.*
- *Artsen sturen bij gebrek aan medicijnen hun patiënten door naar de kerk, om zo te proberen aan medicijnen te komen.*
- *Materiële en creatieve aandacht voor de ouderen in sommige parochies.*

Om deze invloed in te dammen hebben de autoriteiten van Havana de verschillende provinciale besturen onder andere de volgende instructies gegeven:

Gezondheid
- *Beperken van de consumptievoorziening aan religieuze instellingen.*
- *Controleren van de verstrekking van medicijnen door artsen.*
- *Hogere eisen stellen aan sanitaire inspecties bij gebouwen waar kinderen verzorgd worden, zodat de illegale instellingen kunnen worden opgespoord.*
- *Opsporen en verbieden van illegale bejaardenhuizen.*

Werkgelegenheid en sociale zekerheid
- *Prioriteit geven aan herintredende moeders met schoolgaande kinderen, die worden opgevangen in instellingen van de katholieke kerk, in het oude gedeelte van Havana.*
- *Doorgaan met betere sociale programma's, bestemd voor bejaarden, alleen-*

staande moeders en gehandicapten, in samenwerking met andere instellingen die op dit gebied actief zijn.

Huisvesting

- *In samenwerking met de betreffende autoriteiten: opsporen van en verzoeken om strafmaatregelen tegen degenen die gebouwen gebruiken voor oneigenlijke en illegale doelen, zoals erediensten, kinder- en bejaardenopvang.*

Justitie

- *Deelnemen aan de vergaderingen van de Aandachtsgroep voor Godsdienstige Aangelegenheden, en advies verstrekken in overeenstemming met de bepalingen van de Wet op de Instellingen.*
- *Bezoeken van de opgespoorde gebedshuizen en de bewoners van het pand uitleggen dat het gebruik van het gebouw voor dit doel illegaal is zonder de verplichte juridische legalisatie.*
- *Streng controleren van de aanvragen die worden ingediend bij notariaten voor notariële aktes betreffende de toewijzing van testamentaire erfenissen ten gunste van vertegenwoordigers van religieuze ordes.*

Onderwijs

- *Intensivering van het werk van de Technische Groep van het programma 'Onderwijs uw kind' en van de Raad voor Goede Werken voor Minderjarigen.*
- *Prioriteit verlenen aan het gebruiken van de capaciteiten van de kinderdagverblijven in het oude gedeelte van Havana, zodat er meer kinderen van herintredende moeders worden ingeschreven.*
- *Bestuderen van mogelijke alternatieven, om extra actie te ondernemen voor hulp aan leerlingen die daar behoefte aan hebben.*

Cultuur

- *Verhogen van het aantal culturele evenementen dat voor kinderen bestemd is op vrije dagen en in de gebieden waar de behoefte aan dit soort evenementen groter is.*
- *Organiseren van film- en boekdebatten waarin het religieuze thema vanuit een wetenschappelijke en materialistische invalshoek wordt aangepakt.*

Sport

- *Organiseren van recreatieve activiteiten voor kinderen en jongeren in het weekend, in de gebieden en op de plaatsen waar de grootste behoefte*

bestaat aan dit soort activiteiten.
- *Organiseren van minimarathons met een start- en een finishlijn op gunstige plaatsen, zodat kinderen en jongeren gemotiveerd worden om mee te doen.*

Offensief tegen de religieuze hoogconjunctuur

Pablo Alfonso - The New Herald

Gedurende de afgelopen maanden heeft het regime van Fidel Castro een uitgebreid en discreet programma uitgevoerd om de verschillende religieuze manifestaties tegen te gaan, met name in de stad Havana. Dat blijkt uit een geheim document van de Communistische Partij van Cuba, dat The New Herald in handen heeft gekregen.

'De religieuze organisaties in de hoofdstad hebben hun activiteiten in de samenleving uitgebreid: ze proberen mensen rechtstreeks te bekeren, sommigen gaan op bezoek bij gezinnen en ze gebruiken nog andere nieuwe tactieken om zieltjes te winnen', staat er in het document van het Provinciale Bureau van de PCC in de provincie Havana-stad.

Het rapport geeft aan dat 'de christelijke kerken zich richten op activiteiten in de zin van sociale steun met een liefdadig karakter' en dat zij hebben deelgenomen aan sociale projecten 'met de steun van buitenlandse particuliere stichtingen en organisaties'. In het document, dat 'Politieke Analyse van het fenomeen religie in Havana' heet, wordt verder opgemerkt, dat de religieuze instellingen om hun bekeringsactiviteiten meer kracht bij te zetten, proberen een hoofdrol te spelen bij de voorziening in bepaalde behoeften voor individuen en bepaalde groepen ... en dat zij zich met dit doel richten op activiteiten die deel uitmaken van de verworvenheden van de revolutie. De betreffende activiteiten ... zijn uitgevoerd door vertegenwoordigers van deze instellingen, waarbij gebleken is dat in sommige gevallen wetten of regels niet zijn nagekomen. 'Daarbij lijkt het erop dat er misbruik is gemaakt van administratieve fouten, die veroorzaakt werden door langzame procedures, passiviteit of een gebrek aan controle op de naleving van de wet', verklaart de partij.

De katholieke kerk krijgt in het rapport extra aandacht. Volgens het document heeft de kerk haar aantal publicaties verhoogd en zijn er grote aantallen exemplaren van de hand gegaan. Bovendien geeft de kerk leken verantwoordelijke functies bij staatsinstellingen, en dan vooral bij onderwijs- en culturele instellingen, waarbij de meeste nadruk wordt gelegd op de gezondheidssector. Tegelijkertijd signaleert de PCC de opkomst van evangelische kerken en pinkstergemeentes, aangezien die in de meeste provincies de illegale gebedshuizen hebben opgericht, die toebehoren aan wettelijk erkende en soms aan niet geregistreerde entiteiten. Het aantal gebouwen dat voor dit doel wordt gebruikt schommelt, maar het zijn er zeker 220, zo wordt in het document gespecificeerd.

De religies met een Afrikaanse oorspong ontkomen evenmin aan het alziend oog van de partij, die in de heiligenverering een politiek-ideologisch gevaar ziet.

De inwijding in deze religies, in Cuba, van buitenlanders uit de Cubaanse gemeenschap die haar wortels heeft in de Verenigde Staten en van inwoners van andere landen, opent deuren naar vijandige activiteiten, vreemde invloeden en georganiseerde illegaliteit: daarom moet er prioriteit verleend worden aan de behandeling van deze groepen', onderstreept het document.

De bezorgdheid die door de partij wordt geuit, laat zien dat de regering-Castro blijft vasthouden aan haar plan om de religie de kop in te drukken, volgens een Cubaanse kerkelijke bron, die anoniem wenst te blijven: 'Dit is ronduit in strijd met de bewering dat de Cubaanse staat een staat van leken zou zijn. Dat is niet juist. Het is een staat die geïdentificeerd wordt met een communistische en anti-religieuze regering, omdat zij totalitair is in haar ideologie', bevestigt de bron.

Report on discussions with the Cuban bishops in Rome, following their Ad-Limina visit to the Pope from 1 to 5 July 2001[104]

- *Communism in Cuba is not of an ideological nature but centred on Fidel Castro.*
- *In Cuba the people live a theoretical atheism, whereas in many other countries there is a practical atheism.*
- *Everything that happens in Cuba is determined by the government.*

Aid to the Church in Need had the opportunity to hold talks with the Cuban bishops during their Ad-Limina visit to Rome. Many of the discussions centred upon the general situation in the country and on the relations between State and Church. Below I attempt to summarise the main points of these discussions:

- *The socialist propaganda of the government is continuing as before. However, those in power are seeking to avoid a direct conflict with the Church. They*

[104] Info-Sekretariat, Kerk in Nood, 13-08-01

want to create the impression externally that relations between Church and State are good - something that is simply not the case in practice. The only thing that has changed in recent years is the style in which the government carries out its plans. Thus, for example, it frequently makes it difficult for missionaries to enter the country from abroad. The Church is also seeking to avoid confrontation with the regime, although her outlook and that of the regime are in many respects contradictory.

- *The government of Fidel Castro continues to try to spread fear among the population and to employ low tricks in order to keep them away from the Church. One example is the school activities that are organised at the weekends; these essentially take place on Saturday afternoon and Sunday morning. The children are threatened with a bad mark in the school register if they are absent from these events. These and other similar devices prevent children from being able to take part in the Sunday Masses.*

Motorisation

- *The entire trade in motor vehicles is controlled by the Cuban state. The government will grant the Church no permits for the purchase of vehicles. One bishop told me that he still drives a Volkswagen from the year 1964, which he constantly has to repair using makeshift spare parts.*

The mission houses

- *The evangelisation work being carried out in the 'mission houses' around the country is especially admirable. In many apartment blocks, especially in the outskirts of the towns and in the villages, where it has not been possible to build a church in past years - assembly rooms are being created, where Catholics can meet and pray together. These 'houses of prayer' are real schools of Faith, where people are taught to pray.*

Aid from Aid to the Church in Need

- *I also learned from the bishops that they in no way think that Aid to the Church in Need has forgotten the Church in Cuba. They know very well that our interest in pastoral aid projects in their country is still very much alive. I endeavoured to convey to them the feeling that our charity appreciates the practical consequence of their pastoral work in Cuba and is therefore willing to continue supporting the Church in this country as it struggles with the difficult situation. I see it as one of the principal tasks of our charity to encourage the bishops of Cuba, so that they do not feel helpless, abandoned and forgotten.*

- *Many people maintain that it is the state, not the Church that has let them down and abandoned them in all their difficulties. Indeed, a large majority even take the view that it is only the Church that has ever truly helped them.*
- *Without the Mass Stipends which our charity provides to the Church in Cuba, many impoverished priests could not survive.*

The priorities of the bishops:

- *Through our conversations with the bishops, the following needs emerged as their most important priorities:*
- *The lay people who give catechetical instruction in the prayer and mission houses needing to be given a solid formation themselves.*
- *Young men intending to study for the priesthood should be prepared for this in pre-seminaries.*
- *The public expression of the Faith needs to be strengthened with the help of devotional objects. The bishops would like to print 250,000 small holy pictures of Our Lady of Charity of Cobre (Nuestra Señora de Caridad del Cobre), the Patroness of Cuba, for distribution among the ordinary people. The Church wants to show the people that she continues to be active and present among the people in this way. Likewise, a statue of Our Lady of Charity is to be made, and the bishops are hoping for our support for this project too (a request will shortly be sent to our charity).*
- *The 'mission houses' and their contents should continue to receive financial support, i.e.*
- *Wooden benches would in future be more appropriate than plastic chairs, which in Cuba are seen as a symbol of wealth and should therefore be avoided.*
- *In addition, more Little Catechisms (I Believe/Yo Creo) are needed, and a request for this too will be sent to us shortly.*

Januari 2001

Radio Vaticaan maakt melding van uitsluiting van leerlingen uit scholen, omdat zij kruisjes en bidprentjes bij zich droegen. Het Ministerie voor Opvoeding bevestigt dit en bericht dat de maatregelen nodig zijn, omdat zij ingaan tegen de politiek-ideologische vorming op scholen.[105]

19 januari 2001

De Cubaanse commissie voor Mensenrechten en Nationale Verzoening stelt dat de situatie anno 2000 op het Caribische eiland slechter is dan in 1999. De commissie voorspelt nu al dat 2001 een nog slechter jaar wordt. Het aantal politieke

[105] The Voice of the Martyrs, 09-02-01. Zie ook: FIDES, 12-01-01. Zie verder ook: Katholiek Nieuwsblad, 02-02-01. Zie ook: HMK Kurir, 03/2001

gevangenen bleef rond de driehonderd, maar het aantal gevallen van korte opsluiting nam toe met tweehonderd. Tevens is er veelvuldiger politieoptreden tegen politieke opponenten zonder opsluiting. Oswaldo Paya van de christelijke bevrijdingsbeweging verklaart tegenover buitenlandse journalisten 'dat de regering geen oplossingen biedt en haar oorlogsverklaring handhaaft. Zij toont geen bereidheid tot verandering, terwijl het leven hier steeds meer verslechtert'.[106]

Havana, 07 februari 2001
De katholieke kerk opent in Havana de eerste religieuze bibliotheek. Het project wordt gefinancierd door Seguidores de Cristo Rey, een humanitaire organisatie, opgericht door Isabel del Pino. De bibliotheek bezit een groot aantal catechetische- en geschiedenisboeken; daarnaast schaft men een groot aantal tijdschriften aan.[107]

Vaticaanstad, 02 maart 2001
Kardinaal Jaime Lucas Ortega y Alamino van Havana vertelt dat de kerk in Cuba, ondanks de huidige moeilijkheden, een goede toekomst tegemoet gaat. De kardinaal vertelt aan een journalist van de Osservatore Romano, dat vandaag - drie jaar na het bezoek van de paus - de kerk nog steeds vele moeilijkheden ondervindt. Daartegenover benadrukt hij echter de toename van het aantal priesterroepingen en roepingen voor het religieus leven.
Op dit moment zijn er tachtig seminaristen in Cuba; vijf jaar geleden waren dat er 25. De toename van het aantal roepingen is vooral belangrijk als men weet dat slechts 310 priesters de zorg hebben voor ongeveer drie miljoen katholieken. Ook de toename van de roepingen voor vrouwelijke ordes is bijzonder groot: in 1986 was dat aantal tweehonderd; nu bijna zeshonderd. Het bezoek van de paus in januari 1998 heeft de geschiedenis van Cuba definitief veranderd', zegt de kardinaal. 'Ofschoon de regering nog steeds probeert om de invloed van de katholieke kerk te beperken, wordt dit steeds moeilijker vanwege de ruimte voor vrijheid in de zielen van de mensen'.[108]

Cuba, 09 maart 2001
De communistische partij van Cuba is hard bezig alle sporen van het pausbezoek uit te wissen. Dat althans is de bevinding van de bisschop van Verona na een bezoek aan Latijns-Amerika. 'De situatie van de kerk op Cuba is er één van lijden', aldus mgr. Flavio Roberto Carraro. 'Het is de communistische partij een doorn in het oog dat het pausbezoek, inmiddels drie jaar geleden, nog doorwerkt in de religieuze praktijk en de liefdadigheid. Het feit alleen al dat daar behoefte aan

[106] Katholiek Nieuwsblad, 19-01-01
[107] CRTN, 08-02-01
[108] Catholic World News Vatican Update, 02-03-01. Zie ook: CRTN, 05-03-01

bestaat, betekent dat de revolutie er niet in is geslaagd de noden van de mensen te lenigen, al mag dat niet hardop gezegd worden', aldus de bisschop.[109]

Havana, 08 mei 2001
Isabel del Pino Sotolongo, die een katholieke mensenrechtenorganisatie heeft opgericht onder de naam Volgelingen van Christus Koning, wordt beschuldigd van 'rebellie tegen de staat' en zal zich voor eind mei voor de rechter moeten verantwoorden. Del Pino heeft deze organisatie in het leven geroepen om mensenrechten tegen schendingen door de communistische staat te beschermen. In het bijzonder gaat het om de vrijheid van religie.
Op 23 april wordt Del Pino in haar woning gearresteerd. Zij moet met spoed voor een tribunaal verschijnen. Ze weigert echter te verschijnen, omdat zij bang is dat zij geen eerlijk proces zal krijgen; zij gaat in hongerstaking. Na 72 uur stemt de Veiligheidsdienst van de staat erin toe dat het tribunaal uitgesteld wordt, zodat mevrouw Del Pino de gelegenheid krijgt om haar verdediging voor te bereiden. Op 6 mei maakt het Hof bekend dat het proces in ieder geval voor eind mei zal plaatsvinden. 'Iedereen weet dat ik geloof in vrede en in vreedzame middelen; zoals iedere christen probeer ook ik trouw te zijn aan de leer van Christus', aldus Del Pino. 'Overigens, over welke macht zou ik beschikken, zodat ik een werkelijke bedreiging zou kunnen zijn? Het is duidelijk dat de autoriteiten deze kwestie tegen mij in elkaar gezet hebben, om politieke redenen'.[110]

Steeds meer katholieke Cubanen ontvangen regelmatig de sacramenten. Er is vooral een toename van het aantal kerkelijk gesloten huwelijken en eerste communies. Dat blijkt uit de gegevens van het aartsbisdom Havana, gepubliceerd door het katholieke tijdschrift Palabra Nueva. Het aantal dopen was in 1990 nog 27.609 en groeide in tien jaar tijd uit tot 33.735 in 2000, een toename van ruim 22%. Het aantal ziekenzalvingen groeide in dezelfde periode met 42% tot 5.769. Het is zeer aannemelijk dat de plotselinge impuls voor het kerkelijk leven in Cuba verband houdt met het bezoek van paus Johannes Paulus II in 1998.[111]

Havana, 06 juli 2001
De regering van Fidel Castro heeft twintig specialisten uit dertien verschillende landen uitgenodigd om deel te nemen aan een conferentie in Havana: 'Third International Encounter of Social-Religious Studies'. Het congres vindt plaats tussen 3 en 6 juli. Ongeveer negentig bezoekers zullen spreken over het fenomeen 'religie' binnen en buiten Cuba. Waarnemers denken dat de groei van sociale onrust in Cuba te wijten is aan de groei van de religies.[112]

---

[109] Katholiek Nieuwsblad, 09-03-01, en ZENIT.
[110] Catholic World News Briefs, 08-05-01
[111] Katholiek Nieuwsblad, 22-06-01 en KN/ZENIT
[112] CRTN, 06-07-01

EGYPTE

Oppervlakte: 1.001.450 km²
Bevolking: 67.273.906
Religie: Moslim: 85,4% Christen: 6%[113]
Etnische groeperingen: Oosters Hamitisch, Egyptisch, Bedoeïen en Berber.[114]

Het overgrote deel van de christenen in Egypte (92%) behoort tot de zogenoemde koptische ritus. Deze ritus bestond hier al vóór de komst van de islam. De Supreme Guide of the Muslim Brotherhood, in feite nog een illegale organisatie in Egypte, streeft ernaar om in het land de shari'a in te voeren. Er zijn door de broederschap verschillende aanslagen op regeringsinstellingen en christenen uitgevoerd. Eén van de grootste fundamentalistische bewegingen is de Al-Gamaa Islamiya. De beweging streeft ernaar om Egypte om te vormen tot een islamitische staat en voert aanvallen uit op de regering, christenen en buitenlandse toeristen. Hetzelfde geldt voor een andere beweging, bekend onder de naam Jihad.

In december 1999 heeft de Egyptische president een dekreet ondertekend, waarin verklaard wordt dat religieuze groeperingen voor de bouw van kerken toestemming nodig hebben van de lokale autoriteiten. Christenen vrezen dat deze wet vooral voor hen nadelige gevolgen zal hebben. Bekeringen vanuit de islam naar het christendom worden zwaar vervolgd. Volgens de shari'a staat op een bekering vanuit de islam naar het christendom de doodstraf.[115] Vanuit het christendom vinden er ook bekeringen naar de islam plaats. De reden is vaak economisch: grote werkeloosheid onder de christenen en discriminatie van christenen door werkgevers.

Caïro, 21 januari 2001
Leden van de US Commission on Religious Freedom komen aan in Egypte. De commissie zal bekijken hoe in het land de religieuze vrijheden worden gegarandeerd. Door velen wordt de komst van de commissie als een interventie in binnenlandse zaken beschouwd. Noeman Gomaa, hoofd van de Wafd Partij roept regering en volk op de commissie te boycotten.[116]

[113] Dit is een door de regering opgegeven percentage; andere bronnen spreken van 14,2%
[114] International Christian Concern, 19-02-01 en CIA The World Factbook 1999
[115] Jubilee Campaign, Egypt's Persecuted Christians
[116] Catholic World News, 21-03-01

06 februari 2001
57 moslims en 32 christenen moeten voor het hof verschijnen, op beschuldiging van moord tijdens de onlusten in El-Kosheh in januari 2000.[117] Het hof veroordeelt vier moslims wegens de genoemde moorden in El-Kosheh. Zij krijgen gevangenisstraffen tussen één en tien jaar. De anderen worden van vervolging ontslagen.[118]

01 maart 2001
The Voice of the Martyrs heeft vernomen dat op 24 februari 2001 een grote groep van Egyptische veiligheidsmilitairen met bewapende voertuigen en bulldozers het kerkgebouw in Shobra El Khaima heeft verwoest. Koptische christenen wilden dit vier verdiepingen hoge gebouw gebruiken voor zondagsscholen, voor de dagelijkse opvang van mensen, voor medische faciliteiten, maar ook voor de liturgie. Het gebouw is in 1998 door Bisschop Marcos, de bisschop van El-Qalyubia, gekocht en uitsluitend bestemd voor charitatieve en liturgische doeleinden.[119]

Caïro, 21 maart 2001
Leden van de Amerikaanse Commissie voor Religieuze Vrijheid zijn in Egypte aangekomen om de positie van de christelijke kerken te onderzoeken. Veel Egyptenaren hebben kwaad op hun komst gereageerd en zien deze daad als een interventie in binnenlandse aangelegenheden. De leden van de commissie willen een ontmoeting met ambtenaren van het Ministerie voor Buitenlandse Zaken, met leiders van de orthodoxe kerk in Egypte en met de moslimorganisatie Al-Azhar. 'Het is een commissie die zichzelf het recht geeft om de eenheid van het Egyptische volk aan te vallen', zegt Noeman Gomaa, de leider van de Wafd Partij, de grootste oppositiepartij in Egypte. Hij roept de regering en het volk op om de commissie te boycotten.[120]

April 2001
Een Egyptische rechtbank verleent op 5 februari 2001 vrijspraak aan alle medeplichtigen aan de slachtpartij in El Kosje van 31 december 1999. Bij de moordpartij kwamen 21 christenen en (per ongeluk) één moslim om het leven.
De rechter, Mohammed Afiffy, beschuldigt drie koptische priesters ervan, dat zij geen moeite hebben gedaan hebben om een einde aan de rellen te maken. De plaatselijke bisschop, Wissa, veroordeelt de rechterlijke uitspraak in strenge bewoordingen: 'Al de moordenaars zijn vrijgesproken. Dat betekent dat moslims

[117] International Christian Concern. Zie ook: Christen in Not, 03/2001
[118] CRTN, 06-02-01
[119] The Voice of the Martyrs, 01-03-01
[120] Catholic World News Briefs, 21-03-01

worden aangemoedigd om christenen te doden. De uitspraak betekent dat het leven van christenen in Egypte geen waarde heeft'.[121]

03 mei 2001
In 1990 ging de koptische christen Amad Ayad Bishay van Beny Soweif, in Egypte, over naar de islam. Hij wilde zo van zijn vrouw Fayza Abd El-Shaheed Tawfiq, scheiden. In 1991 werd de scheiding uitgesproken, maar in 1995 verzoenden zij zich weer. De koptische kerk gaat uit van de opvatting dat hier geen sprake is geweest van een werkelijke scheiding, omdat deze door de kerk nooit is uitgesproken.

Het tragische echter is het volgende: op 6 december 1996 stierf Amad. De burgerlijke, islamitische, rechter zegt: 'Uitgaande van het besluit no. 44 van 29 januari 1975, moet een kind van een moslim altijd het islamitische geloof volgen'. En juist dat levert heel veel problemen op voor de moeder. Volgens de islamitische wet zijn immers de kinderen na de bekering van de (christelijke) vader tot de islam, automatisch moslim geworden. Sinds meer dan vijf jaar is Fayza dit besluit aan het aanvechten.[122]

[121] Open Doors, april 2001, blz.10
[122] The Voice of the Martyrs, Canada, 03-05-01

KATHOLIEKE INSTELLINGEN IN EGYPTE[123]

1. Mannelijke orden

	Naam	Jaar van ontstaan	Aantal huizen	Aantal religieuzen
1	Ordre des Frères Mineurs Franciscains i) Franciscains de Terre Sainte ii) Vice - Province Franciscaine Egyptienne	 1219 1697	 4 30	 15 50
2	Prêtre de la Mission (Lazaristes)	1844	2	5
3	Frères des Ecoles Chrétiennes	1847	7	14
4	Missionnaires Comboniens	1867	6	19
5	Missions Africaines	1877	2	11
6	Jésuites	1879	10	38
7	Salésiens	1896	3	32
8	Carmes	1926	4	6
9	Dominicains	1928	2	9
10	Petits Frères de Jésus	1968	2	5
11	Prado	1974	2	6
12	La Communauté du Verbe Incarné	1995	—	2
	Totaal		*74*	*212*

2. Vrouwelijke instellingen van het gewijde en apostolische leven

	Naam	Jaar van ontstaan	Aantal huizen	Aantal religieuzen
1	Filles de la Charité de S. V. de Paul	1844	10	53
2	N. D. de la Charité du Bon Pasteur	1845	8	63
3	Franciscaines Missionnaires C. I. M.	1859	14	126
4	Mission Comboniennes Pie Madri della Nigrizia	1877	15	147
5	Religieuses de la Mère de Dieu	1880	2	14
6	Religieuses N. D. de Sion	1880	3	9
7	Missionnaires N. D. des Apôtres	1881	10	48
8	Sœurs de St. Charles Borromée	1884	4	35
9	Dominicains N. D. de la Délivrande	1891	3	19
10	Sœurs N. D. des Douleurs de Tarbes	1891	2	14

[123] www.opuslibani.org.lb

11	Franciscaines Mission. Immaculée Conception	1898	1	3
12	Société du Sacré-Cœur	1903	10	64
13	Sœurs de la Sainte Famille	1908	2	9
14	Sœurs Scholastiques Franciscaines	1908	2	13
15	Sœurs de la Charité de Besançon	1909	6	24
16	Sœurs de St Joseph de Lyon	1911	3	11
17	Religieuses Egyptiennes du Sacré-Cœur	1913	20	115
18	Carmélites de la Ste Famille exilée	1914	1	9
19	Filles de Marie Auxiliatrice (Salésien)	1916	3	21
20	Sœurs Clarisses	1919	1	12
21	Franciscaines Missionnaires de Marie	1924	6	43
22	Carmel Apost. De St Joseph	1931	3	18
23	Sœurs Franciscaines Elisabettines	1935	11	52
24	Sœurs arméniennes de l'Immaculée Conception	1913	1	6
25	Société de Jésus Christ	1939	1	4
26	Sœurs N. D. du perpétuel secours	1945	1	7
27	Petites Sœurs de l'Assomption	1951	1	4
28	Petites Sœurs de Jésus	1951	4	16
29	Sœurs Francis. Minimes du Sacré-Cœur	1955	5	22
30	Dominicaines de Ste Catherine de Sienne	1968	1	3
31	Sœurs Coptes de Jésus et Marie	1968	7	51
32	Sœurs de la Providence	1977	1	4
33	Mission. de la Charité de Mère Thérèse	1981	4	22
34	Sœurs indiennes Filles de Marie	1984	1	3
35	Sœurs Francis. de la Croix du Liban	1984	2	7
36	Religieuses Basiliennes Chouérites	1988	1	4
37	Sœurs colombiennes de Ste Thérèse	1992	2	8
38	Sœurs du Rosaire	1993	2	9
39	Filles de Ste Anne	1994	2	6
	Totaal		***176***	***1098***

3. Seminaries
Le grand séminaire inter-rituel de Maadi.
Le petit séminaire copte catholique de Tahta.
Le séminaire oriental franciscain de Guiza.
Le petit séminaire des Franciscains égyptiens.
Le petit séminaire des Franciscains Kafr El-Dawar.

4. Noviciaten
Noviciat des Pères Jésuites, Le Caire.
18 noviciats pour les congrégations religieuses féminines.

5. Theologische instituten
Faculté des sciences religieuses, Maadi.
Institut de théologie, Le Caire.
Institut catéchétique.
Centre Franciscain d'Études Orientales Chrétiennes (Le Caire).
Institut Dominicain d'Études Orientales Chrétiennes (IDEO).

21 mei 2001
Dr. Saad Eddin Ibrahim, een van de leiders van mensenrechtenorganisaties in Egypte, en vooral verdediger van de rechten van de koptische kerk, wordt veroordeeld tot zeven jaar gevangenis, op beschuldiging van 'beschadiging van het imago van Egypte, het accepteren van buitenlandse fondsen zonder toestemming van de regering en van verduistering'. In een andere kwestie - de moord op 21 koptische christenen in El Kosheh - stelt het hof juist het besluit uit tot 30 juli 2001. The Voice of the Martyrs bezoekt deze regio. Christenen vertellen dat zij niet verwachten ooit gerechtigheid te vinden in deze regio.[124]

21 juni 2001
Het weekblad Al-Nabaa probeert via een artikel de reputatie van de koptische kerk te vernietigen. In een artikel van 17 juni besteedt het blad aandacht aan zogenaamde 'seksuele misstappen van een priester'. Het weekblad laat het artikel verschijnen onder de kop 'Het Al-Mohurraq klooster is omgevormd tot een prostitutiehuis door de abt, zijn leidende monnik'. In het artikel wordt beweerd dat een monnik in het klooster met meer dan vijfduizend vrouwen seks gehad heeft. Een monnik zou vijf kilo goud ontvangen hebben door een vrouw te chanteren. Het artikel publiceert ook naaktfoto's van de monnik die seks heeft met vrouwen. In werkelijkheid gaat het hier echter om de koptische

[124] The Voice of the Martyrs, 24-05-01

monnik Barsoom El-Mahureqy, die in 1996 door zijn kerk is geëxcommuniceerd. Sindsdien heeft hij dan ook nooit officieel of niet-officieel contact gehad met zijn klooster. Ofschoon vrij snel duidelijk wordt dat het hier om onjuiste informatie gaat, neemt een ander Egyptisch blad, Akher Khabar (eigendom van Al-Nabaa), op 18 juni het artikel volledig over.[125]

Caïro, 04 juli 2001
Het hof in Caïro verbiedt de Egyptische bladen Al-Nabaa en Al-Watany en het van hen afhankelijke blad Akher Khabar, om foto's te publiceren van de vermeende seksuele misdrijven in een koptisch klooster. Volgens waarnemers wil de Egyptische regering zo de lokale spanningen verminderen.[126]

01 augustus 2001
Op 31 juli 2001 beveelt een hof in Egypte, om het proces inzake de massamoorden in het weekend van 31 december 1999 te onderzoeken. Christenen werden toen door moslims in El-Kosheh aangevallen en velen werden vermoord.[127]

20 september 2001
Op 16 september wordt Mamdouh Mahran, uitgever van het kleine tijdschrift 'Al-Nabaa', veroordeeld tot drie jaar gevangenis, wegens 'ondermijning van de algemene veiligheid'. In juni publiceerde Al-Nabaa een sensationeel verhaal over sexueel wangedrag binnen een koptisch klooster. In feite ging het hier om een reeds lang geëxcommuniceerde kloosterling. Het artikel werd gezien als een aanval op de koptische kerk.[128]

Rome, 08 november 2001
Ondanks pogingen van enkele moslimgroeperingen om de wereld ervan te overtuigen dat Osama bin Laden's terrorisme niets anders is dan extremisme, heeft de gerenommeerde universiteit Al-Azhar in Caïro een verklaring opgesteld. Die wordt ondertekend door verschillende moslimgeestelijken en houdt in 'dat de aanvallen op New York en Washington in het kader van de oorlogsverklaring aan de Verenigde Staten gerechtvaardigd is'. De verklaring wordt gepubliceerd op de website van de Al-Azharuniversiteit. In een persverklaring zegt Sheikh Ali Abu Al-Hassan, directeur van het comité voor religieuze normen van de Al-Azhar universiteit: 'Het westen heeft een coalitie tegen de islam opgezet. Zij voelen dat de islam een gevaar voor hen is en dit gevoel verenigt hen tegen een gemeenschappelijke vijand, de islam'.[129]

[125] The Voice of the Martyrs, Canada, 21-06-01
[126] CRTN, 05-07-01
[127] The Voice of the Martyrs, Canada, 01-08-01
[128] The Voice of the Martyrs, 20-09-01
[129] ACN News, 08-11-01

09 november 2001
'Ik hoor op straat hoe moslims praten', vertelt Rafik Labib, een van de rouwenden op een herdenkingsdienst voor Karras in Caïro.[130] 'Ze kennen mijn geloof niet en zeggen in mijn gezicht hoe ze de christenen willen aanpakken. Dat klinkt niet goed'.[131]

EL SALVADOR

Oppervlakte: 20.752 km^2
Bevolking: 6.122.515
Religie: Rooms-katholiek: 75% Protestant: 20%
Etnische groeperingen: Mestizo's: 84% Indianen: 5% Europeanen: 1%[132]

24 augustus 2001
Onbekenden hebben vorige week zondagavond in een vermogende wijk buiten de Salvadoraanse hoofdstad San Salvador een priester ontvoerd uit zijn parochie. Rogelio Esquivel (58) kreeg een wapen onder zijn neus gedrukt door drie mannen, toen hij met een aantal jongeren 's avonds de kerk verliet. Aartsbisschop Fernando Sáenz Lacalle heeft de kidnappers in een directe oproep gemaand de priester onmiddellijk vrij te laten. Hij kwalificeerde de ontvoering als heiligschennis en een onvergeeflijke zonde.[133]

[130] Adel Karras werd op 18 september doodgeschoten voor zijn winkel in Los Angeles. De politie vermoedt dat de daders hun woede voor de aanslagen op 11 september wilden koelen op een moslim.
[131] De Volkskrant, 09-11-01
[132] Lonely Planet World Guide www.lonelyplanet.com
[133] Katholiek Nieuwsblad, 24-08-01. Zie ook: KATHPRESS, 28-08-01

ETHIOPIË

Oppervlakte: 1.127.127 km²
Bevolking: 59.680.383
Religie: Moslim: 45% Christen: 40%
Etnische groeperingen: Oromo, Amhara, Tigre, Sidamo[134]

Christenen ondervinden gedurende de laatste tijd veel druk van de zijde van de moslims en de orthodoxe kerk. De traditionele orthodoxe kerk en de islam werken in een soort alliantie samen tegen de zogenoemde evangelische kerken.[135]

20 september 2001
Gedurende de vorige week is in de stad Debark een geweldsuitbarsting geweest tegen evangelische christenen. Er komt een bom terecht op een gebouw waar gelovigen bijeen zijn gekomen voor een eredienst. Er zijn geen berichten over gewonden of doden. Uit angst voor hun leven vluchten vele christenen weg naar de naburige stad Gondor.[136]

27 september 2001
In de loop van september 2001, wordt voor de tweede keer een kerk in het oosten van Ethiopië gebombardeerd. Tijdens een koorrepetitie in de kerk van Jigiga, gooien moslimmilities bommen op de kerk. Twintig koorleden raken gewond, maar kunnen de kerk snel verlaten.[137]

04 oktober 2001
Medewerkers van The Voice of the Martyrs in Canada zijn getuige van de gevolgen van recente vervolging van christenen in de steden Dabat en Debark. Midden september 2001 vinden hier bombardementen plaats. Alle 45 christenen vluchten de stad uit.[138]

01 november 2001
The Voice of the Martyrs ontvangt berichten over hevige vervolging van evangelische christenen op het platteland van Ethiopië. Een christen, afkomstig uit

[134] International Christian Concern, 19-02-01en CIA The World Factbook 1999
[135] Open Doors International: Country Profiles, 29-08-01
[136] The Voice of the Martyrs, 20-09-01
[137] The Voice of the Martyrs, 27-09-01
[138] The Voice of the Martyrs, 04-10-01

het noordoosten van Addis Abeba, vertelt dat christenen daar zwaar vervolgd worden. Hij vertelt hoe een kerkgebouw van de Ethiopisch-orthodoxe kerk is platgebrand. Vele jongeren worden uit hun huizen verdreven, alleen omdat zij christenen zijn. Vorige week schreven moslimfundamentalisten in de stad Aggibar aan alle christenen een brief, met het dringende verzoek de stad te verlaten. Een andere christen, afkomstig uit de stad Jiggiga, vertelt dat de kerk van Jiggiga onlangs door moslims is gebombardeerd.[139]

FILIPIJNEN

Oppervlakte: 300.000 km²
Bevolking: 81.159.644
Religie: Moslim: 5% Christen: 94% (van wie 65% katholiek) Ander: 1%[140]
Etnische groeperingen: Christelijke Malays, moslim Malays

Extremistische groeperingen op de Filipijnen zijn het 'Moro Islamic Liberation Front' (MILF) en de 'Abu Sayyef Group' (ASG). Beide zijn splintergroeperingen van het vroegere 'Islamic Moro National Liberation Front' (MNLF), dat in 1996 vrede sloot met de regering. De ASG is verantwoordelijk voor diverse terroristische aanslagen en ontvoeringen op de Filipijnen. Het doel van de MILF is soortgelijk, maar het front streeft er ook naar om in Mindanao een islamitische, onafhankelijke staat uit te roepen.[141]

Manilla, 28 mei 2001
Gewapende rebellen hebben zondagochtend in een luxe vakantieoord in het zuiden van de Filipijnen twintig mensen gegijzeld en per boot afgevoerd. Onder de gijzelaars bevinden zich drie Amerikanen. Waarschijnlijk behoren de gijzelnemers tot Abu Sayyaf, een radicale groepering van ongeveer zeshonderd rebellen, die zegt te strijden voor een islamitische staat.[142]

[139] The Voice of the Martyrs, 01-11-01
[140] International Christian Concern, 07-06-01
[141] International Christian Concern, 07-06-01
[142] De Volkskrant, 28-05-01

Intussen is bevestigd dat de gijzeling door Abu Sayyaf is uitgevoerd, die ook in de loop van 2000 verschillende christenen gegijzeld heeft.

Lamitan, 05 juni 2001
Twee priesters, vier zusters en een seminarist ontkomen, na gekidnapt te zijn door extremisten in het zuiden van de Filipijnen. Pater Teteng Gado, misdienaar Roger Moreno en een veiligheidsagent van pater Cirilo Nacorda, worden gedood door leden van de Abu Sayyaf beweging. Pater Reynaldo Enriquez, neomist, kan met elf anderen ontsnappen, nadat zijn groep op 2 juni nabij het ziekenhuis Doctor José Torres is gekidnapt.[143]

Isabela, 11 juni 2001
Extremistische moslimrebellen vallen een katholiek dorp aan: arme boeren worden volledig beroofd, een katholieke kerk wordt platgebrand en twintig kinderen worden gekidnapt.[144]

Manilla, 17 juli 2001
In een gesprek met UCA News vertelt pater Cirilo Nacorda, van de St. Pieters-parochie in Lamitan op de Basilan Islands, dat hij tijdens de mis alle deuren van de kerk moet sluiten, om zo kidnapping door moslimrebellen van Abu Sayyaf te voorkomen. Pater Nacorda vertelt dat zijn parochianen nog steeds angstig zijn, nadat op 1 juni 2001 drie mensen omkwamen bij een aanval van Abu Sayyaf. De rebellen namen toen ook nog ongeveer twintig gijzelaars mee vanuit een naburig ziekenhuis. Ook de studenten en de onderwijzers van de naburige Claret School nemen veiligheidsmaatregelen.[145]

Zanboanga, 03 augustus 2001
Vier gewapende en gemaskerde mannen onthoofden vier van de 27 door hen gekidnapte dorpelingen. De ontvoerde personen zijn afkomstig uit een hoofdzakelijk katholieke stad, Lamitan, gelegen op het eiland Basilan, ten zuiden van de stad Manilla. Vier gijzelaars kunnen ontsnappen. De vier onthoofde lichamen worden door de lokale politie gevonden. De politie verdenkt de extremisten van Abu Sayyaf.[146]

Manilla, 29 augustus 2001
De Ierse Rufus Halley (57) wordt vandaag neergeschoten op weg naar zijn parochie op het zuidelijke eiland Mindanao. Pater Halley werd in 1969 tot priester gewijd en kort daarop benoemd op de Filipijnen. Hij droeg de verzoening van christenen

[143] UCAN, 05-06-01
[144] UCAN, 11-06-01
[145] CRTN, 17-07-01
[146] Catholic World News, 03-08-01, zie ook: FIDES, 03-08-01

en moslims een warm hart toe.[147] Het vermoeden bestaat dat achter deze moord moslimextremisten staan. Het politieonderzoek richt zich dan ook op het Moro Islamic Liberation Front, een moslim-splintergroepering die in het verleden gevochten heeft voor de onafhankelijkheid van de regio. Op 30 augustus arresteert de politie Abdul Ibrahim, die waarschijnlijk behoort tot een groep van zeven militante moslims die pater Rufus Halley vermoord hebben. Volgens de politie was de moslimgroepering van plan om Halley over te dragen aan de extremistische moslimbeweging van Abu Sayyaf.[148]

Manilla, 22 oktober 2001
Bisschop Zacharias Jimenez van Pagadian, Mindanao, vertelt aan de pers dat gedurende de afgelopen week een Italiaanse priester-missionaris is gekidnapt. Het was echter het werk van gewone bandieten, en niet van moslimseparatisten.[149] Eerdere berichten gingen ervan uit dat de kidnapping wél het werk was van de Abu Sayyaf groep.[150] Het betreft de Italiaanse priester-missionaris Giuseppe Pierantoni.[151] Later werd bekend dat de ontvoerders een bedrag van 400.000 Nlg. aan losgeld geëist hebben voor de vrijlating van de missionaris.[152]

Manilla, 16 november 2001
De regering van de Filipijnen verklaart dat vijf leden van de bende die in oktober een Italiaanse priester heeft gekidnapt, in een gevecht met de politie zijn gedood: 'Wij zijn blij de vijf leden gedood te hebben, maar helaas weten wij tot op de dag van vandaag niet, waar de ongelukkige, goede priester is'. De 44-jarige Italiaanse priester werd op 17 oktober door een splintergroepering van moslimextremisten in zijn kerk in het zuidelijke Zamboanga ontvoerd.[153]

[147] Catholic World News, 28-08-01, zie ook: ZENIT, 30-08-01; verder: UCAN, 30-08-01
[148] FIDES, 30-08-01
[149] ACN News, 22-10-01
[150] Zie CAN News, 19-10-01
[151] KATHPRESS, 18-10-01
[152] KATHPRESS, 26-10-01
[153] ACN News, 16-11-01

GAMBIA

Oppervlakte: 11295 km²
Bevolking: 1.270.000
Religie: Moslim: 95,% Christen: 4% Andere : 1%[154]
Etnische groeperingen: Malinke: 34,1% Fulani: 16,2% Wolof: 12,6% Dyola: 9,2% Soninke: 7,7% Andere: 20,2%

Gambia is van plan om nog dit jaar de shari'a (islamitische wetgeving) in te voeren. Dat heeft president Yahya Jammeh van het West-Afrikaanse land jongstleden december verklaard. Jammeh is in 1994 door een militaire staatsgreep aan de macht gekomen. In 1996 liet hij zich tijdens zwaar omstreden verkiezingen tot burgerlijk staatshoofd kiezen. Kerkelijke leiders zijn bang dat de weinige vooruitgang die het christendom de laatste jaren in Gambia geboekt heeft, door de invoering van de shari'a zal worden tenietgedaan. Ook is men bang dat de grondwet, die godsdienstvrijheid garandeert, zal worden vervangen door een wet die het islamitische fundamentalisme bevordert.[155]

[154] Gambia Travel Facts, newafrica.com, en: Gambia, Erdkunde-Online
[155] Open Doors, mei 2001

GHANA

Oppervlakte: 238.540 km²
Bevolking: 19.894.014
Religie: Inheems: 38% Moslim: 30% Christenen: 24% Ander: 8%
Etnische groeperingen: Zwarte Afrikanen: 99,8% (daarvan Akan: 44%, Dagomba: 16%, Ewe: 13%, Ga: 8%, Europees: 0,2%)[156]

Accra, 21juni 2001
In een appèl van 20 juni, de dag van de Afrikaanse vluchtelingen, roept de christelijke raad van Ghana alle politieke leiders van Afrika op tot het respecteren van de levens en rechten van hun burgers.[157]

16 augustus 2001
The Voice of the Martyrs bericht dat vele christenen lijden onder honger en vervolging, vaak met de dood tot gevolg. Veel van de wantoestanden worden veroorzaakt door animisten en moslims. Buitenlanders worden met argusogen bekeken, omdat men hen bij voorbaat als christenen ziet. Christenen in het land zijn door eigen buren vermoord, op verdenking van 'christelijk zijn'.[158]

[156] Zie CIA The World Factbook
[157] CRTN, 21-06-01
[158] The Voice of the Martyrs, 16-08-01

GRIEKENLAND

Oppervlakte: 131.940 km^2
Bevolking: 10.601.527
Religie: Grieks-orthodox: 96,9% Moslim: 1,5% Protestant: 0,2%[159]
Etnische groeperingen: Grieken: 98% Andere: 2%

19 januari 2001
De grondwet geeft de Grieks-orthodoxe kerk een dominante status, maar laat discriminatie van religieuze minderheden in feite niet toe. Als gevolg hiervan heeft de Grieks-orthodoxe kerk echter een aanzienlijke invloed op het Ministerie van Opvoeding en Religie. De grondwet laat geen proselitisme toe. Niet-orthodoxe kerken moeten toestemming vragen voor het inrichten van gebedshuizen. Toestemming voor zulke gebedshuizen wordt verleend door het Ministerie van Opvoeding en Religie.

Zestien religieuze organisaties in Griekenland hebben de afgelopen maand aangedrongen op het inperken van de macht van de Grieks-orthodoxe kerk. Die heeft een doorslaggevende stem in de bouw van alle kerkgebouwen in Griekenland. Die macht is gebaseerd op een wet uit 1939, van de toenmalige fascistische regering Metaxas. De zaak is aanhangig gemaakt na een proces in december waarin een Grieks-orthodoxe aanklager de afbraak gelastte van 'illegaal gebouwde kerkgebouwen'. De Griekse premier Costas Simitis heeft toegezegd alle wetten af te schaffen die de vrijheid van godsdienst inperken en daardoor in strijd zijn met de Europese mensenrechten.[160]

Athene, 25 april 2001
Extreme groeperingen binnen de Grieks-orthodoxe kerk maken bezwaar tegen de komst van paus Johannes Paulus II naar Griekenland en tegen de aanwezigheid van kardinaal Ignace Moussa Daoud van de Syrische katholieke kerk. Deze groepen stellen dat, indien de kardinaal voet op Griekse bodem zet, aartsbisschop Christodoulos moet besluiten om zijn ontmoeting met de paus te annuleren.[161]

---

[159] International Christian Concern, 28-02-01 en CIA The World Factbook 2000
[160] Katholiek Nieuwsblad, 19-01-01
[161] Catholic World News Features, 25-04-01, zie ook: FIDES, 25-04-01

27 april 2001
De discriminatie van de katholieke kerk in Griekenland gaat steeds verder. Dat verklaart mgr. Nikolaos Foscolos in een interview met de Italiaanse krant *Avvenire*. Hij verwacht dan ook dat het komende pausbezoek een positieve impuls zal geven aan de verbetering van de situatie van de circa vijftigduizend katholieken (0,5% van de bevolking).[162]

Athene, 27 april 2001
In een telefoongesprek met het Griekse middagmagazine Elevthertypia, kondigt een man aan, dat hij een aanslag op de paus gaat plegen. Hij zegt dat te zullen doen tijdens het bezoek van de paus aan Athene op 4 mei 2001. De onbekende beweert dat hij ook verantwoordelijk is voor de brandstichting in het oecumenische patriarchaat van Constantinopel in Athene, enige tijd geleden. Volgens de man is de paus de 'hoofdverantwoordelijke' voor het bloedvergieten in de Balkan - van Bosnië tot Kosovo.[163]

Athene, 01 mei 2001
Meer dan tweeduizend Grieks-orthodoxen demonstreren op 30 april in de straten van Athene tegen de komst van paus Johannes Paulus II. De meesten trekken naar de gebouwen van het parlement; een klein groepje trekt verder naar het hoofdkantoor van de Grieks-orthodoxe kerk. Velen verwijten de paus en in hem de rooms-katholieke kerk, veel onrechtvaardigheid vanaf 1204: de kruistochten. De aartsbisschop van de Grieks-orthodoxe kerk, Christodoulos, roept wel op om niet te demonstreren; radicale groepen trekken zich daarvan echter niets aan.[164]

Athene, 27 april 2001
De leider van de Grieks-orthodoxe kerk zal paus Johannes Paulus II berispen, in verband met het onrecht dat zijn kerk gedurende de laatste duizend jaar door de kerk van de paus is aangedaan. De Heilige Synode, het administratieve lichaam van de kerk, kondigt aan dat aartsbisschop Christodoulos niet samen met de paus zal bidden, maar in plaats daarvan de grieven van de orthodoxe kerk sinds het grote schisma van 1054, aan de paus zal voorleggen. De metropoliet Efstathios, woordvoerder van de Heilige Synode: 'Hij zal in eerlijkheid, met duidelijkheid, met theologische en historische documenten, alle onderdelen van dogma's, kerkelijk en theologisch, die in de orthodoxe wereld droefheid en bitterheid veroorzaken, presenteren'.[165]

[162] Katholiek Nieuwsblad, 27-04-01. Overigens schrijft Catholic World News Features over 200.000 katholieken die in Griekenland zouden leven, 25-04-01
[163] KERKWEB, 27-04-01
[164] Catholic World News Briefs, 01-05-01
[165] Catholic World News Briefs, 27-04-01

Athene, 02 mei 2001
Te midden van alle protesten tegen de komst van de paus naar Griekenland, wordt een nieuw element aan het verzet tegen dit bezoek toegevoegd: de paus zou de Griekse grond niet mogen kussen. Sommige Grieks-orthodoxen menen dat Griekse grond heilig is; het kussen ervan door de paus zou een daad van provocatie zijn.[166]

Het bezoek van de paus aan Griekenland in mei roept veel verzet op. De verzetsuitingen zijn vaak op zijn zachtst uitgedrukt heel emotioneel, heel subjectief, beledigend en vaak agressief. 'De antichrist bezoekt Griekenland... iconen huilen bloed. Demonstranten maken paus Johannes Paulus II uit voor ketter. De Griekse weerstand tegen het pausbezoek van vandaag laat zien, dat duizend jaar in de ogen van de Grieks-orthodoxen een periode van niets is', meldt De Volkskrant.[167]
'De paus is een antichrist. Een ketter! Een grotesk tweehoornig monster. De paus is al meer dan duizend jaar een ramp voor de mensheid. Het is schandalig dat hij na dertien eeuwen Griekenland weer in mag. Alle heiligen zijn hier tegen', zijn veelgehoorde scheldwoorden en klachten tegen de paus.

In de optiek van de Griekse gelovigen is hun land niet alleen het centrum van het orthodoxisme, maar van de hele christelijke wereld. Paus Johannes Paulus II is in hun ogen een ketter, die uit is op persoonlijke macht.[168]

In het bericht van FIDES, dat de achtergronden van dit bezoek beschrijft, verklaart de directeur van FIDES, pater Bernardo Cervellera: 'Medewerkers van het Vaticaan die de reis voorbereid hebben, zeggen dat dit de moeilijkste reis van de paus is. Niet vanwege de leeftijd van de paus, maar vanwege de gevolgen van duizend jaar verdeeldheid, van eng denken, van oude strijdpunten en van nieuwe oorlogen'.

FIDES stelt ook dat de katholieke minderheid, in een land waar 97% van de mensen orthodox is, zich vaak onderdrukt voelt. 'Deze kerk (de orthodoxe kerk van Griekenland) is misschien de enige oosterse kerk die stelselmatig het meest vijandig was jegens de Heilige Stoel, gedurende de eeuwen na het grote schisma. Terwijl de katholieke kerk de orthodoxe kerk als 'zusterkerk' erkent, is die erkenning niet wederzijds. De Grieks-orthodoxe kerk ziet Rome als een vijand, en erkent de waarde van de katholieke sacramenten niet'.[169]

---

[166] Catholic World News Briefs, 02-05-01
[167] De Volkskrant, 03-05-01
[168] De Volkskrant, 03-05-01
[169] Catholic World News Features, 03-05-01

De paus heeft nog in 1999 kenbaar gemaakt dat hij, in het kader van zijn pelgrimstochten, ook een bezoek wilde brengen aan de Grieks-orthodoxe kerk. Grieks-orthodoxe leiders hebben echter snel duidelijk gemaakt, dat de paus van hen nooit een officiële uitnodiging zal krijgen. Monniken van de beroemde Berg Athos begonnen spoedig met een campagne tegen de paus. De Heilige Synode van de Grieks-orthodoxe kerk heeft verklaard dat de paus pas dan zou mogen komen, als 'hij zich zou verontschuldigen voor de historische fouten van de rooms-katholieke kerk'.

De doorbraak kwam in januari. De Griekse president, Constantinos Stephanopoulos bracht een officieel bezoek aan Rome en bij die gelegenheid nodigde hij de paus uit voor een bezoek aan zijn land. Daarop verzocht de paus de Grieks-orthodoxe kerk hem uit te nodigen. De Heilige Synode reageerde met een uitnodiging, maar uit de tekst bleek dat deze niet van harte was.

Pater Yannis Spiteris, OFMCap, een Griekse theoloog die in Rome onderwijst, stelt dat de komst van de paus toch positieve gevolgen zal hebben: 'Op dit moment is er veel lawaai. Maar zodra de mensen merken dat de paus komt in nederigheid, met een zending vanuit liefde, en de Grieks-orthodoxe gelovigen een priester zien die lijdt, een bisschop die bewondering afdwingt, een pelgrim, niet een veroveraar... dan zal haat verdwijnen'.[170]

Alle ogen op het oosten gericht[171]

Het pontificaat van paus Johannes Paulus II richt zich na het Jubeljaar 2000 voornamelijk op betere betrekkingen met de orthodoxen. Het doel is een 'heling' van het grote schisma uit 1054. Hoewel het bereiken van deze doelstelling ver weg lijkt te liggen, schijnt de paus er alles aan te willen doen de hereniging zo snel mogelijk te verwezenlijken. Ook zijn aanstaande reizen passen in dit plan.

Antonio Gaspari

Eén millennium waren de kerken van oost en west verenigd, één millennium gescheiden. Zullen in het derde millennium westerse en oosterse christenen zich met elkaar verzoenen? In dit hoopvolle licht is paus Johannes Paulus II bezig met een ambitieus reisprogramma voor het 23e jaar van zijn pontificaat: eerst Syrië en Griekenland, dan de Oekraïne in juni, Slowakije in juli en Armenië in september. En dat is misschien nog maar het begin.

[170] Catholic World News Feautures, 03-05-01
[171] Katholiek Nieuwsblad, 04-05-01

Ademen met twee longen

De oriëntatie van de paus op het oosten, vindt zijn oorsprong in de ontkerstening van het westen. Het oude Europa glijdt af naar een diepe crisis, een soort morele en culturele decadentie die lijkt op de laatste jaren van het Romeinse Rijk.
Europa raakt in verval; door het dalende geboortecijfer dreigt de oudere generatie de jeugd te overvleugelen. De Amerikaanse nieuwe wereld, aanvoerder van de moderne beschaving, brengt alleen materialistische en hedonistische stimulansen over. De westerse wereld, verzadigd en wanhopig, vlucht in pseudo-spiritualiteit: New Age-pantheïsme en esoterische sektes.
Zoals hij tijdens meerdere gelegenheden verklaard heeft, streeft Johannes Paulus II naar een verenigd Europa, dat 'ademt met twee longen', één in het westen en één in het oosten. Het westerse verval onder ogen ziend, zoekt de paus uit Polen naar revitaliserende elementen in de oosterse spiritualiteit.
Soms refereert hij aan het Lux ex Oriente, het licht uit het oosten. De intensiteit van gebed, de schoonheid van de liturgie, en de perceptie van goddelijk antropomorfisme (menselijke eigenschappen aan God toeschrijven, -red.) zijn de pilaren van de oosterse spiritualiteit. Het westerse christendom baseert zich op actie, terwijl het oosterse christendom de nadruk legt op contemplatie. Ware oecumene zal een uitwisseling zijn tussen Doen en Zijn.
Volgens dr. Michelina Tenace, professor aan de Pauselijke Gregoriaanse Universiteit en aan het Pauselijk Oosterse Instituut, komen veel van de spirituele wortels van de paus voort uit zijn Slavische mystiek. In deze mystiek wordt de mens bezien in zijn liefdevolle eenheid met God, waaruit zijn 'wezen, zijn essentie en zijn gelijkenis tot God' voortkomt. Dit is een groot verschil met de visie van het westerse christendom; de mens als hoger niveau van de natuur, begiftigd met fysieke attributen, rationaliteit en individualiteit.

Hoopvolle tekens

Een bestudering van de strategie van de paus voor een toenadering tot het oosten, zou kunnen beginnen met zijn apostolische brief Orientale Lumen (april 1995) en zijn encycliek Ut Unum Sint en zijn nota Filioque uit mei 1995. (Noot van de redactie: het oosten zegt dat de Geest voortkomt uit de Vader, terwijl het westen toevoegt: 'èn uit de Zoon' - het Filioquedebat is het theologische verschilpunt tussen oost en west.) Hierin bracht hij het idee van een onverdeelde kerk tot uitdrukking, met een hernieuwd bewustzijn van de 'monarchie van de Vader'. (Het oosten benadrukt de eenheid in God, de Vader als de ene bron van Zoon en Geest, tegenover de drie-eenheid in de westerse theologie, -red.) Dat is eerder een herenigde kerk in een nieuwe vorm, dan een uitdrukking van voorbije traditie.

De vermaarde orthodoxe theoloog Olivier Clement suggereerde kortgeleden dat de moordaanslag op de paus gezien zou kunnen worden als Wojtyla's martelaarschap voor christelijke eenheid. Volgens Clement was de aanslag in 1981 op het Sint-Pietersplein waarschijnlijk een in de ogen van sommigen noodzakelijke daad, om de toenadering van de paus tot de orthodoxe kerk te verijdelen.

Een verdeeld huis

Natuurlijk lijken de obstakels op weg naar christelijke hereniging soms onoverkomelijk. Plannen voor de reis van de paus naar de Oekraïne in juni, hebben wrijving veroorzaakt in de relaties tussen Rome, Moskou en Constantinopel en zelfs tussen de verschillende plaatselijke Oekraïnse kerken. De paus moet niet alleen het hoofd bieden aan vijandelijkheden van de orthodoxe kerkleiders in Moskou en elders, maar ook aan heftige interne tegenstellingen in de orthodoxe kerk. Alekseij II van het Moskouse patriarchaat, wedijvert met de oecumenische patriarch Bartolomeos van Constantinopel. Moskou beweert de grootste geloofsgemeenschap te hebben (130 miljoen mensen) en politieke autoriteit over de rest van de orthodoxen. Bartolomeos heeft slechts tweeduizend volgelingen, maar een groot historisch en internationaal prestige. Als een van deze twee toenadering tot Rome zoekt, zal hij door zijn 'broederlijke' tegenstander beschuldigd worden van het in de steek laten van de orthodoxe zaak.

Patriarchaten

In oecumenische kringen zijn er stemmen opgegaan voor het bijeenroepen van een panorthodoxe raad, om de oorspronkelijke vijf grote patriarchaten, Jeruzalem, Antiochië, Alexandrië, Constantinopel en Rome, te 'reconstrueren' en te herenigen. Deze raad zou fungeren als 'een hand met vijf vingers', maar de bisschop van Rome zou de rol van primaat hebben. Op dit moment heeft het patriarchaat van Antiochië redelijk goede betrekkingen met Rome en soms leek hereniging van de twee dichtbij. Rome heeft ook uitstekende relaties met de Armeense orthodoxie.

Moskou en Constantinopel zouden hun geschillen moeten bijleggen. Jeruzalem zou waarschijnlijk de laatste fase van hereniging zijn, vanwege de interreligieuze complexiteit (tussen joden en moslims alsmede tussen orthodoxen en katholieken). Toch zijn er tekenen van hoop. In 1995 richtte het Aletti Studie Centrum te Rome een uitgeverij op, genaamd Lipa, die nu boeken drukt in de Oekraïne, Roemenië en Rusland. En, ongelooflijk maar waar, het Basishandboek oosterse christelijke spiritualiteit, samengesteld door de jezuïet Thomas Spidlik en gedrukt door Lipa, wordt gebruikt op Russisch-orthodoxe seminaries. Dit zijn kleine, maar belangrijke stappen op weg naar de herenigde kerk van christelijke oorsprong. Velen bidden dat deze 'mariale' paus de bijstand van de Gezegende Maagd -katholieken en orthodoxen even dierbaar- zal ontvangen, om de zo zeer verlangde hereniging te bereiken.

Uit: Inside the Vatican
Vertaling: Amanda Hanraets

Orthodox verzet en oecumenische verklaring
Het hoogtepunt van het bezoek van paus Johannes Paulus II aan Griekenland, waar de zesdaagse reis van de paus in de voetsporen van Paulus vrijdag begint, is een pelgrimstocht naar de Areopaag. Op deze plaats bij Athene predikte Paulus zo'n 1950 jaar geleden tot het volk. Voor een bezoek aan Athene werd de paus uitgenodigd door de Griekse president en het hoofd van de Grieks-orthodoxe kerk, aartsbisschop Christodoulos. Hoewel deze uitnodiging goedgekeurd werd door de Heilige Synode, bleef een groep extremistische, orthodoxe monniken zich verzetten tegen het pausbezoek. Zo'n vierhonderd monniken, voor een groot deel afkomstig uit kloosters op de 'monnikenberg' Athos, demonstreerden vorige week woensdag in Athene tegen het bezoek van de paus. Daarbij riepen ze leuzen als 'de orthodoxie of de dood' en 'de orthodoxie zal overwinnen'. Aartsbisschop Christodoulos, het hoofd van de orthodoxe kerk, waarvan 96 procent van de bijna elf miljoen Grieken deel uitmaakt, noemde de demonstranten verraders.

Een woordvoerder van de Heilige Synode van de orthodoxe kerk, bisschop Theoklitos, benadrukte afgelopen zondag nog eens dat de paus hartelijk welkom geheten zal worden in de Griekse hoofdstad. Hij kondigde ook aan dat er bij de ontmoeting tussen Johannes Paulus II en aartsbisschop Christodoulos een gemeenschappelijke oecumenische verklaring over de christelijke wortels van Europa afgegeven zal worden. Al kan er wegens enkele theologische verschillen tussen de beide kerken geen sprake zijn van een gezamenlijk gebed van de paus en de aartsbisschop, de orthodoxe kerk wil de dialoog met de katholieke kerk zeker voortzetten, stelde de woordvoerder. Verder maakte hij duidelijk dat het pausbezoek mogelijk ook zijn uitwerking op een eventueel bezoek van de paus aan Rusland zou kunnen hebben. Aartsbisschop Christodoulos zal namelijk onmiddellijk na zijn ontmoeting met de paus naar Moskou reizen om verslag uit te brengen aan de Russisch-orthodoxe patriarch Aleksej II. (KN)

In het spoor van Paulus

In zijn brief van juni 1999 'Over de Pelgrimage' naar plaatsen die verbonden zijn met de Heilsgeschiedenis, schrijft de paus over zijn grote pelgrimage die hij ter gelegenheid van het Heilig Jaar 2000 wilde maken. Hij zegt onder meer niet alleen die plaatsen te willen aandoen waar Christus zelf leefde en leerde, zoals het H. Land, dat hij vorig jaar bezocht, maar ook andere plaatsen die van groot belang zijn geweest voor de vroege kerk. Met name ook de regio's waar de apostelen preekten en bekeerden. Vandaag vertrekt Johannes Paulus II in dat kader voor een reis naar Griekenland, Syrië en Malta, een tocht 'in de voetsporen van Sint-Paulus'.

Syrië

De Via Recta, die dwars door Damascus loopt, is de weg waarop Paulus met zijn paard reed toen hij staande gehouden werd door een verschijning van Christus. Het is de bekende gebeurtenis waardoor de felle christenvervolger Saulus veranderde in Sint Paulus: de vurige geloofsverkondiger en apostel van de heidenen. Hier ligt het Sint Paulus-gedachtenismonument, dat de paus maandag zal bezoeken.
Damascus is ook de zetel van de Syrisch-orthodoxe, de melkitische en de Grieks-orthodoxe patriarch. Behalve de kopten, zijn bijna alle oosterse kerken in Syrië vertegenwoordigd. Zij vormen het grootste deel van de één miljoen christenen in Syrië, ofwel tien procent van de totale bevolking. Er is een relatief kleine gemeenschap van Latijnse katholieken. De vrijheid van godsdienst staat niet alleen in de grondwet, maar is ook werkelijk aanwezig voor alle christenen. Zondag ontmoet de paus eerst in het Grieks-orthodoxe patriarchaat de patriarchen en bisschoppen in Syrië en vervolgens in de Syrisch-orthodoxe kathedraal priesters, religieuzen en leken van de orthodoxe en katholieke kerken in het land. Daarna is het bezoeken van de Omajaden-moskee in Damascus een unieke gebeurtenis in de kerkgeschiedenis. De geplande ontmoeting met de nog jonge en gematigde president Bashar Assad kan van belang zijn voor het weer op gang brengen van het vredesproces in het Midden-Oosten.

Malta

Het meest katholieke land van Europa komt de eer toe als eerste te zijn geëvangeliseerd door 'de apostel van de volkeren'. In de Handelingen van de Apostelen wordt verteld, hoe Paulus als gevangene naar Rome werd vervoerd en na een schipbreuk op het eiland Malta terechtkwam. De Maltezen zijn sindsdien altijd trouw gebleven aan de kerk van Rome. Ook nu nog is het het meest standvastige katholieke land van Europa, waar vrijwel honderd procent van de ongeveer

400.000 inwoners praktiseert. De archipel telt zo'n 386 kerken. Tijdens zijn bezoek aan Malta op dinsdag en woensdag zal de paus tijdens een eucharistieviering op het Piazzale di Granai di Floriana in de hoofdstad Valletta, de zalige Giorgo Preca heilig verklaren. Het motto van deze Maltese stichter van de Sociëteit van de Christelijke Doctrine luidde: 'Ego cum papa semper' (Ik ben altijd met de paus).

Athene, 04 mei 2001
Kort na zijn aankomst in Athene vraagt paus Johannes Paulus II om vergeving van de door katholieken jegens de orthodoxen begane fouten. In zijn toespraak maakt hij speciaal melding van vernielingen in de stad Constantinopel door Kruisvaarders.[172]

Budapest, 21 mei 2001
Een orthodoxe gelovige, Kostas Poelis, deelt op straat een klap uit aan de orthodoxe patriarch Christodoulos, omdat deze op 4-5 mei 2001 'het hoofd van de katholieke kerk' heeft ontvangen. Hij wordt gearresteerd en blijkt lid te zijn van een fundamentalistische orthodoxe beweging, die tijdens het bezoek van de paus 'demonstraties tegen de antichrist' georganiseerd heeft.[173]

GUATEMALA

Oppervlakte: 108.889 km²
Bevolking: 10.998.602[174]
Religie: Overwegend katholiek
Etnische groeperingen: Mestizo's: 56% Indigena's: 43% Europeanen: 1%[175]

Guatemala-stad, 04 januari 2001
Drie officieren van het leger, een priester en een vroegere huishoudelijke medewerker worden op 15 februari 2001 voor het hof gebracht in verband met de moord op hulpbisschop Juan Gerardi Conedera van Guatemala City. Hij werd vermoord op 15 februari 1998, enkele dagen nadat hij een rapport over mensenrechten publiceerde.[176]

[172] CWN Breaking News, 04-05-01. Zie ook: Catholic World News Vatican Update, 04-05-01
[173] Magyar Nemzet (Hongaarse Natie), 21-05-01
[174] Guatemala Country Profiles geeft een bevolking aan van 11,2 miljoen
[175] www.forlang.utoledo.edu
[176] CRTN, 05-02-01

Guatemala-stad, 23 maart 2001
Het proces tegen de verdachten van de moord op bisschop Juan Jose Gerardi Conedera op 26 april 1998, is verdaagd.[177] Eén van de verdachten, kolonel Disrael Lima, beroept zich op hartproblemen en komt niet opdagen. De president van het hof besluit door een arts te laten onderzoeken of Lima inderdaad problemen met zijn hart heeft. Een andere verdachte, kapitein Byron Lima, schreeuwt in het hof: 'Word wakker, soldaten, wij hebben een gemeenschappelijke vijand'. De zitting mondt uit in een totale chaos.[178]

Ook het huis van de rechter die het proces leidt wordt aangevallen. Volgens de rechter, Yasmin Barrios, gooiden de aanvallers twee granaten naar het huis. Zij is op het moment van de aanval aan het eten met haar moeder en zuster. Zij worden niet geraakt, maar het huis raakt zwaar beschadigd. Volgens de rechter is zij reeds twee keer eerder bedreigd.[179]

Guatemala-stad, 04 april 2001
Een priester, drie militairen en een kokkin staan in Guatemala-stad terecht voor de brute moord op de rooms-katholieke bisschop Juan Gerardi. Drie jaar geleden werd deze ijveraar voor mensenrechten doodgeslagen. Het heeft lang geduurd voordat het tot een zaak kwam. Van het begin af werden beschuldigingen geuit in de richting van hoge militairen en ook nu is er twijfel over de vraag of justitie wel de ware schuldigen voor het gerecht wil brengen. De kokkin en de priester waren huisgenoten van de bisschop.[180]

Guatemala-stad, 07 mei 2001
Een lid van de Zusters van Moeder Theresa wordt in Guatemala-stad vermoord, nadat zij slachtoffer is geworden van beroving. Zuster Barbara Ann Ford (62) heeft ongeveer twintig jaar in Guatemala gewerkt. Zij ving de slachtoffers op van de burgeroorlog die in 1996 - na 36 jaar - eindigde. De oorlog kostte het leven aan 200.000 mensen.[181]

De moord op de Amerikaanse missionaris Barbara Ford komt op een moment dat hoge Guatemalaanse militairen verhoord worden over mogelijke betrokkenheid bij de zaak-Gerardi. Het klimaat is grimmig. In de aanloop naar de verhoren nemen onbekenden het huis van de onderzoeksrechter onder vuur. Ook andere betrokkenen bij de zaak worden geïntimideerd of met de dood bedreigd.

[177] De bisschop werd twee dagen na de verschijning van zijn rapport vermoord. Zijn rapport handelde over de meer dan 200.000 doden gedurende de 26 jaren van burgeroorlog. Zie ook: Catholic World News, 26-03-01
[178] Catholic World News Briefs, 23-03-01
[179] Catholic World News Briefs, 22-03-01
[180] Trouw, 04-04-01
[181] Catholic World News Briefs, 07-05-01

De laatste maanden zijn er diverse invallen geweest in kantoren van mensenrechtenorganisaties in Guatemala, die processen voorbereiden tegen de daders van het geweld. Ford was lid van de Congregatie van de Zusters van Naastenliefde uit New York en was sinds 1978 werkzaam in Guatemala.[182]

Guatemala-stad, 06 juni 2001
De katholieke kerk in Guatemala beschuldigt de vorige president, Alvaro Arzu, ervan betrokken te zijn geweest bij de moord op hulpbisschop Juan Gerardi Conedera in april 1998. President Arzu was hoofd van het leger, dat de moord gepland heeft, en moet dus geïnformeerd zijn geweest over de moord. Dat vertelt Mynor Melgar, de advocaat van de kerk, aan journalisten. Daarom zou Arzu opgeroepen moeten worden als getuige.[183]

Guatemala-stad, 08 juni 2001
Het hof van Guatemala veroordeelt kolonel Byron Lima Estrada, zijn zoon kapitein Byron Lima Oliva en een vroegere presidentiële lijfwacht, Obdulio Villanueva, tot dertig jaar gevangenisstraf, wegens de moord op hulpbisschop Juan Gerardi van Guatemala-stad in 1998.[184]

Guatemala-stad, 14 juni 2001
Jose Eduardo Cojulun, de rechter die drie militairen en een priester heeft veroordeeld voor de moord op bisschop Gerardi in 1998, meldt dat hij herhaaldelijk met de dood wordt bedreigd. Hij vertelt dat hij 'zich niet laat intimideren, en dat hij het land niet zal verlaten'. Vijf onderzoekers, een officier van justitie en rechters zijn eerder met de zaak gestopt. Sommigen van hen hebben zelfs het land verlaten uit angst voor moord.[185]

[182] Katholiek Nieuwsblad, 18-05-01
[183] CRTN, 07-06-01
[184] CRTN, 11-06-01
[185] CRTN, 18-06-01. Zie ook: Catholic World News, 14-06-01

HONDURAS

Oppervlakte: 112.090 km²
Bevolking: 5.459.743
Religie: Rooms-katholiek: 97% Protestant: kleine minderheid
Etnische groeperingen: Mestizo's: 90% Indianen: 7% Afrikanen: 2% Europeanen: 1%[186]

Bonn, 20 juni 2001
De politie van Honduras looft een bedrag van 100.000 DM uit voor de gouden tip in verband met de moord op de jezuïet Pedro Marchetti. Een internationale mensenrechtenorganisatie maakt bekend dat pater Pedro wegens zijn steun aan kleine boeren vaker is bedreigd.[187]

INDIA

Oppervlakte: 3.287.590 km²
Bevolking: 1.000.848.550
Religie: Hindoe: 80%[188] Moslim: 12% Christen: 2,4%
Etnische groeperingen: Indo-Aryan, Dravidian[189]

Christenen in India maken ongeveer 2,3% uit van de totale bevolking. Daarmee zijn zij - naast hindoes en moslims - de derde grote religieuze groepering. Hindoe-nationalistische leiders beschouwen het christendom als een 'vijandig

[186] Honduras categories, www.dirla.com
[187] KNA, 20-06-01
[188] Volgens IDEA SPEKTRUM, 42/2001is de verdeling als volgt: hindoe 82,56%, moslim 11,35%, christen 2,43%, sikh 1,97%, boeddhist 0,79% en overige 0,9%. Volgense dezelfde bronnen behoort 4,9% van de bewoners tot de hoogste kaste (brahmanen), 10,5% tot hogere kasten, 47,6% tot lagere kasten, 15% tot kastenlozen (dalits), en 22% anderen
[189] International Christian Concern, 19-02-01en CIA The World Factbook 1999

geloof', of als 'restant van het kolonialisme in India'. Toch is het christendom in India al bijna tweeduizend jaar diep geworteld: het was Sint Thomas die deze regio evangeliseerde. Ongeveer zeventig procent van de christenen is katholiek.

Het aantal aanvallen op christenen neemt vooral de laatste jaren sterk toe. Ook het Indiase parlement, de Indiase regering is zich daarvan bewust. In de periode van januari 1998 tot en met februari 1999 zijn door het parlement 116 gewelddadige aanvallen op christenen geregistreerd. Ook de Verenigde Naties hebben in hun rapport van 1997 melding gemaakt van gewelddadigheden tegen christenen. Al in december 1996 heeft een speciale afgevaardigde van de Verenigde Naties, Abdelfattah Amor, gewaarschuwd voor een sterke toename van gewelddadigheden. Het geweld tegen christenen werd vooral gevoed door extreem-nationalistische partijen; bewegingen zoals RSS, VHP en BJP.

In 1998 heeft de Nationale commissie voor minderheden van India een aantal onderzoeken uitgevoerd inzake aanvallen op christenen. De onderzoeken vonden plaats in de deelstaten Guarat, Madhya Pradesh en Orissa.
De mensenrechtenorganisatie Human Rights Watch heeft met de voorzitter van de commissie, Tahir Mahmood, gesproken. Die verklaarde het volgende: 'Gedurende de afgelopen vijftig jaar hebben soortgelijke gruweldaden plaats gevonden jegens moslims. Tegenwoordig ziet u een verschuiving in de richting van christenen. De verhalen zijn zeer emotioneel. Hindoes beschuldigen christenen ervan leden van de lagere kasten te dwingen over te stappen naar het christendom'.

In januari 1999 heeft de VHP een programma opgesteld om hindoes die overgestapt zijn naar het christendom weer 'terug te laten keren naar het hindoeïsme'. Het programma is opgesteld in Jaipur, tijdens een congres van negen dagen dat speciaal voor dit onderwerp was belegd. Er werden tweehonderd zogenaamde 'gevoelige gebieden' benoemd, die in aanmerking zouden kunnen komen voor dit programma.

Nadat de Bharatiya Janatha Party (BJP), een hindoe-nationalistische partij, aan de macht kwam, is de vervolging van christenen toegenomen. De minister-president, Vajpayee, is zelf lid van de BJP, maar heeft wel enkele keren opgeroepen tot tolerantie jegens de christenen.
Een van de hindoe-extremistische bewegingen is de Rashtriya Swayamsevak Sangh (RSS), die oproept tot een 'terugkeer naar hindoewaarden en culturele normen'. Aan deze politieke beweging is de religieuze groepering Vishwa Hindu

Parishad (VHP) gelieerd. In september 1998 heeft deze beweging christelijke missionarissen opgeroepen het land te verlaten.
Verder is er nog de Bajrang Dal bekend; een zeer militante hindoe-beweging, die ongeveer 500.000 leden telt. De Sangh Parivar tenslotte, is de groepering die de moord op de missionaris Graham en zijn zoon heeft uitgevoerd. Deze beweging is heel sterk in de staten Gujarat en Uttar Pradesh.[190]

Naar de mening van velen die de ontwikkelingen in India volgen, is wat extremistische bewegingen als VHP, Bajrang Dal, RSS en BJP doen, niets anders dan het uitvoeren van de idealen van M.S. Golwalker. De voormalige RSS-leider legde in 1939 zijn standpunten vast in zijn 'We or Our Nationhood Defined'. Hij schrijft: 'In Hindustan exists and must needs exist the ancient Hindu nation and nought else but the Hindu Nation. All those not belonging to the national (d.i. Hindu) race, religion, culture and language naturally fall out of pail of real 'national' life... There are only two courses open for foreign elements, either to merge themselves in the national race and adopt its culture, or to live at its mercy so long as the national race may allow them to do so and to quit the country at the sweet will of the national race... From this standpoint, sanctioned by the experience of shrewd old nations, the foreign races in Hindustan must either adopt Hindu culture and language, must learn to respect and hold in reverence Hindu religion, must entertain no idea but those of the glorification of the Hindu race and culture, and must lose their separate existence to merge in the Hindu race, or may stay in the country, wholly subordinated to the Hindu nation, claiming nothing, deserving no privileges, far less any preferential treatment - not even citizen's rights. We are an old nation; let us deal, as old nations ought to and do deal, with the foreign races who have chosen to live in our country'.[191]

Thrissur, 03 januari 2001
Katholieke bisschoppen in het zuiden van Kerala besluiten om niet deel te nemen aan een ontmoeting met de eerste minister. Men zou met elkaar spreken over religieuze rechten. De bisschoppen achten de voorbereidingstijd veel te kort en menen dat de ontmoeting gemanipuleerd wordt door de pro-hindoe Bharatiya Janata Party.[192]

11 januari 2001
Twee geestelijken worden mishandeld in de stad Jaher Village, in Gujarat.
De twee, David Masih en Simon Sakria, wonen juist een gebedsdienst bij, als

[190] International Christian Concern, 19-02-01
[191] Direct and indirect persecutions of the Christian Church in India, Targetting Christins. Een HRW rapport.
[192] Catholic World News Briefs, 03-01-01

vijftig mensen de bijeenkomst bestormen en beide geestelijken mishandelen. David Masih komt in het ziekenhuis terecht, Simon Sakria verdwijnt.[193]

New Delhi, 07 februari 2001
Ondanks de zware gevolgen van de aardbeving in India, roept de hindoe-nationalistische beweging Vishnu Hindu Parishad, (World Hindu Council) de bewoners van India op de humanitaire steun van christenen te weigeren. In een interview met de Italiaanse krant Avvenire, bevestigt aartsbisschop Cyril Mar Baselios, dat sommige hindoes inderdaad steun door christenen weigeren. Pater Cedric Prakash, coördinator van de Earthquake Affected Relief and Rehabilitation Services, een overkoepelende organisatie van veertig katholieke NGO's, vertelt dat sommige hindoes de hulp aan de slachtoffers proberen te monopoliseren.[194]

Ranchi, 07 februari 2001
Tien personen, onder wie negen katholieken, worden op 2 februari gedood als de politie het vuur opent op een groep van vierduizend mensen in Jharkhand in Oost-Bihar. Volgens UCA News protesteerden de tot één stam behorende mensen tegen het discriminerend optreden van de politie tegen een stamgenoot. De stam is overwegend christelijk.[195]

23 februari 2001
In de late avond vallen hindoemilitanten een opleidingsschool van Het Evangelie voor Azië aan. Met stokken slaan zij in op de aanwezigen. Sommige studenten raken zwaargewond.[196]

New Delhi, 26 februari 2001
De angst van christelijke groeperingen in het oostelijke Orissa, over de invoering van een wet die voorafgaande toestemming vereist voor bekeringen, blijkt gegrond te zijn. De politie meldt dat zes leden van een familie van Channa Singh in Orissa, verhinderd worden over te stappen op het christendom. De politie grijpt in als de protestante domine Rameshar Mundu begonnen is met de doopplechtigheid.[197]

08 maart 2001
Gladys Staines, wier man en twee zonen twee jaar geleden op een zeer brute manier vermoord zijn, wordt nog steeds vervolgd door hindoeradicalen. Haar

[193] International Christian Concern, 19-02-01
[194] CRTN, 08-02-01
[195] CRTN, 07-02-01
[196] The Voice of the Martyrs, 01-03-01
[197] Catholic World News Briefs, 26-02-01

droom is om ter nagedachtenis van haar man en kinderen een ziekenhuis voor leprozen in Mayurbhanj op te richten. Dit voornemen is hindoefundamentalisten een doorn in het oog. Eén van de tegen haar genomen maatregelen is dat haar visum per augustus 2001 zal verlopen. Tevens is er een onderzoek tegen haar gaande in verband met 'literatuur tegen de hindoes'.[198]

Kochi, 16 maart 2001
Een katholieke journalist, die met een team van journalisten een programma heeft gemaakt over de corruptie in India, wordt door een groep van hindoefundamentalisten met de dood bedreigd. Matthew Samuel vertelt aan UCA News dat hij diverse telefoontjes heeft ontvangen waarin hij met de dood is bedreigd: 'Ik vrees voor mijn leven. Ik heb de regering om bescherming gevraagd'.[199]

New Delhi, 27 maart 2001
Gedurende het laatste weekend worden twee grote aanvallen op christelijke doelen gerapporteerd. Daarbij zijn drie mensen, onder wie een katholieke priester en een zuster van het bisdom Agarthala (Noordoost-India) zwaar gewond geraakt. Men neemt aan dat ook zij het slachtoffer zijn geworden van militante groeperingen.[200]

Carrollton, 12 april 2001
Himachal Pradesh telt slechts een handjevol christenen. Om precies te zijn 0,08% van de bevolking. Het is de minst geëvangeliseerde staat van India. Maar in een klein dorpje aan de voet van de Himalaya hebben de radioprogramma's van Gospel for Asia een religieuze aardverschuiving tot gevolg. In het dorpje waar Tularam woont, weet eerst niemand wie de God van de bijbel is. Op een dag luistert hij naar de uitzending van Gospel for Asia. Daarna begint hij zelf met de verkondiging van het Woord Gods. Gevolg daarvan is de massale bekering van de dorpelingen tot het christendom.[201] Dit alles kan echter een probleem opleveren met hindoefundamentalisten, die zeer angstig zijn voor proselitisme.

New Delhi, 30 april 2001
Het Indiase hof veroordeelt zeventien mensen tot levenslang, wegens het verkrachten van vier nonnen in 1998. Zeven anderen worden vrijgesproken, omdat hun schuld niet bewezen kan worden. Op 23 september 1998 hebben meer dan twintig gewapende mannen de kliniek en de school die door de zusters werd geleid, aangevallen en vier zusters verkracht. Zij vernielden ook de school. De aanval wordt toegeschreven aan hindoefundamentalisten.[202]

[198] The Voice of the Martyrs, 08-03-01
[199] UCAN, 16-03-01
[200] Catholic World News, 27-03-01
[201] KERKWEB, 12-04-01
[202] Catholic World News Briefs, 30-04-01

New Delhi, 16 mei 2001
De katholieke bisschoppenconferentie van India veroordeelt vandaag de brute moord op drie Salesianer missionarissen. De missionarissen werden gisteren door etnische militanten in de noordoostelijke staat Manipur vermoord. Daarmee werd de hele staf van het noviciaat van de Salesianen in Manipur uitgemoord: pater Raphael Paliakara (46), pater Andreas Kindo (31) en broeder Shinu Joseph Valliparambil (23). Zij zijn met automatische wapens doodgeschoten. Volgens rapporten van de CBCI in New Delhi, hebben de Salesianen aan de militante hindoes die bij hen binnendrongen, dertigduizend roepees gegeven, dat is 680 US-dollar. De extremisten waren daar echter niet tevreden mee en doodden de Salesianen terwijl zij aan het argumenteren waren.[203]

New Delhi, 18 mei 2001
Christelijke scholen in het noordoosten van India worden vrijdags gesloten, uit protest tegen de moord op drie Salesianen. Meer dan vierduizend scholieren houden twee minuten stilte en sluiten daarna de deuren van de scholen. Velen gaan daarna de straat op om te protesteren.[204] Meer dan duizend scholen zijn uit protest gesloten en in Shillong, de hoofdstad van de provincie Meghalaya, gaan 25.000 mensen de straten op om te protesteren tegen de moorden.[205] Salesianen verklaren dat de moord op de drie medebroeders een nieuwe vorm van agressie van militanten tegen christenen is: 'Tot nu toe beperkten hun aanvallen zich op scholen. Deze week hebben zij het huis van gebed aangevallen'.

31 mei 2001
The Voice of the Martyrs meldt dat de familie van de overleden Donhabhai Lazarus Solanki verhinderd wordt om het lichaam van de overledene te begraven op een christelijk kerkhof in Kapadwanj, Kheda, in Centraal-Gujarat. Een groep van militante hindoes verhindert dat op 28 mei 2001. Leden van de radicale Vishwa Hindu Parishad (VHP) brengen de begrafenisprocessie tot stilstand en stellen dat het kerkhof oorspronkelijk behoorde aan de hindoes. Als de christenen hun weg willen vervolgen, gebruiken de hindoes geweld. De politie kan met traangasbommen niet verhinderen dat de christenen de begrafenis uit moeten stellen; zij laten het lichaam van de overledene achter op het politiebureau. Wanneer na enkele uren blijkt dat de hindoes niet willen afzien van verder geweld bij een eventuele begrafenis in Kapadwanj, besluit de familie om het lichaam te begraven in Ahmedabad.[206]

[203] Catholic World News Briefs, 16-05-01. Zie ook: Internazionale Salesiana di Informazione, Via della Pisana, Roma. En: De la part d'Eglise d'Asie, agence d'information des Missions Étrangéres de Paris. Zie ook: Catholic Online News, 16-05-01. Zie ook: HMK-Kurir, 07/2001
[204] Catholic World News, 18-05-01
[205] Catholic World News, 22-05-01
[206] The Voice of the Martyrs, Canada, 31-05-01

14 juni 2001
Stephanus-Lahetys Ry, van de Voice of the Martyrmissie, meldt dat gedurende de laatste week van mei 2001 in het plaatsje Funda, in de streek Kalahanda in Orissa, een hindoetempel uitbrandde. De politie heeft tot nu toe geen verdachten kunnen vinden. Hindoes beschuldigen de christenen echter van het aansteken van hun tempel. Kort na de brand bezoekt een groep hindoes christenen van huis tot huis, om zo op intimiderende wijze te achterhalen wie de brandstichters zijn. Op 4 juni wordt de evangelist Joseph Senapati door hindoes bedreigd.[207]

28 juni 2001
Een missiezuster uit Finland rapporteert dat in de stad Funda ongeveer honderd christenen geschopt en getrapt zijn, omdat zij ervan beschuldigd worden een hindoetempel in brand gestoken te hebben. Twee gezinnen worden gedwongen zich tot het hindoeïsme te bekeren.[208]

New Delhi, 20 juli 2001
Fundamentalistische hindoes vallen twee christelijke scholen aan, in de Indiase staat Gujarat. Volgens UCA News valt een hindoe de katholieke school van Rajkot aan en verbrandt hij een stropop die symbool staat voor de directeur.
In Ahmedabad wordt een school van de Pentacosten aangevallen. Christelijke organisaties hebben gedurende de laatste drie jaar 150 aanvallen op christelijke gebouwen geregistreerd.[209]

New Delhi, 01 augustus 2001
Christenen in India slaan alarm: hun hoogwaardige onderwijsinstellingen dreigen in gevaar te komen door een nieuwe wetgeving van India. Op 29 juli 2001 maakt de All Indian Christian Council, een oecumenisch forum in India, bekend dat de regering, geleid door de pro-hindoe Bharatiya Janata Party, een wet wil doorvoeren waardoor voorkomen wordt dat christelijke missionarissen en christelijke onderwijsinstellingen buitenlandse steun mogen ontvangen. Zonder die steun kunnen de onderwijsinstellingen hun deuren sluiten.
Op 25 juli 2001 meldt het Indiase blad The Hindu, dat de regering zich serieus zorgen maakt om de 'vrije stroom' van geld naar christelijke organisaties.
De voorzitter van de All India Christian Council, dr. Joseph D'Souza, zegt dat deze wet een middel in handen van de Indiase regering wordt 'om christelijke instellingen aan te pakken'.[210]

[207] The Voice of the Martyrs, Canada, 14-06-01
[208] The Voice of the Martyrs, 28-06-01
[209] CRTN, 23-07-01, zie ook: KATHPRESS, 20-07-01. Tevens: KNA, 20-07-01
[210] FIDES, 01-08-01

17 augustus 2001
De aanslagen op christenen door extremistische hindoes, die vorige week vrijdag in India plaatsvonden, zijn volgens de hindoes de schuld van de christenen zelf. De woede van de hindoes is te wijten aan de bekeringen van geloofsgenoten naar het christendom. Volgens de politie zijn twee groepen betrokken bij de aanslagen op een priester, een vrouwelijke religieuze en op kerkelijke bezittingen. Een van deze groeperingen is de Bajrang Dal, een organisatie die banden onderhoudt met de pro-hindoe nationalistische Bharatiya Janata Party. 'Als dit zo doorgaat, zal er nog meer geweld komen. Dat moeten zij verwachten', aldus Milind Parande, de nationale voorzitter van Bajrang Dal.[211]

New Delhi, 20 augustus 2001
Katholieke bisschoppen uiten tijdens de zitting van de Katholieke Raad uit de noordelijke regio's van India, hun diepe teleurstelling over de uitlatingen van de Indiase premier, Atal Behari Vajpayee. Hij zei dat 'christelijke missionarissen bekeringen doen onder de schijn van dienstverlening'. Katholieke bisschoppen stellen dat deze uitspraken op een moment komen van toenemend geweld tegen christenen. 'Onze bezorgdheid wordt mede veroorzaakt door het feit dat deze opmerking gemaakt is door de officiële leider van de 'Rashtriya Swayamsevak Sangh'-partij. Deze fundamentalistische hindoegroepering voert zo in aanwezigheid van de politieke leiders in India een campagne van haat tegen de christenen'.

Intussen leidt de uitspraak van Vajpayee, dat 'zelfs sociaal werk door christenen bekering beoogt' tot rumoer. Zelfs in het parlement leidt dat tot chaos, als de oppositie opmerkt dat zo 'een verborgen agenda van de regering naar buiten komt'.[212]

30 augustus 2001
Laat in de avond van 26 augustus 2001 vieren vele christenen de liturgie, als hindoemilitanten de kerk binnenvallen in de Indiase staat Madhya Pradesh. Zij slaan alles kort en klein. Dit is het vierde incident in deze staat gedurende de maand augustus.[213]

Calcutta, 12 september 2001
Een studentenorganisatie in de stad Howrah in de Indiase bondsstaat West-Bengalen, gaat in het openbaar over tot verbranding van christelijke boeken. De lokale leider van de regeringspartij Bharatiya Janata Party (BJP), Samir Hait,

[211] Katholiek Nieuwsblad, 17-08-01
[212] Catholic World News, 20-08-01
[213] The Voice of the Martyrs, 30-08-01

zegt in het dagblad Times of India dat de 'boeken het verstand van onze kinderen bezoedelen. Christelijke missionarissen willen door deze boeken op scholen te verdelen de atmosfeer vergiftigen'. De boekverbranding wordt georganiseerd door de aan de partij gelieerde Akhil Bharatiya Vidyarthi Parish.

New Delhi, 31 oktober 2001
De katholieke bisschoppenconferentie van India reageert geschokt op de controversiële verklaring van de leider van de machtige hindoe-groepering Rashtriya Swayamsevak Sangh. Hij verklaart dat de christenen in India hun deuren gesloten gehouden hebben voor een dialoog en een betere verstandhouding met moslims.[214]

IRAK

Oppervlakte: 437.072 km^2
Bevolking: 22.427.150
Religie: Moslim: 59,1% (Shiïeten) en 36,1%(Sunnieten) Christen: 3,3% (van wie de meesten katholiek)
Etnische groeperingen: Arabieren, Koerden, Turkomanen.[215]

In Irak worden vooral de protestante minderheidskerken bedreigd. Verschillende keren zijn moordaanslagen op priesters en boekhandels gepleegd. De voorlopige grondwet van 1968 verklaart de islam tot staatsgodsdienst.

Londen, 08 november 2001
Een leider van de Iraakse oppositie zegt dat christenen in het land lijden onder de gevolgen van 11 september 2001. Albert Yelda, leider van de oppositiebeweging Iraqi National Congres, vertelt aan UPI: 'Zij mogen niet langer hun traditionele kruizen dragen. Zij worden kruisvaarders genoemd. Zij ontvangen geen voedselhulp'. Hij voegt eraan toe dat pro-Saddam Hussein-Iraki's tegen christenen gezegd hebben: 'Vraag de Amerikanen om jullie te voeden. Je hebt hier niets te zoeken'.

[214] Kirche in Not, 31-10-01
[215] International Christian Concern, 19-02-01 en CIA The World Factbook 1999

Yelda vertelt dat de recente vervolging van christenen slechts een nieuwe periode inluiden in een lange tijd van geweld tegen de christenen onder Saddam Hussein. 'Hij haat minderheden'. De regering heeft opdracht gegeven om dorpen en kerken van Assyrische christenen te verwoesten; Saddam's zoon heeft zelfs Assyrische vrouwen verkracht en vermoord. Hij heeft dat zelfs publiekelijk bekend gemaakt.[216]

IRAN

Oppervlakte: 1.648.000 km^2
Bevolking: 65.619.636
Religie: Moslim: 99% (Shiïeten), Baha'i: 0,5% Joods: 0,1% (Farsi) Christen: 0,4%
Etnische groeperingen: Perzen: 75,6%, Azeri, Gilaki, Mazandarani[217]

Een van de meest extremistische groeperingen is de Mojahadin-e-Khaleq (MEK), die deelgenomen heeft aan diverse gewelddadige acties tegen christenen. Volgens de regering is de islam de staatsreligie, in het bijzonder de Ja'fari Shi'isme. Christenen, zoroastrianisten en joden worden beschouwd als beschermde minderheden. Het uitgeven van christelijke literatuur is echter verboden.

Londen, 12 april 2001
Om moslims in Groot-Britannië tot het christelijke geloof te bekeren, stelt een invloedrijke Iranese evangelist zijn leven in de waagschaal. De 43-jarige evangelist, die om veiligheidsredenen een andere naam heeft aangenomen, wordt in Teheran met de dood bedreigd, omdat hij met moslims over Jezus Christus spreekt. Hij vlucht naar het Verenigd Koninkrijk. Nu probeert hij in Britse hotels gesprekken aan te knopen met moslims, van wie velen uit Iran afkomstig zijn.[218]

[216] CAN News, 08-11-01
[217] International Christian Concern, en CIA The World Factbook 2000. Zie ook: Christian Solidarity Worldwide, Country Profile for Iran.
[218] KERKWEB, 12-04-01

ISRAËL

Oppervlakte: 20.770 km^2
Bevolking: 5.749.760
Religie: Joods: 81,4% Moslim: 15,4% (Sunnieten) Katholiek: 1,3% Orthodox: 0,81% Protestant: 0,21%
Etnische groeperingen: Joden en Arabieren.[219]

Er zijn vele meldingen van aanvallen door orthodoxe groeperingen. Er is echter geen sprake van georganiseerde extremistische groepen tegen christenen. De grondwet garandeert vrijheid van godsdienst. Proselitisme wordt niet verboden maar wel ontmoedigd.

21 januari 2001
Aan het Israëlische parlement is door orthodoxe joden een wet voorgelegd tegen missionaire activiteiten van niet-joden. Volgens het wetsvoorstel zou aan het strafrecht worden toegevoegd dat religieuze activiteiten (zelfs het versturen van mailings, faxen) zouden worden bestraft met minimaal drie maanden cel.

Jeruzalem, 05 maart 2001
Op zondag 4 maart verplicht het Israëlische hof zes melkitische monniken van het klooster St. Johannes van de Woestijn, in westelijk Jeruzalem, om het onroerend goed dat zij bewonen terug te geven aan de franciscanen. In 1922 hebben franciscanen op de plek waarvan zij dachten dat Johannes de Doper er geleefd zou hebben, een klooster gebouwd. De gebouwen zijn in 1979 aan de melkieten overgedragen. Toen in 1994 de melkieten geen huur bleken te betalen, wendden de franciscanen zich tot het Israëlische hof.[220]

Vaticaanstad, 02 maart 2001
'Verwoest maar onze kerken als het moet, maar kom niet aan de huizen van de mensen', is de boodschap van de Latijnse patriarch van Jeruzalem, Michael Sabbah, aan het Israëlische leger in de lente van 2001. 'Als jullie koste wat het

[219] International Chistian Concern, 19-02-01 en CIA The World Factbook 1999
[220] CRTN, 06-03-01

kost de mensen collectief willen straffen, bieden wij jullie aan om onze kerken te verwoesten , als jullie zo de rust voor onschuldige kinderen en families kunnen herstellen'.
De brief van de patriarch schreeuwt om vrede in het Heilige Land, op een moment dat de spanningen sterk toenemen. Voordat de 67-jarige patriarch zijn brief schrijft, bezoekt hij parochies, gemeenschappen en burgerlijke autoriteiten in Palestina. Door de spanningen verlaten veel christenen het gebied. De patriarch: 'Wegen zijn gesloten, steden en dorpen zijn omsingeld, er is geen werk, er wordt constant gebombardeerd - broeders en zusters, verlaat je land niet, heb geduld. God wenst dat jullie in Hem blijven geloven en getuigen dat Zijn Zoon, Jezus Christus, hier is, in dit land. Blijf hier in deze heilige plaatsen'.
Hij wendt zich ook tot de Israëli's als hij schrijft: 'Beschouw de Palestijnen, joden of moslims niet als een terrorist, als iemand die alleen maar wenst te haten of te doden. Herinner je ook de tijd dat jullie riepen om vrijheid, met een schreeuw tegen de onderdrukker'.[221]

Jeruzalem, 12 maart 2001
Israëlische soldaten weigeren vrijdag 9 maart de Latijnse patriarch Michel Sabbah toegang te verlenen tot de Westbank. Dit ondanks het feit dat de patriarch een diplomatiek paspoort heeft. De patriarch is op weg naar de stad Ein Arik, in de buurt van Ramallah, samen met verschillende priesters, om er de Heilige Mis op te dragen. Pater Raed Abusahlia, de kanselier van de patriarch, vertelt dat de soldaten de speciale identiteitskaart van de kardinaal, afgegeven door het Israëlische Ministerie voor Religieuze Zaken, geweigerd hebben. Ook weigerden de soldaten te luisteren naar de verklaring van de parochiepriester van Ein Arik, pater Giovanni Cinti. Zij hebben hem zelfs kort vastgehouden. De patriarch kan ook het dorp Bir Zeit niet bezoeken omdat de wegen ernaartoe door Israëlische soldaten afgesloten zijn.[222]

Jeruzalem, maart 2001
Het Israëlische leger biedt zijn excuses aan aan de patriarch van Jeruzalem, Michael Sabbah, aan wie de toegang tot de westelijke Jordaanoever onlangs ontzegd is. 'Het was een vergissing', aldus de woordvoerder van het leger.[223]

Jeruzalem, 02 april 2001
Christenen, katholieken in de Gazastrook hebben niet slechts te lijden onder de bombardementen, maar worden door de blokkades ook verhinderd in Israël te gaan werken. Het gaat om ongeveer 500.000 mensen. De meeste mensen zijn

[221] FIDES, 02-03-01
[222] Catholic World News Briefs, 12-03-01. En ook: CWNews.com.
[223] ANP, maart 2001

veroordeeld tot niets doen in de vele vluchtelingenkampen. Zuster Mary zegt over de katholieken: 'Onze katholieke aanwezigheid heeft ook te maken met het grote aantal katholieken dat betrokken is bij het aanleggen van een van de vluchtelingenkampen. Dit park is een project van de Pontifical mission/Near-East Welfare Association. Het is het enige dat een beetje mooi is in de hele omgeving en het is nog steeds niet open. Overdag zijn de poorten gesloten. 's Nachts proberen veel mensen over de hekken te klimmen'.[224]

Gaza, 12 april 2001
Pasen, een feest van verzoening en vrede, is in de strook van Gaza gevierd met intensieve bombardementen van Palestijnse centra door het Israëlische leger. Pater Manuel Musallam, priester van de parochie van de Heilige Familie, met vijfhonderd katholieken, begraaft dezer dagen Elias Semaan Id, 43 jaar, die in het vluchtelingenkamp van Khan Younis verbleef. Id is één van de slachtoffers van negen bombardementen op het gebied. Dat vertelt de pater aan medewerkers van FIDES: 'Wij weigeren het medelijden van de wereld te aanvaarden; wij houden onze waardigheid. Op Palmzondag was mijn kerk vol met mensen die alle hoop verloren hadden. Mijn parochie bestaat uit 200.000 Palestijnen die in Gaza onder hopeloze en onmenselijke omstandigheden leven. Zij lijden honger en zijn doodsbang'. Zuster Marie-Abel, die in de parochie een basisschool leidt, zegt dat de mensen dag na dag meer te verduren hebben. Zij en haar staf moedigen kinderen van twee tot zeven jaar aan over hun zorgen te praten om zo alles te verwerken.[225]

Tel Aviv, 31 oktober 2001
Studenten van de 'Terra Santa School' van Jaffa zijn op schoolreis. Zij stoppen bij een McDonald's restaurant in Berscheba. Spoedig verschijnen er enkele bussen joodse teenagers die hen provoceren. De situatie ontaardt in hevige gevechten. Verschillende studenten van de katholieke school in Israël raken gewond, als zij door joodse teenagers worden aangevallen en geslagen. Drie van hen zijn er ernstig aan toe. Pater Arturo Vasaturo OFM, de priester van de Terra Santa School, protesteert bij de autoriteiten ertegen, dat de begeleiders van de joodse tieners niets hebben gedaan om de gevechten te voorkomen of te doen stoppen.[226]

224 FIDES, 02-04-01
225 FIDES, 12-04-01
226 CWN News, 31-10-01, zie ook: FIDES, 31-10-01

IVOORKUST

Oppervlakte: 322.460 km²
Bevolking: 15.980.950
Religie: Moslim: 60% Christen: 22% Stammenreligie: 18%[227]
Etnische groeperingen: Akan: 42,1% Voltaiques, of Gur: 17,6% Noordelijke Mandes: 16,5% Zuidelijke Mandes: 10% Krous: 11% Andere: 2%[228]

Rome-Abidjan, 12 december 2000
In een wereld van geweld in de West-Afrikaanse republiek Ivoorkust stapelen zich de gewelddadige acties tegen kerkelijke leiders op. Zo wordt bisschop Joseph Niangoran Teky het ziekenhuis ingeslagen door onbekende mannen. Dat meldt MISNA. In zijn bisdom zijn ook kloosters van de orde van de Zusters van het Heilig Hart van Jezus en van de missionarissen van het Heilig Hart overvallen. Daarbij wordt op 10 november de 57-jarige missionaris Regis Grange gedood.[229]

[227] MapQuest: World Atlas, www.vada.nl/landen; volgens CIA The World Factbook zijn deze gegevens heel anders: christenen 34%, moslims 27%, geen godisdienst 21%, animisten 15%, en andere 3% (deze gegevens zijn van 1998).
[228] CIA The World Factbook
[229] KATHPRESS, 12-12-00

JEMEN

Oppervlakte: 527.970 km²
Bevolking: 16.942.230
Religie: De grote meerderheid is moslim. De twee grootste groeperingen zijn: Zaydi Shiite moslims, en Shafi'i Sunni moslims. Daarnaast kleine groepen christenen, joden en hindoes.
Etnische groeperingen: Arabieren, Afro-Arabieren.[230]

Er zijn lokale extremistische groeperingen. De islam is staatsreligie. De regering verbiedt bekeringen naar het christendom. Voor het vestigen van gebedsruimten is toestemming vereist.

Aden, 02 januari 2001
Een bom die buiten de katholieke kerk van Jezus in Aden ontploft, richt geen grote schade aan. De bom verwoest slechts een deel van de muren die om de kerk heen zijn opgetrokken. Niemand eist de aanslag op. De politie arresteert drie mensen. In heel Jemen zijn er slechts vijf kerken, alle in Aden, die behoren aan de buitenlandse christenen die in Jemen werken.[231]

[230] International Christian Concern, 28-02-01 en CIA The World Factbook 1999
[231] Catholic World News Briefs, 02-01-01. Zie ook: International Christian Concern, 28-02-01

JORDANIË

Oppervlakte: 88.930 km^2
Bevolking: 5.439.000
Religie: Moslim: 94% (Sunnieten) Orthodox: 2,68% Katholiek: 1,55% Protestant: 0,49%[232]
Etnische groeperingen: Arabieren: 98% Circassianen: 1% Armeniers: 1%

Er zijn diverse moslimgroeperingen die pleiten voor een sterkere islamitische staat. De meest extremistische groepering is de 'Moslim Brotherhood'. De grondwet betitelt de islam wel als staatsreligie, maar verbiedt discriminatie van andere godsdiensten. Christenen worden in de regering, de media en het onderwijs sterker vertegenwoordigd dan gezien hun aantal in het land verhoudingsgewijs verwacht zou mogen worden: negen van de tachtig zetels in het Lagerhuis zijn in handen van christenen. Proselitisme door niet-moslims is echter illegaal.

[232] International Christian Concern, 19-02-01 en Compton's World Atlas.

KAZACHSTAN

Oppervlakte: 2.717.300 km^2

Bevolking: 16.824.825

Religie:
Moslim: 47% (Sunnieten)
Orthodoxe christenen: 44%
Protestant: 2%
Latijnse rite: 360.000

Etnische groeperingen:
Kazakh: 44%, (Qazaq)
Russisch: 35,8%
Oekraïns: 5,1%
Duitsers: 3,6%
Uzbeken: 2,2%
Tartaren: 2,0%
Andere (Witrussen, Azerbeidzjanen, Koreanen, Uighurs): 7,0%[233]

Kazachstan heeft bijna altijd etnische problemen gekend. Na 1991 werd deze kwestie nog nijpender. Gevolg hiervan was een golf van emigraties. In eerste instantie de joden, dan Duitsers, die destijds nog door Stalin massaal naar Kazachstan werden gedeporteerd. Joden vertrokken naar Israël, Duitsers naar Duitsland.

De etnische verschuiving is zichtbaar in de volgende gegevens

	1989	1999
1. Kazachs	40,1%	53,4%
2. Russen	37,4%	30,0%
3. Oekraïns	5,4%	3,7%
4. Duitsers	5,8%	2,4%
5. Uzbeken	2,0%	2,5%
6. Tartaren	1,4%	1,7%
7. Koreanen	0,6%	0,7%
8. Polen	0,4%	0,3%[234]

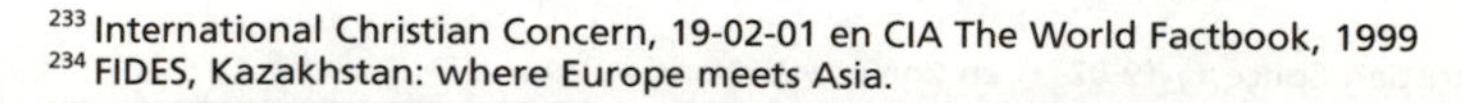

233 International Christian Concern, 19-02-01 en CIA The World Factbook, 1999
234 FIDES, Kazakhstan: where Europe meets Asia.

Ongeveer 47% van de bevolking is moslim. De meerderheid van de katholieken woont in het noordelijke deel van Kazachstan. Het aantal katholieken wordt nu geschat op 300.000, verspreid over 32 parochies. De meeste katholieken zijn van Poolse oorsprong.
Op 13 april 1991 vestigt de H. Stoel de apostolische administratie van Kazachstan, met als zetel Karaganda. Aan het hoofd staat bisschop Jan Pavel Lenga, ook van Poolse oorsprong. In 1997 scheiden zich van deze apostolische administratie af: Oezbekistan, Turkmenistan en Tadzjikistan. Een jaar later ook Kirgizstan. Alle krijgen de status van een onafhankelijke 'missio sui juris'. Het aantal katholieken in deze regio wordt door Rome in 1997 geschat op 300.000.[235]
In 1999 vindt een totale herstructurering van de kerk van Kazachstan plaats. Het wordt een regulier bisdom, met Karaganda als plaats van de bisschoppelijke zetel. De voormalige delen van de apostolische administratie van Kazachstan, worden verdeeld in vieren: de apostolische administraties van Astana, Almaty en Atyrau (de rest vormt het bisdom Kazachhstan). In de loop van 2000 en 2001 worden de apostolische administratoren van Almaty (Henry Howaniec) en van Astana (Tomaz Peta) benoemd tot bisschop.

12 april 2001
Op 27 en 28 maart is er een protestants Forum in Almaty. Volgens berichten maakt men vorderingen bij het overleg met de regering, waar het gaat om toelating van andere kerken naast de islam en de orthodoxe kerk. Volgens de bestaande wetgeving worden andere dan de twee genoemde religies met zware straffen bedreigd bij ontdekking van geloofsverkondiging.[236]

Juli 2001
Het Ministerie van Justitie van Kazachstan neemt een wetsvoorstel aan, dat christelijke organisaties alle vormen van evangelisatie, van verspreiding van christelijke lectuur en sociaal werk, verbiedt. Op de valreep wordt dit wetsvoorstel door het parlement naar het Ministerie teruggestuurd, na protesten van de zijde van christelijke groeperingen.[237]

Astana, 05 september 2001
'Er zullen waarschijnlijk meer moslims dan christenen aanwezig zijn tijdens de mis die de paus tijdens zijn reis in de hoofdstad zal opdragen'. Dat is de mening van de Italiaanse pater Edoardo Canetta, die door het bisdom Milaan zeven jaar geleden aan Kazachstan is 'uitgeleend'. Vanaf 4 september worden op vijf

[235] Info-Sekretariat, Kerk in Nood, 06-09-01
[236] The Voice of the Martyrs, 12-04-01
[237] Open Doors, juli/augustus 2001, blz. 13

plaatsen in de hoofdstad pasjes verstrekt aan mensen die graag aanwezig zijn bij de mis waarin de paus celebrant zal zijn. Volgens pater Canetta is negentig procent van hen die zich aangemeld hebben moslim. De grandmufti van de moslims heeft zijn gelovigen opgeroepen om zich erop voor te bereiden de 'belangrijke gast' welkom te heten. Verschillende mullahs zijn de mensen aan het aanmoedigen om de pauselijke mis bij te wonen.
Dit bericht verrast velen. Slechts 360.000 van de vijftien miljoen inwoners van het land zijn katholiek. Het is duidelijk dat de faam van de paus hier een belangrijke rol speelt.[238] Ook andere christelijke groeperingen staan positief tegenover het bezoek: op 6 september zal de katholieke bisschop Peta een ontmoeting met orthodoxe vertegenwoordigers hebben. In Kazachstan is de verhouding tussen katholieken en orthodoxen over het algemeen goed.

KENIA

Oppervlakte: 582.650 km²
Bevolking: 28.808.659
Religie: Protestant: 45% Katholiek: 25,9% Moslim: 10% Traditionele Afrikaanse religies
Etnische groeperingen: Kikuyu, Luhya, Luo en Kalenjin[239]

Er zijn geen extremistische groeperingen in het land. Wel verschijnen zo nu en dan berichten over moslims die christelijke kerken vernielen.

Nairobi, 09 april 2001
Aartsbisschop Mwana A'Nzeki van Nairobi, de leider van de katholieke kerk in Kenia, heeft ervoor gewaarschuwd dat de regering het proces van constitutionele hervormingen in gevaar brengt door religieuze vertegenwoordigers van dit proces uit te sluiten.
Twee jaar geleden is het proces van hervormingen mislukt, toen een team van twaalf personen, benoemd door het parlement, er niet in slaagde om een complete herziening van de grondwet voor te leggen. Om deze impasse te doorbreken

[238] FIDES, 05-09-01
[239] International Christian Concern, 17-04-01, en CIA The World Factbook, 1999

hebben leiders van de katholieke en de protestante kerk, moslims en hindoes hun eigen panel voor hervormingen samengesteld. President Daniel Arap Moi heeft echter aangekondigd niet met deze groepering samen te willen werken.[240]

Nairobi, 20 april 2001
Kerkelijke leiders in Kenia verwerpen de conclusie van de Amerikaanse FBI, dat de dood van pater Kaiser een gevolg van zelfmoord zou zijn. Pater Kaiser stierf op 24 augustus 2000 ten gevolge van een geweerschot. De aartsbisschop van Nairobi, mgr. Raphale Ndingi Mwana'a Nzeki, is in zijn uitspraak wat voorzichtig: hij zal de conclusies van de FBI bestuderen. De bisschop van pater Kaiser, Colin Cameron Davies van het bisdom Ngong, was meer uitgesproken: 'Hier is duidelijk sprake van een moord: ergens moet een moordenaar rondlopen'. Pater Kaiser was dè spreekbuis van de armen in Kenia. Toen hij overleed was dan ook de eerste conclusie dat hier sprake was van een executie.
Pater Dan Kenny, een andere Amerikaanse priester die in Kenia werkt, beschrijft het rapport van de FBI als 'belachelijk'. Ook Ginbson Kamau Kuria, leider van de Law Society of Kenya, noemt het rapport 'ongeloofwaardig'.
Het is overigens niet de eerste keer in Kenia, dat een tegenstander van het systeem geliquideerd zou zijn. Vanaf 1965 zijn er vijf gevallen bekend.[241]

Nairobi, 23 augustus 2001
Bij gelegenheid van de herdenking dat pater Kaiser één jaar geleden onder mysterieuze omstandigheden stierf, verklaren op 20 augustus de katholieke bisschoppen van Kenia dat 'de katholieke bisschoppenconferentie en alle mensen van goede wil, zich de excellente persoonlijkheid van pater Kaiser niet alleen willen herinneren, maar ook hetgeen waarin hij geloofde en waarvoor hij gestorven is'. Pater John Anthony Kaiser was van Amerikaanse afkomst en was lid van de Orde van de Missionarissen van St. Jozef van Mill Hill. De verklaring is ondertekend door de voorzitter van de bisschoppenconferentie, bisschop John Njue van Embu.

Op 24 augustus 2000 werd Pater Kaiser dood gevonden met een kogel in zijn hoofd. De officiële verklaring van de Keniaanse Criminal Investigation Department is dat hij zelfmoord gepleegd heeft. De FBI, die ook onderzoek heeft gedaan, bevestigt dat. De Keniaanse bisschoppenconferentie is het echter volledig oneens met deze verklaring. Zij stelt dat de dood van Pater Kaiser het gevolg is van zijn strijd voor mensenrechten.[242]

[240] Catholic World News Features, 10-04-01
[241] Catholic World News Features, 20-04-01. In november 1965 werd de Italiaanse pater Michael Stallone vermoord; in januari 1991 de Italiaanse pater Luigi Guiseppe Stallone; in september 1994 de Italiaanse pater Martin Boyle; in september 1998 de Italiaanse priester Luigi Andeni en in januari 1997 de Ierse broeder Larry Timmons. Zie ook: Catholic World News Briefs, 30-04-01
[242] FIDES, 23-08-01. Ook in een bericht van Christen in Not, 06/2001, wordt de zelfmoord van pater Kaiser betwijfeld. Zie verder ook: ZENIT, 25-05-01 en DIA, 27-04-01

KONGO

Oppervlakte: 2.345.410 km^2
Bevolking: 53.624.718
Religie: Rooms-katholiek: 50% Protestant: 20% Kimbanquist: 10% Moslim: 10% Inheems: 10%
Etnische groeperingen: Er zijn meer dan 200 verschilende Afrikaanse groeperingen.[243]

Kinshasa, 10 januari 2001
In Kinshasa wordt de hulpbisschop van Boma, mgr. Cyprien Mbuka, na bijna twee weken detentie vrijgelaten uit de gevangenis van de DEMIAP; de Military Investigation Agency on Anti-Patriotic Activities. Volgens de persbureaus DIA, African Documentation and Information Agency en Anb-Bia, African Information Bulletin, worden er geen verdere mededelingen gedaan over zijn vrijlating. Waarnemers vermoeden dat zijn vrijlating te maken heeft met een sterke veroordeling van de detentie door aartsbisschop kardinaal Frederick Etsou Nzabi Bamungwabi.[244]

Washington, 27 mei 2001
Op 17 mei 2001 richt pater Jean-Bosco Bahala, hoofd van de communicatiedienst van het aartsbisdom Bukavu, zich tot het subcomité voor mensenrechten en internationale relaties van het Amerikaanse Congres. Hij roept de VS op om zich ervoor in te zetten een einde te maken aan de oorlog in Centraal-Afrika. In deze regio zijn gedurende de afgelopen jaren tweeënhalf miljoen mensen omgekomen door oorlogshandelingen. Pater Bahala voegt er echter ook aan toe, dat statistieken heel weinig zeggen over het lijden van de mensen in deze gebieden. Hij illustreert: 'Vrouwen zijn levend begraven, nonnen zijn verkracht, jonge meisjes en vrouwen misbruikt, mannen vermoord'. Tevens maakt hij melding van de moord op 58 priesters.[245]

---

243 www.travel.epinions.com. Zie ook CIA The World Factbook.
244 CRTN, 10-01-01
245 CRTN, 28-05-01

Kisangani, 04 juli 2001
In een brief aan de Belgische regering maakt pater Marcien Babikanga van het aartsbisdom Kinsangani, melding van massaslachtingen in de nacht van 20 op 21 juni in Kabalibali en Masimago. Dat zijn twee steden aan de Zaïrerivier, zestig kilometer van Ubundu. Volgens gegevens van de VN zijn deze gebieden in handen van de rebellen, actief onder de naam Rassemblement Congolais pour la Démocratie (RCD/Goma). De beweging staat als zeer gewelddadig bekend. Zij brandt dorpen plat en moordt mensen uit onder controle van de Mayi-Mayi.[246]

KOREA (NOORD)

Oppervlakte: 120.540 km²
Bevolking: 21.386.109
Religie: Boeddhisme en Confucianisme bijna 100% Christen: 500.000[247]
Etnische groeperingen: Koreaan

Achter de façade van Noord-Korea[248]

Noord-Korea is nog steeds een rigide stalinistisch rijk. Met alle tragische gevolgen van dien voor een uitgehongerde bevolking. Het westen sluit om politieke en economische belangen hiervoor zijn ogen. Een Engelse documentaire bracht onlangs een schokkende reportage.

Ben van de Venn

Ze hebben geen naam meer. 'Zwervende zwaluwen' worden ze genoemd en ze wankelen van de honger. In alle grotere steden in Noord-Korea treft men hetzelfde tafereel aan. Op markten en pleinen of aan de rand van de stad in de modder zijn kinderen, vaak wezen, op zoek naar etensresten. In hun sjofele kleren worden ze door de volwassenen op de achtergrond niet eens meer opgemerkt. Soms ook worden ze zoekend naar enkele rijstkorrels op de markt weggejaagd.

[246] CRTN, 05-07-01
[247] International Christian Concern, 07-06-01 en CIA The World Factbook, 1999
[248] Katholiek Nieuwsblad, 20-04-01

Schokkende reportage

Over deze weeskinderen en het land dat hen niet meer ziet staan, maakte de Engelse journalist Joe Layburn en de Noord-Koreaanse cameraman Ahn Chol met zijn geheime camera een schokkende reportage. Op woensdag 28 maart en op zaterdag 1 april zond de Humanistische Omroep de documentaire 'Kinderen van een geheime staat' uit op Nederland 1. Op het Amnesty International Filmfestival begin april dong de film mee naar de A.I. Filmfestival Award 2001. Onbegrijpelijk dat beelden die er niet om liegen en de ware aard van het meest stalinistische land ter wereld laten zien, niet meer publiciteit opgeleverd hebben. Ligt de verklaring soms in het feit dat steeds meer EU-landen diplomatieke betrekkingen met Noord-Korea aangeknoopt hebben?

Weeskinderen

Drie miljoen mensen kwamen de afgelopen jaren in Noord-Korea om van de honger. Die harde feiten zijn bekend. Maar verder blijft het communistische land een gesloten boek voor het westen, ook voor de mensenrechtenorganisatie Amnesty International. De cameraman Ahn Shol (een pseudoniem), zelf gevlucht naar China, wilde met behulp van zijn geheime camera laten zien wat er werkelijk gebeurt in zijn vaderland. In een Noord-Koreaanse stad, waarvan de naam uit veiligheidsoverwegingen niet genoemd wordt, filmt hij volwassenen die zitten te eten en straatkinderen die op de grond naar rijstkorrels zoeken, als lastposten opzij duwen. Een navrante onthulling, die de stelling van de Noord-Koreaanse regering dat zij haar weeskinderen opvangt en verzorgt, onderuit haalt.

Façade

In de documentaire zijn ook beelden verwerkt van de Engelse journalist Joe Layburn, die met een toeristenvisum reist. Als journalist zou hij het land niet ingekomen zijn. Het groepje waarmee hij reist wordt 'begeleid' door een gids, die meteen duidelijk maakt dat er alleen maar gefotografeerd mag worden als hij het zegt. Dat resulteert in een tocht langs de façade die de hoofdstad Pyongyang is. De grote beelden en billboards van de 'vader des vaderlands', president Kim Young-il, glimlachen de bezoeker op elke straathoek toe. Verder bestaat de stad uit lege straten en vrijwel verlaten flatgebouwen, zoals ook het hotel van zestien verdiepingen waar Layburn verblijft, vrijwel leeg staat. De beelden bewijzen dat het land niet functioneert en dat de economie wel uitgerangeerd moet zijn.

Kinderpaleis

Op hun hotelkamer is de grote leider Kim in vele gedaanten en situaties ononderbroken op tv te bewonderen. De geliefde benaming is 'Wijze raadsman van de arbeiders'. In het hotel, dat op een eiland in de rivier van de stad ligt, worden de gasten onthaald op de meest exquise maaltijden, waar de gemiddelde Noord-Koreaan alleen maar van kan dromen. Onderdeel van de façade die voor buitenlanders opgetrokken wordt, zijn ook de weldoorvoede en gezond uitziende kinderen van de elite, die kleurrijke shows opvoeren. Daarvoor is een speciaal kinderpaleis gebouwd in de pompeuze stijl die uit zoveel communistische landen bekend is. De geheime camera van Ahn Shol toont wat zich achter deze façade afspeelt en dat levert een afschuwelijk beeld op.

Kannibalisme

In een klein stadje aan de overkant van de rivier Tumen, die een soort Berlijnse Muur tussen Noord-Korea en China vormt, spreken de documentairemakers met gevluchte Koreanen. Niet herkenbaar in beeld gebracht vertelt een man over een gezin dat in de kou onder een brug gestorven was. De vader verkoos voor zijn gezin de dood boven het langzaam verhongeren. Van een van de weeskinderen die ook hier onder de vluchtelingen aanwezig is, horen zij het weerzinwekkende verhaal dat de honger in Noord-Korea tot kannibalisme geleid heeft. Van mensen die gedood zijn, wordt het vlees op de markt verkocht als varkensvlees. Je merkt het verschil niet, vertelt de jonge vluchteling onaangedaan. En zijn verhaal wordt bevestigd door de eerder genoemde man en door tekeningen van kinderen uit Noord-Korea.

Cynische praktijken

In het vluchtelingenstadje horen ze ook de verhalen over zogenaamde weeshuizen, waar kinderen nauwelijks te eten en geen medische verzorging krijgen. Beelden van Ahn Shol tonen een dergelijk huis, dat met recht een sterfhuis kan heten. Een van de kinderen die er gezeten heeft, spreekt over een jongen die wilde ontsnappen en uit het raam sprong. Van een andere man horen ze hier een verhaal dat een helder licht werpt op de infame manier waarop de regering met haar hongerende volk omgaat. 'Het grootste deel van de vruchtbare grond in Noord-Korea', zo zegt hij, 'wordt gebruikt voor het kweken van papaver, waarvan in staatsfabrieken heroïne gemaakt wordt'. Deze onder dwang geproduceerde producten worden voor goed geld aan het buitenland verkocht om wapens te kunnen kopen. Van deze cynische praktijken heeft de regering van de VS Noord-Korea al eerder beschuldigd. Naar nu blijkt terecht.

Interneringskampen

Na acht dagen moet Layburn China verlaten omdat zijn toegestane verblijfstijd als toerist verstreken is. Dan reist hij naar Seoel, waar ook veel vluchtelingen uit Noord-Korea verblijven. De Zuid-Koreanen zijn echter niet meer zo dol op verhalen over de gruwelijkheden van het stalinistische regime in het noorden. Sinds de verrassende ontmoeting tussen de Zuid-Koreaanse leider Kim Dae-jung en Kim Young-il in juni vorig jaar, geloven zij in een verzoening tussen de twee landen die formeel nog altijd met elkaar in oorlog zijn. Layburn treft Ahn Myong Chull, een vluchteling die nog over een ander minder bekend gruwelijk aspect van Noord-Korea vertelt: de interneringskampen.
'Eén op de honderd inwoners van Noord-Korea verblijft in zo'n kamp', bevestigt Ahn, die zelf gedwongen bewaker was. Veelal zijn het hele gezinnen die geïnterneerd worden; dat schrikt eventuele contrarevolutionairen extra af. Zijn beschrijvingen van de wreedheden in deze kampen tarten ieder voorstellingsvermogen. Tekeningen gemaakt door voormalige geïnterneerden bevestigen het: verkrachtingen, martelingen van zwangere vrouwen en wrede moorden. Het was verboden de gevangenen als mensen te behandelen. Bewakers die vluchtelingen doodschoten, ontvingen daar beloningen voor. Gevolg was dat bewakers gevangenen ertoe aanzetten een vluchtpoging te ondernemen om ze daarna dood te schieten.

Stalinistisch

Volgens Kim Young-il lijdt zijn land al vijf jaar honger vanwege misoogsten en droogteperiodes. De echte reden, economisch wanbeleid, wordt angstvallig verzwegen. En het westen wil het falen en de wreedheid van het stalinistische regime kennelijk niet zien. Noord-Korea heeft de afgelopen jaren meer hulp per hoofd van de bevolking ontvangen dan enig ander land. De bevolking profiteert daar echter nauwelijks van. Maïs uit de Verenigde Staten en voedsel van het Rode Kruis worden op de markt verkocht aan diegenen die nog enigszins welgesteld zijn, dat tonen beelden van Ahn Chol. Maar het merendeel van het hulpvoedsel komt ten goede aan het leger. De hulporganisatie Action against Hunger heeft zich uit protest daartegen teruggetrokken uit Noord-Korea. Zij wilden niet langer lijdzaam toezien hoe kinderen verhongeren en de voedselhulp door corruptie en verspilling op de verkeerde plaats terechtkomt.

Schijnbewegingen

Het wordt tijd dat het westen de schijnbewegingen van Kim Young-il gaat doorzien. De ontmoeting met de Zuid-Koreaanse president afgelopen zomer, kwam minder voort uit een verlangen naar verzoening en vrede dan naar het verkrijgen van nog meer financiële en materiële steun. Toegegeven, een aantal ontmoetingen tussen familieleden uit het zuiden met hun verwanten in het noorden en andersom was het gevolg. Maar dit recht, dat normaal zou moeten zijn werd tijdens een 'week van verzoening' als vredesgebaar gepresenteerd. Van de bezoekers uit het noorden werd achteraf trouwens duidelijk, dat zij geselecteerd waren op grond van hun loyaliteit aan het stalinistische regime.

Van een echte doorbraak kan pas sprake zijn, als om te beginnen hulporganisaties toestemming krijgen te controleren waar voedselhulp terechtkomt. En aan de grove schending van mensenrechten moet een eind komen. Dan kan er ook aan een kerkelijke structuur gewerkt worden en kunnen Zuid-Koreaanse priesters hun landgenoten eindelijk geestelijk voedsel brengen. De aartsbisschop van Seoel en tevens apostolisch administrator van Noord-Korea, mgr. Nicholas Cheong, vertelde vorige week in een interview dat in zijn bisdom zo'n zestig priesters klaarstaan om naar Noord-Korea te gaan. Het is niet erg waarschijnlijk dat ze er op korte termijn binnengelaten zullen worden. Na de historische ontmoeting afgelopen zomer tussen de beide Kims werd er ook gesproken over een mogelijk bezoek van de paus aan zowel Zuid- als Noord-Korea. De aartsbisschop bevestigde dat hij inderdaad in dat verband door Noord-Korea uitgenodigd was. 'Maar', voegde hij er veelbetekenend aan toe, 'alleen mondeling en niet schriftelijk'.

01 juni 2001
Christenen in het communistische Noord-Korea worden streng vervolgd. Dat verklaarde Monika Pankoke-Schenk, presidente van de Pauselijke Missiewerken van Vrouwen vorige week. Ze hekelde de situatie voor christenen in het land bij haar terugkeer van een reis naar Zuid-Korea. Ze was daar om hulp te bieden aan vrouwelijke vluchtelingen uit Noord-Korea. Het streng communistische regime ziet de christenen als zijn aartsvijand, aldus de presidente.[249]

Seoel, 21 juni 2001
De commissie voor Verzoening van het Koreaanse volk roept de communistische regering van Noord-Korea op om katholieke missionarissen tot het land toe te laten. De commissie wordt gevormd door katholieke bisschoppen. De oproep wordt gepubliceerd op de Dag van de Eenheid en van de Verzoening van het Koreaanse volk. De bisschoppen roepen ook Pyongyang op om de religieuze vrijheden in Noord-Korea te garanderen.[250]

---

[249] Katholiek Nieuwsblad, 01-06-01, zie ook: KNA.
[250] CRTN, 22-06-01

PEKE

01 oktober 2001
In Noord-Korea zijn minstens tien strafkampen. Alleen al tussen 1972 en 1998 zijn hier 400.000 mensen omgekomen en nog steeds zitten er 200.000 vast. Op een bevolking van ruim twintig miljoen is dat ongeveer één procent. Eén op de honderd. Eén in elke staat, in elk flatgebouw. Van die 200.000 heeft hooguit twintig procent een strafbaar feit gepleegd. De rest is familie, want het kwaad wordt ruim uitgesneden, soms tot en met de derde generatie.[251]
Noord-Korea telde ooit bijna 2.300 gemeentes met 300.000 christenen. Na 1950 zijn die bijna allemaal vermoord of opgesloten, op een kleine groep na die Zuid-Korea wist te bereiken. Christenen zijn de grootste belediging voor de heren Kim. Zij hebben het dan ook het zwaarst te verduren in de kampen. Het is niet met zekerheid te zeggen, maar veel Noord-Koreakenners schatten het aantal christenen nu op een half miljoen.[252]

KIRGIZSTAN

Oppervlakte: 73.860 km^2
Bevolking: 4.745.000
Religie: Moslim: 70-75% Russisch Orthodox: 20% De rest katholiek en protestant.
Etnische groeperingen: Russisch[253]

23 februari 2001
De kerk van St. Michael de Aartsengel in de hoofdstad van Kirgizstan, Bishkek, was de eerste niet-Europese katholieke parochie die onder het sovjetsysteem al geregistreerd was. Tot op heden is zij de enige gebleven. Het aantal christenen is in dit land drastisch gedaald, nadat negentig procent van de Duitstalige bevolking geëmigreerd is.[254]

[251] OPEN DOORS, oktober 2001
[252] OPEN DOORS, oktober 2001
[253] International Christian Concern, 28-02-01, en Compton's World Atlas.
[254] Catholic World News Briefs, 23-02-01

LAOS

Oppervlakte: 235.000 km^2
Bevolking: 5.000.000
Religie: Boeddhisme: 60% Animisme: 35% Protestant: 35.000
Etnische groeperingen: Lao Loum, Lao Thai, Lao Theung, Lao Sung[255]

Laos: de communistische regering werkt de uitbreiding van het katholicisme met alle middelen tegen[256]

Königstein, 17 april 2001
De grondwet garandeert wel godsdienstvrijheid, maar de communistische regering perkt die in het dagelijks leven sterk in, zo melden vertegenwoordigers van de internationale hulporganisatie Kerk in Nood na hun bezoek aan het Zuidoost-Aziatisch land. Laos staat bekend als één van de meest onderontwikkelde landen ter wereld. Vooral de rurale bevolking in het noorden van het land is daar het slachtoffer van. Volgens berichten van inlandse geestelijken, zouden de plaatselijke overheden druk hebben uitgeoefend op de inwoners van enkele dorpen in die streek, om hun overstap naar het katholicisme te verhinderen. Ook worden er dikwijls pastorale medewerkers gearresteerd. Volgens officiële gegevens, is negentig procent van de 5,2 miljoen Laotianen boeddhist. De christenen, die meestal tot de bevolkingsgroep van de Hmong behoren, vormen slechts een minderheid in het land.

Met alle middelen tracht de regering een uitbreiding van het katholicisme te verhinderen. Zo worden bouwvergunningen voor nieuwe kerken slechts verleend als er op die plaats vroeger al een kerk gestaan heeft. Bovendien moet men voor grote bijeenkomsten de toestemming van de plaatselijke overheid vragen en lijsten van de deelnemers opstellen.

Een ander probleem voor de katholieke kerk in Laos is, naar verluidt het nijpend tekort aan priesters. Momenteel zijn er slechts vijftien priesters voor de ongeveer 35.000 katholieken in de vier apostolische vicariaten van het land. Zoals tachtig pro-

[255] Open Doors International: Country Profiles.
[256] INFO, Kerk in Nood, 18-04-01

cent van de bevolking, leven de meesten van hen op het platteland. Door de gebrekkige infrastructuur kunnen ze slechts moeilijk worden bereikt. In het zuidelijke apostolisch vicariaat Paksé zijn er verscheidene dorpen die sedert de machtsgreep van de communisten, nu 26 jaar geleden, geen priester meer hebben gezien. Het priestertekort zou onder andere te wijten zijn aan een gebrek aan gekwalificeerde leerkrachten, zeggen medewerkers van de hulporganisatie. Daardoor gaan de kandidaten voor het priesterambt liever studeren aan seminaries in het naburige Thailand en Vietnam. Wanneer die seminaristen voor hun priesterwijding niet naar Laos terugkeren, mogen ze daar vervolgens niet als priester werken. Ook mogen er sinds lang geen buitenlandse missionarissen in Laos actief zijn. Des te belangrijker voor het overleven van de kerk in Laos, zijn bijgevolg de vele catechisten en de amper honderd kloosterzusters, die de priesters bijstaan in de zielzorg.
De voorbije jaren stelde Kerk in Nood de katholieke kerk in Laos ongeveer 250.000 US-dollar ter beschikking. Dit jaar wil de hulporganisatie de bouw van kerken en kapellen en de opleiding van zusters en catechisten steunen.

Mei 2001
Onlangs heeft de regering twee kerken in het zuiden gesloten. Drie jaar geleden waren er nog twintig kerken open in Savannakhet; nu nog maar vijf. In 1999 verklaarde het communistische bewind van Laos het christendom tot 'volksvijand nummer één'. Vorig jaar waren er zestig christelijke gevangenen in Laos, dit jaar zijn er 31 bekend. Dat betekent echter geen verbetering van de situatie, maar bewijst eerder dat het harde optreden tegen christenen succes oogst.[257]

Vientiane, 09 juli 2001
Volgens een rapport van Jubilee Campaign, een Britse groepering voor mensenrechten, zijn op 31 mei jongstleden acht protestanten in de provincie Savannakhat door communistische autoriteiten gearresteerd. De christenen worden beschuldigd van samenwerking met buitenlandse mogendheden en betrokkenheid bij anticommunistische activiteiten. 'De communistische autoriteiten zijn van plan om religie uit de maatschappij van Laos te bannen', aldus Wilfred Wong, een onderzoeksmedewerker van Jubilee Campaign.[258]

Vientiane, 16 juli 2001
In de provincie Savannakhet worden acht protestanten gefolterd om hen afstand te laten doen van hun geloof. De slachtoffers, in leeftijd variërend tussen de dertig en zestig jaar, zijn gevangen genomen en worden beschuldigd van anti-regeringsactiviteiten. Protestanten in Laos zijn vaker het slachtoffer van

[257] Open Doors, juni/juli 2001
[258] CRTN, 10-07-01

geweld dan katholieken, omdat zij opener uitkomen voor hun geloof. In de loop van 2000 zijn meer dan zestig christenen en enkele boeddhisten het slachtoffer geworden van religieuze vervolging.[259]

Volgens FIDES is aan de arrestanten een electrische schok uitgedeeld om hen onder druk te zetten. FIDES noemt ook de volgende namen van slachtoffers: Sipasert Phuadaeng (52), Bounyarn Robkhob (58), Tem Vhanthara (56), Mr Puang (60), Phouwanard Trivilaisook (54), Mr Kiloy (36) en Kongphaeng Phrasawat (36). Allen zijn leiders van de lokale kerk. Mr. Khemphet (30) tenslotte, is actief lid van de kerk. Ook FIDES bevestigt dat protestanten meer lijden. De godsdienstpolitiek van Laos is te vergelijken met die van Vietnam. Protestanten krijgen meer te verduren, omdat zij zich duidelijker profileren. Katholieken staan in een goed daglicht vanwege hun onderwijs en sociale dienst aan de maatschappij. Vaak wordt vervolging door de lokale autoriteiten georganiseerd, zonder dat de centrale regering er weet van heeft.[260]

September 2001

Meerdere christenen worden onder folteringen gedwongen hun geloof af te zweren. Na ondertekening van een document waarin zij verklaren het christelijke geloof af te zweren, worden zij vrijgelaten. Deze documenten, in bezit van enkele christenen uit het dorpje Paksong, zijn in handen gekomen van Christian Solidarity Worldwide.[261]

01 oktober 2001

De autoriteiten in Laos hebben in juli acht christenen vrijgelaten, nadat zij onder druk hun geloof hebben afgezworen. De zeven voorgangers en een gemeentelid zijn op 31 mei gearresteerd, waarmee het aantal christengevangenen in Laos (voor zover bekend) op 33 is gekomen.[262]

27 september 2001

Brieven van de World Evangelical Fellowship from Christian Leaders uit Laos, wijzen erop dat de communistische regering een campagne van vervolging tegen christenen is gestart, met als doel het christendom uit te roeien. Christelijke leiders is gevraagd óf hun geloof af te zweren óf hun maatschappelijke positie op te geven. Meer dan zestig kerken worden door de autoriteiten gesloten. 21 christenen zijn in gevangenissen opgesloten wegens hun activiteiten voor de kerk.[263]

---

[259] CRTN, 17-07-01

[260] FIDES, 13-07-01. Zie ook: Press Relaese 06-07-01 van Jubilee Campaign, 'Church Leaders Arrested in Laos'.

[261] Christen in Not, 09/2001, zie ook: FIDES, 20-07-01, tevens: Schweizerische Katholisches Wochenzeitung, 20-07-01, KATHPRESS 17-07-01, KNA 14-07-01

[262] OPEN DOORS, oktober 2001

[263] The Voice of the Martyrs, 27-09-01

LIBANON

Oppervlakte: 10.452 km^2
Bevolking: 3.500.000
Religie: Moslim: 50% Christen: 50%[264]
Etnische groeperingen: Arabisch:95%, Armeens: 4% Anderen: 1%

14 februari 2001
Hezbollahmilities graven op 14 februari op het kerkhof van Aytroun de lijken op van jonge mannen uit christelijke graven. Een van de moeders die er tegen protesteert, wordt met geweld verwijderd en gedwongen erover te zwijgen. Een woordvoerder van de Hezbollah voert als reden aan: 'Deze doden zijn de grond van Libanon niet waardig'.[265]

Beiroet, 05 maart 2001
Een christelijk kerkhof buiten de stad Aytroun, in het zuiden van Libanon, wordt door een groep Hezbollahleden ontheiligd, door graven open te breken en de lichamen eruit te halen. De verklaring die de Hezbollah hiervoor geeft, is dat 'degenen die er begraven liggen, verraders zijn en dus niet verdienen in Libanese grond begraven te worden'. Hezbollah beschuldigt christenen in het zuiden ervan, met Israël samengewerkt te hebben tijdens de joodse bezetting (1978-2000). Vrouwen proberen te voorkomen dat de graven geschonden worden; zij worden echter bedreigd. Ook wordt hen voorgehouden dat zij moeten rekenen op een ver-gelding, indien zij de voorvallen aan de autoriteiten melden. Katholieke bronnen in Libanon stellen dat de aanvallen van de Hezbollah op katholieken sterk zijn toe-genomen na de recente ontmoeting van de paus met de Libanese president Emile Lahoud, op 2 maart 2001.[266]

Beirut, 26 maart 2001
Moslimleiders in Libanon waarschuwen de Libanese maronitische patriarch Nasrallah Sfeir wegens zijn kritiek op Syrische aanwezigheid in het land.

264 ArabNet, Lebanon, 17-04-01. De grootste groep christenen wordt gevormd door de maronieten, gevolgd door Grieks-orthodoxen, Grieks-katholieken, Armeens-orthodoxen, Armeens-katholieken, Syrisch-katholieken, chaldeërs, protestanten en Syrisch-orthodoxen.
265 HMK-Kurir, 05/2001
266 Catholic World News Briefs, 05-03-01. Zie ook: CRTN, 06-03-01

De noordelijke Libanese moslimsheiks waarschuwen de kardinaal dat hij moet stoppen met Syriërs te verzoeken het land te verlaten.[267]

KATHOLIEKE INSTELLINGEN IN LIBANON[268]

1. Mannelijke orden van het gewijde en apostolische leven

a. Maronieten

1. L'ordre Libanais Maronite (OLM)	474
2. L'Ordre Antonin Maronite (AOM)	164
3. L'Ordre Mariamite Maronite (OMM)	141
4. Congrégation des Missionnaires Libanais Maronite (MLM)	104
Totaal	***883***

b. Grieks-katholieke melkieten

1. L'Ordre Basilien Salvatorien (OBS)	89
2. L'Ordre Basilien Chouérite (OBC)	40
3. L'Ordre Basilien Alépin (OBA)	28
4. La Société des missionnaires de Saint Paul (MP)	37
Totaal	***194***

c. Armeense katholieken

1. Institut du Clergé Patriarcal de Bzommar	
2. Les Pères Mikhitaristes	
Ils ne sont pas tous au Liban.	
Totaal	***88***

d. Syrische katholieken

Er zijn slechts acht Syrische katholieken in heel Libanon

[267] Catholic World News, 26-03-01
[268] www.opuslibani.org.lb

e. Latijnen

1. Communauté des Béatitudes	4
2. Pères Blancs (missionnaires d'Afrique)	3
3. Capucins, OFM. CAP	24
4. Carmes, (Déchaussés) OCD	29
5. Conventuels, OFM CONV	4
6. Dominicains (Prêcheurs) O. P	2
7. Écoles Chrétiennes (Frères des) FSC	40
8. Focolari (Mouvement des) ou Œuvre de Marie	8
9. Franciscains (Frères Mineurs) OFM	9
10. Jésuites (Compagnie des) SJ	59
11. Lazaristes, Congrégation de la mission, CM	27
12. Maristes, (Institut des Frères M. des Écoles) FMS	15
13. Rédemptoristes (Congr. du Très Saint Rédempteur CSSR)	4
14. Salésiens (Société Salésienne de Saint Jean BOSCO) SDB	5
15. Trappistes (Ordre Cistercien de la Stricte Observance) OCSO	3
Totaal	***236***

Aantallen samengevat

1. Maronieten	883
2. Grieks-melkieten	194
3. Armeniërs	88?
4. Syriërs	8
5. Latijnen	236
Totaal	***1409***

2. Vrouwelijke orden van het gewijde en apostolische leven

a. Maronieten

1. Congrégation des Sœurs Maronites de la Sainte Famille	327
2. Congrégation des Religieuses Antonines Maronites	207
3. Congrégation Maronite des Srs de Ste Thérèse de l'Enfant Jésus	111
4. Ordre des Sœurs Libanaises Maronites	136
5. Communauté de Saint Jean Baptiste (Hrache)	40
6. Congrégation des Sœurs Missionnaires du Très Saint Sacrement	51
Totaal	***872***

b. Grieks-melkieten

1. Cong. Des Srs Basiliennes Salvator. de N. D de l'Annonciation	79
2. Congrégation des Sœurs Basiliennes Chouérites	133
3. Congrégation des Sœurs Basiliennes Alépines	24
4. Cong. Des Sœurs Missionnaires de N. D. du Perpétuel secours	92
5. Congrégation des Sœurs de N. D. du Bon Service	36
6. Ordre des religieuses de la Théotokos et de l'Unité	29
Totaal	***393***

c. Syrisch

Congrégation des Sœurs Ephrémites, Filles de la Mère de miséricorde.	13

d. Armeens

Congrégation des Sœurs de l'Immaculée conception (Hripsimiants), dont 51 à l'étranger.	115

e. Latijns

1. Bon Pasteur	66
2. Sœurs de la charité Jeanne Antide	44
3. Carmel St Joseph	4
4. Carmélites de Ste Thérèse	16
5. Sœurs de la charité (Vincent de Paul)	176
6. Sœurs Franciscaines	4
7. Sœurs de la croix du Liban	240
8. Salésiennes	27
9. Franciscaines Missionnaires de Marie	30
10. Franciscaines du Sacré Cœur	4
11. Sœur d'Ivréa	7
12. Sœur de Jésus-Marie	8
13. Sœurs de Nazareth	35
14. Petites Sœurs de Nazareth	3
15. Sœurs M. de N. D. des Apôtres	41
16. Sœurs du Rosaire	67
17. Sœurs des Sacrés cœurs	350
18. Sœurs de la Sainte Famille F.	27
19. Sœurs de St. Joseph de l'Apparition	49
20. Sœurs de St. Joseph de Lyon	10
21. Communauté des Béatitudes	6
22. Sœurs de N. D. des Douleurs	6
23. Sœurs de la charité de Besançon	53
24. Dominicaines, Délivrande	13
25. Dominicaines Tourelle	4
26. Dominicaines, Ste Cathérine	4
27. Dominicaines, Présentation	6
28. Francis, de l'Immaculée Concep. de Lons-Le-Saunier	20
29. Focolarine (Pieuse Union)	8
30. Société de Jésus Christ	7
31. Sœurs de la Mère de Dieu	6
32. Missionnaires de la Charité	7
33. Sœurs de Sainte Marthe	9
34. Les Petites Sœurs de Jésus	10
Totaal	***1366***

Totaal aantal vrouwelijke religieuze orden

1. Maronieten	872
2. Grieks-melkieten	393
3. Syrisch	13
4. Armeens	115
5. Latijns	1366
Totaal	***2759***

3. Seminaries

Séminaire Patriarcal Maronite de Ghazir	96
Séminaire Patriarcal Grec-Melkite Catholique de Raboueh	39
Séminaire Patriarcal Arménien, Bzommar	8
Séminaire Patriarcal Syrien catholique, Charfé	12
Séminaire de St Antoine de Padoue, diocèse maronite de Tripoli, KarmSaddé	53
Séminaire de l'Ordre Libanais Maronite	54
Séminaire de l'Ordre Mariamite Maronite	10
Séminaire des Missionnaires libanais Maronites	27
Séminaire de l'Ordre Antonin Maronite	5
Séminaire de l'Ordre Basilien Alépin, Sarba	3
Séminaire de la Société des Missionnaires de St Paul, Harissa	5
Séminaire de l'Ordre Basilien Chouérite, Zouk	9
Séminaire de l'Ordre du Basilien Salvatorien, Joun	13
Séminaire des Lazaristes, Achrafieh	6
Séminaire des Pères Carmes, Nahr Ibrahim	12
Scolasticat des Pères Jésuites	4
Totaal	***356***

4. Katholieke universiteiten en instituten

1. *L'Université de St Joseph, dirigée par la Compagnie de Jésus (U.S.J).*
2. *L'Université du St Esprit, (USEK) dirigée par l'Ordre libanais Maronite (OLM).*
3. *L'Université de N.D. de Louaizé, dirigée par l'Ordre Mariamite Libanis (OMM).*
4. *L'Université des Pères Antonins, Baabda (UPA).*
5. *L'Institut supérieur de la Sagesse pour l'Enseignement du Droit et des Sciences politiques et Diplomatiques, (ISSED) dirigé par le diocèse Maronite de Beyrouth.*
6. *L'Institut de Saint Paul de Philosophie et de Théologie, dirigé par les missionnaires de St. Paul - Harrissa. (ISP).*

5. Katholieke scholen in Libanon

Gemeenschap	**Diocesane scholen**	**Scholen van mannelijke orden**	**Scholen van vrouwelijke orden**	**Totaal**
Maronieten	*37*	*24*	*78*	*139*
Grieks-melkieten	*9*	*7*	*23*	*39*
Syrische katholieken	*2*			*2*
Armeense katholieken	*5*		*3*	*8*
Chaldeërs				
Latijnen		*27*	*118*	*145*

Bkerke, 15 juni 2001
Kardinaal Nasrallah Pierre Sfeit, patriarch van Antiochië van de maronieten, geeft bij zijn 81e verjaardag een interview aan FIDES.[269]
Daarin zegt hij, dat sinds het vertrek van het Israëlische leger een jaar geleden, aan de positie van de christenen inderdaad niet veel is veranderd: 'De situatie in Libanon is heel sterk verbonden met de situatie van heel het Midden-Oosten; wij kunnen geen perfecte vrede vestigen in Libanon, zonder rekening te houden met de regio. Een voorbeeld hiervan is de kwestie van de Palestijnse vluchtelingen heden ten dage in Libanon'.

[269] FIDES, 15-06-01. Lebanon - Our first woman saint spurs us to overcome present difficulties.

Beiroet, 24 juni 2001
Op zaterdag 23 juni 2001 vragen de maronitische bisschoppen tijdens hun jaarlijkse vergadering in Beiroet om een totale terugtrekking van het Syrische leger uit Libanon.[270]

27 juni 2001
In het door de islam overheerste zuiden van Libanon wordt de positie van christenen steeds slechter. Christenen verlaten in grote aantallen het gebied. In 1975 wonen er nog 90.000 christenen; nu nog slechts 27.500. Daarentegen is het aantal moslims van enkele duizenden gegroeid naar ongeveer 300.000.[271]

Juli 2001
Midden in de nacht wordt er op de deur geklopt van de zusters die de school 'De la Sainte Famille' in Alma El-Shaab leiden. De mensen die hard op de deur slaan willen over 'gewichtige zaken' discussiëren met de zuster. Hoe hard de zusters het ook proberen, de mannen aan de deur gaan niet weg en roepen: 'Wij zijn vertegenwoordigers van de Hezbollah, alle deuren moeten voor ons zonder tegenspraak geopend worden. Degenen die het willen verhinderen, moeten onmiddellijk vernietigd worden. Wij zijn de heren en de heersers van dit land'. Gedurende de twee uur durende discussie die door de deur heen gevoerd wordt, eisen de Hezbollah-strijders dat alle meisjes vanaf hun negende levensjaar op school de 'higab', de islamitische sluier, dragen. Als de zusters blijven weigeren om ze binnen te laten, vertrekken zij met de mededeling dat zij de komende nacht terug zullen komen. De volgende ochtend komen zij inderdaad terug. De school is dan echter door de zusters om veiligheidsoverwegingen gesloten. De Hezbollahstrijders dreigen vervolgens de gebouwen plat te branden en de zusters te vermoorden.[272]

20 augustus 2001
Paus Johannes Paulus II protesteert op 19 augustus tegen de arrestatie van enkele honderden christenen in Libanon. Hij roept de Libanese leiders op zich 'verantwoordelijk' te gedragen. 'De waarden van de democratie en nationale soevereiniteit mogen niet voor politieke belangen van dit moment worden opgeofferd', waarschuwt de paus tijdens het wekelijkse Angelusgebed in zijn vakantieverblijf in Castel Gandolfo. De afgelopen twee weken pakt het Libanese leger meer dan tweehonderd aanhangers op van de verbannen christelijke leider Michel Aoun en de christelijke krijgsheer Samir Geagea. Ook twee christelijke journalisten worden opgepakt.[273]

270 FIDES, 15-06-01. Lebanon - Our first woman saint spurs us to overcome present difficulties.
271 IDEA Spektrum, 27-06-01
272 'Das wahre Gesicht des Islam im Libanon. Vernichtet die Christen', in: Stimme der Märtyrer, no.7/2001. blz.1 en 3.
273 Trouw, 20-08-01. Zie ook: Catholic World News, 20-08-01

Beirut, 18 oktober 2001
Voor een christelijke kerk in de zuidlibanese stad Saida explodeert een bom. Bij de aanslag raakt niemand gewond; ook de materiële schade is beperkt. De explosie voor de maronitische kathedraal is de tweede binnen tien dagen waarbij een christelijke kerk wordt aangevallen.[274]

LIBERIA

Oppervlakte: 97.754 km² [275]
Bevolking: 3.225.837
Religie: Inheems: 40% Christen: 40% Moslim: 20%
Etnische groeperingen: Afrikaans (inheems) 95% (o.a. Kpelle, Bassa, Gio, Kru, Grebo, Mano, Krahn, Gola, Gbandi, Loma, Kissi, Vai en Bella) Maerico-Liberiaans 2,5%, Congolees 2,5%

10 augustus 2001
Het regime van de Liberiaanse president Charles Taylor heeft een katholiek radiostation verboden uit te zenden buiten de hoofdstad Monrovia. Reden is de kritiek die de kerk, en met name de moedige aartsbisschop Michael Francis, uit op de huidige regering.[276]

[274] KATHPRESS, 18-10-01
[275] African Websites - Liberia - Profile on Liberia. www. africanconservation.com. Volgens CIA The World Factbook is de oppevlakte 111.370 km²
[276] Katholiek Nieuwsblad, 10-08-01

MALEISIË

Oppervlakte: 329.750 km^2
Bevolking: 21.793.293 [277]
Religie: Moslim: 60% Boeddhist: 20% Christen: 10% Hindoe: 5% Ander: 5% (o.a. Taoïsme)[278]
Etnische groeperingen: Maleis 52,5% Chinees 30% Indisch 8,1% Diverse stammen 8,9%

Er bestaan fundamentalistische islamitische groeperingen. De islam is de officiële religie van het land. Ofschoon artikel 11 van de grondwet vrijheid van religie garandeert, komt daarvan in de praktijk weinig terecht. Gebedshuizen voor niet-moslims mogen pas na toestemming van de regering geopend worden.

De islam heeft in Maleisië een speciale status. Artikel 3,1 van de grondwet stelt dat 'de islam de religie is van de federatie, maar dat andere religies in vrede en harmonie in elk deel van de federatie gepraktiseerd mogen worden'. Artikel 11 benadrukt de vrijheid van belijdenis en praktijk van elk geloof. Wel zijn er wettelijke restricties om het geloof door niet-islamieten te belijden. Islam staat als het ware synoniem aan staatsgodsdienst.[279]

12 januari 2001
Een christelijk retraitehuis in Burkit Markisa wordt door de politie aangevallen. Het huis beschikt over officiële toestemming voor het organiseren van religieuze activiteiten.[280]

Kuala Lumpur, 18 april 2001
Een vrouw uit Maleisië vraagt de regering om van religie te mogen veranderen: zij wil vanuit de islam overstappen naar het christendom. Ze krijgt te horen dat

[277] Christian Solidarity Worldwide stelt dat het aantal inwoners is: 18.800.000. Zie CSW, 01-05-01. Ook de percentages inzake religies verschillen: CSW spreekt over 55% moslims, 8.6% christenen, 7% boeddhisten, 6% hindoes.
[278] International Christian Concern, 09-02-01 en CIA The World Factbook.
[279] Christian Solidarity Worldwide, 01-05-01
[280] International Christian Concern, 19-02-01

ze daarvoor toestemming moet hebben van een islamitisch hof. De vrouw, wier naam om veiligheidsoverwegingen niet wordt genoemd, houdt eraan vast dat het land godsdienstvrijheid kent, en dat een dergelijke toestemming dus niet constitutioneel gegrond is. Juristen van de regering stellen echter dat 'vrijheid niet iets absoluuts is en steeds getoetst moet worden'. De regering heeft al in 2000 voorgesteld om islamieten die zich willen bekeren tot het christendom naar een 'rehabilitatiecentrum' te sturen, om daar hun 'besluit te overwegen'.[281]

29 augustus 2001
In de stad Sungei Patani, driehonderd kilometer ten noordwesten van de hoofdstad Kuala Lumpur, worden christelijke kerken beschadigd. De schade wordt door mensenrechtenorganisaties geschat op 150.000 DM.[282]

Rome, 19 oktober 2001
Aanslagen op katholieke kerken in Maleisië gedurende de laatste weken kunnen het gevolg zijn van de acties van de Amerikanen in Afghanistan. Gedurende de afgelopen zaterdag hebben moslimrebellen geprobeerd om de katholieke kerk van Christus Koning in Sungai Petani in brand te steken. Sungai Petani ligt in de noordelijke staat Kedah. Op 4 oktober worden molotovcocktails gegooid in de kerk van de Heilige Philippus in Segamat.[283]

Kuala Lumpur, 01 november 2001
Niet-moslims zouden geen angst moeten hebben om hun vrijheid van godsdienst te verliezen, ondanks het feit dat de islam de officiële religie van de staat is. Aldus een leider van een van de regeringspartijen. 'Onder de huidige constitutie is Maleisië geen theocratische staat', zegt Ling Liong Sik, de president van de Maleisische Chinese Associatie.[284]

Kuala Lumpur, 08 november 2001
Christenen en bepaalde groepen binnen de islam zijn bezorgd over de toename van geweld door moslimextremisten in het land. Moslimextremisten hebben diverse christelijke kerken en hindoetempels aangevallen. Een van de laatste keren ging het om een aanval op het christelijk kerkelijke centrum van Subang Jaya op 27 oktober. Op 13 en 14 oktober werd de katholieke kerk van de St. Philip's parochie in Segamat aangevallen.[285]

281 Catholic World News Service, 18-04-01
282 IDEA Spektrum, 29-08-01
283 ACN News, 19-10-01, zie ook KATHPRESS, 18-10-01
284 Kirche in Not, Königstein, 01-11-01
285 FIDES, 08-11-01

Kuala Lumpur, 14 november 2001
De Christian Federation of Malaysia roept de nationale leiders van het land op om kerkgebouwen te beschermen, nadat gedurende de afgelopen weken diverse kerken aangevallen zijn. Gedurende de laatste maand zijn twee katholieke kerken en twee protestante kerken beschadigd. 'Zulke aanvallen kwamen in het verleden zelden voor, nu escaleert de situatie na de gebeurtenissen van 11 september in de Verenigde Staten'.[286]

MOLUKKEN/ INDONESIË

Oppervlakte: 1.919.440 km^2

Bevolking: 216.108.345

Religie:
Moslim:88%
Protestant: 5%
Katholiek: 3%

Etnische groeperingen:
Javanen, Sundanezen, Madurezen, Maleisiërs[287]

Extremistische groeperingen in Indonesië zijn:

- *Laskar Jihad - het Leger voor de Heilige Oorlog. De organisatie voert een heilige oorlog tegen christenen. Het leger bestaat voornamelijk uit veteranen uit Bosnië en Afghanistan, onder wie studenten uit lokale moslimscholen;*
- *het Moslim Ahlus-Sunnah Wal Jama'ah Forum. Het forum zegt alleen voor moslims op te komen en niet tegen christenen te strijden. Zij zijn wel betrokken geweest bij gewelddadigheden, maar beweren dat uit zelf-verdediging gedaan te hebben;*
- *de Hamas, een gewelddadige, revolutionaire groep en*
- *het Indonesische Comité voor Wereldwijde islamitische Solidariteit (KISDI).*[288]

Jakarta, 09 januari 2001
Naar aanleiding van een solidariteitsbrief uit het Vaticaan, reageert kardinaal Julius Darmaatmadja van Jakarta met een waarschuwing tegen 'generalisatie van alle moslims'. Hij erkent dat er moslimfundamentalisten bestaan, maar stelt tegelijk dat de meeste moslims in Indonesië niet betiteld kunnen worden als

[286] ACN News, 14-11-01
[287] Dit betreft gegevens van Indonesië. International Christian Concern en CIA The World Factbook 1999
[288] International Christian Concern, 28-02-01

vijanden van het christendom. Ter illustratie memoreert hij het verhaal van een jonge beveiligingsbeambte, Ryianto. Hij offerde in Mojokerto, Oost-Java, zijn leven op, door een bom uit een protestante kerk te verwijderen. Hij was moslim.[289]

Ambon, 29 januari 2001
Ongeveer driehonderd christenen worden geëvacueerd van de eilanden Keshui en Teor. De evacuatie wordt uitgevoerd door een team van de Molukse gouverneur Saleh Latuconsina, politieofficieren, vertegenwoordigers van de kerken en journalisten. Gedurende de laatste weken werden deze mensen gedwongen zich tot de islam te bekeren. Honderd christenen worden ook besneden. Vrouwen die ten gevolge van de besnijdenis al te zeer bloeden, moeten zich in het meer 'desinfecteren'. Begin januari 2001 wordt een jonge, christelijke vrouw vermoord, omdat zij weigert zich tot de islam te bekeren.[290]

09 februari 2001
Rapporten over gedwongen bekeringen op de Molukken worden steeds talrijker. Op veel eilanden beginnen christenen na maanden vol ontberingen honger te krijgen. Zij zijn voor de moslims de rimboe ingevlucht. Als zij terugkeren naar hun dorp, worden ze opgewacht door moslims van de Laskar Jihad, die hen voor de keus stellen: moslim worden of de dood. Van de 671 gevangen christenen op het eiland Kaisiusi, in het uiterste oosten van de Molukken, zouden er 46 die weigerden moslim te worden, zijn doodgeschoten. Dergelijke verhalen komen ook uit Halmahara, waar om deze reden vijfhonderd christenen zijn doodgeschoten. De vierhonderd christenen van het dorp Jibubu op het eiland Bacan, die door moslims gevangen zijn genomen, buigen zich nu vijf keer per dag naar Mekka onder toeziend oog van de Jihadstrijders.[291]

19 januari 2001
Het conflict op de Molukken gaat het derde jaar in, zonder vooruitzichten op verbeterde relaties tussen christenen en moslims. Voorzichtige schattingen geven aan dat in deze periode op zijn minst vijfduizend christenen vermoord zijn, en dat er 500.000 verdreven zijn.
In Keshui zouden 473 van de in totaal 692 katholieken gedwongen zijn zich te bekeren tot de islam. Het lot van de resterende 219 katholieken is onbekend. Ook de Indonesische regering heeft intussen erkend dat gedwongen bekeringen plaatsvinden. Zij heeft een onderzoeksdelegatie gestuurd naar Keshui en Teor. [292]

---

[289] CRTN, 10-01-01
[290] CRTN, 31-01-01. Zie ook: FIDES, 05-01-01
[291] Katholiek Nieuwsblad, 09-02-01
[292] Christian Solidarity Worldwide, 19-01-01

Vaticaanstad, 20 januari 2001
Tijdens zijn bezoek aan de paus belooft de Indonesische minister voor Buitenlandse Zaken, Alwi Shihab, er alles aan te doen om het geweld tegen christenen te stoppen.[293]

29 maart 2001
De katholieke persdienst, ZENIT, maakt bekend dat FIDES een brief heeft ontvangen van een moslimvrouw op de Molukken, waarin zij openlijk de aanval van moslims op christelijke gemeenschappen bekritiseert. In de brief schrijft deze Mirian Abdulah aan het christenmeisje Christina Sagat, dat onlangs gedwongen bekeerd is tot de islam en gedwongen besneden is. Ze schrijft: 'Wij weten niet wat wij aan jou moeten zeggen, in het bijzonder aan jou, het slachtoffer. Uit het diepste van ons hart vragen wij jou om vergiffenis'.
Aanvankelijk gelooft Abdulah de berichten over gedwongen bekeringen niet; pas nadat de gegevens in de parlementen van Engeland, de VS en Australië bevestigd worden, kan zij de waarheid niet meer ontkennen.[294]

Jakarta, 05 april 2001
Drie christenen worden in de provincie Sulawesi ter dood veroordeeld wegens geweld dat leidde tot de dood van honderden mensen, tijdens religieuze gevechten. Fabianus Tibo, Domingus da Silva, en Marianus Riwu zijn schuldig bevonden aan de dood van velen tijdens de gevechten in Poso. Hier zijn gedurende meerdere weken van geweld ongeveer driehonderd mensen vermoord.[295]

Indonesia: Operation Rescue Maluku[296]

Wij zijn aangeslagen op elke manier, maar niet vernietigd; verbijsterd, maar niet wanhopig 2 Cor.4:8

De jihad 'heilige oorlog' - allesbehalve heilig!

Een van de vele christelijke slachtoffers van gewelddadige aanvallen door de jihadstrijders op de Indonesische Molukken, zegt tegen een bezoekende ploeg van ICC: 'Wij christenen leefden ooit in harmonie met onze moslimburen. Als een kerk gerestaureerd moest worden, en als een moskee gerestaureerd moest worden, wij -christenen- zouden zijn gaan helpen. Het was hard om te moeten zien wat er desondanks met mijn vader gebeurde. De dag dat de jihadstrijders aanvielen, renden wij richting jungle. Mijn vader werd snel moe en was niet in

[293] CRTN, 23-01-01
[294] The Voice of the Martyrs, 29-03-01
[295] Catholic World News Briefs, 05-04-01
[296] International Christian Concern, 17-04-01

staat om te vluchten. Toen hebben de aanvallers hem opgepakt, zij hebben zijn speer van hem afgenomen en hem in zijn lichaam gestoken. Daarna hebben ze hem met zijn eigen machete in stukjes gesneden. Het was voor mij moeilijk te begrijpen, dat het mijn eigen moslimbuurman was, die dit mijn vader aandeed'.

De gewelddadigheid die in de laatste jaren plaatsgevonden heeft op de Molukken, is op de een of andere manier aan de aandacht van de media en de internationale gemeenschap ontsnapt. Hoe verhoudt zich dat tot de brede publiciteit die de etnische aanvallen op Timor en Java in het verleden hebben gekregen? Het antwoord ligt waarschijnlijk besloten in de aard van de conflicten. De crisis op de Molukken is een religieuze oorlog geworden. Een oorlog bovendien waarin radicale islamitische groeperingen verwikkeld zijn. Het is duidelijk de bedoeling van dergelijke organisaties om heel Indonesië te islamiseren. Meer dan eens heeft bijvoorbeeld de groep Laskar Jihad de eigen intenties luid en duidelijk bekendheid gegeven. Via luidsprekers is verkondigd dat het de bedoeling is alle christenen op Ambon te vernietigen. Daar staat tegenover dat er geen enkele radicale organisatie te zien is, zodra er een officiële dialoog op gang lijkt te komen. Vaak krijgen degenen die de klachten uiten, het verwijt dat zij zich verkeerd hebben laten voorlichten.
Waarom is dat zo toen de 'etnische' aanvallen in Timor en in Java brede publiciteit hebben ontvangen in het verleden? Waarschijnlijk is het antwoord: Omdat de huidige crisis in de Mollukken een 'religieuze' oorlog is geworden dat geïnfiltreerd is door radicale islamitische groeperingen die hun bedoelingen om geheel Indonesië te islamitiseren duidelijk hebben uitgesproken.

De Islamitische groep Laskar Jihad heeft zijn intenties duidelijk gemaakt, terwijl zij luid en duidelijk via de luidsprekers hun doel om alle Christenen in Ambon te vernietigen duidelijk hebben uitgesproken. Men zou een discussie gaan uitbrengen dat is er geen dergelijke conspiratie of georganiseerde bewegingen te zien. Die gene die deze klachten indienen zijn misgeïnformeerd. Niet alleen de Laskar Jihad heeft hun aanwezigheid bekend gemaakt (oorlogsvoerder van de heilige oorlog), zij hebben ook hun agenda gepost op hun web site. Bovendien, heb ik in mijn bezit een CD die geproduceerd en uitgedeeld was door Jihad provocateurs tussen de jonge moslims met de duidelijke intentie hun in de Jihad beweging in te bemiddelen. De filmbeelden getoond op deze CD is bedoeld tegen de Christenen op het eiland van Halmahera. Het verschaft heldere bewijzen van ambitieuze pogingen van Laskar Jihad om aanvallen op Christenen te organiseren en uit gaan voeren. Bovendien, de filmbeelden tonen honderden van Jihad oorlogsvoerders marcherend en aan boord gaand van schepen, dezelfde schepen die dood en vernietiging hebben geleverd aan het eiland Halmahera.

Een familie van vijf gedwongen om zich te bekeren tot de Islam.
Yanis Dara en zijn vrouw Nema, samen met vijf kleine kinderen kwamen van het dorp van Gebudu, een van de dorpen waar een aantal Christenen zijn nog steeds gegijzeld door de Jihad oorlogsvoerders. De familie is erin geslaagd om te vluchten daar vandaan afgelopen januari nadat zij een jaar gegijzeld waren door de Jihad. 'Wanneer wij aangevallen waren vluchten wij naar de jungle. De militairen hebben tegen ons gezegd dat het was veilig om terug te keren, maar toen wij terug gekeerd zijn waren wij meteen gegijzeld. Zij hebben tegen ons gezegd dat wij moslims zouden moeten worden als wij nog levend wilden blijven. Alle Christenen waren in de kerk ingenomen. Wij werden overvallen door angst en om te vermijden dat wij afgeslacht zouden worden, wij stemden er mee in om besneden te worden en moslims te worden. Wij hadden nog steeds Christus in onze harten en wij waren bereid aan hen te laten alles doen wat zij wilden met onze lichamen. Zij hebben tegen ons gezegd dat morgen zouden wij besneden gaan worden, eerst onze kinderen. Mijn zoon Unis die is alleen 12 jaar oud kon niet lopen voor een maand vanwege infecties die hij gekregen had na de besnijding. Er waren geen medicijnen of antiseptische middelen en zij hadden dezelfde instrumenten gebruikt meteen bij andere mensen nadat de besnijding was gedaan zonder om die instrumenten schoon te maken. Unis is heel erg ziek geworden. Hij is nog steeds niet helemaal genezen'.

Er zijn nog steeds ongeveer 132 mensen die gegijzeld zijn in Gebudu die voor onze hulp vragen om hen te redden van de de Jihad oorlogsvoerders. Al die mensen waren gedwongen om besneden te worden. Voor de volwassenen, de schaar was gebruikt om besnijding te doen. Kinderen die een maand oud waren hebben dat ook gehad. Vrouwen boven 40 jaar waren niet besneden. Nema heeft gezegd toen zij begon te huilen over haar kinderen soldaten toen hebben tegen haar gezegd om te stoppen met huilen anders zou zijn dan naar Jihad gestuurd was geweest om vermoord te gaan worden. De besnijding van de meisjes was uitgevoerd door een munt in hun vagina te stoppen en dan een scheermes was gebruikt om hun clitoris te snijden. Hun dochter Yesi zei tegen mij: 'Het doet heel erg veel pijn. Ik wou het niet laten doen, maar zij hebben gezegd als je dit laat ons niet doen dan wordt je vermoord'.

Sertasi: misvormd voor het hele leven

Sertasi Sallom is een moeder die heeft haar verhaal aan mijn verteld over de aanvallen op Duma op 19 Juni 2000. Als was bevestigd door asielzoekers die gesproken waren een paar dagen eerder in Manad, hebben de militairen deel genomen in de aanvallen tegen de Christenen. Sertasi zei tegen mij: ' vanwege de hulp die Jihad heeft ontvangen van de militaire units Brawijyra 511 en Brawijyra 512, meer dan 400 mensen waren vermoord en andere 120 gezonken tijdens vluchten in een boot. Toen zag ik de Jihad oorlogsvoerders komen, schreeuwde ik, 'Oh, God, help mij'. Toen Jihad oorlogsvoerders zijn naar mijn gekomen en zeiden: 'Ik zal aan jou laten zien hoe God gaat jou helpen', en toen heef hij een pistool in mijn mond gestopt en duwde de trekker'. Het misvormde gezicht van Sertasi is een bewijs van de bruutheid van de Jihad oorlogsvoerders.

Ambon, 05 april 2001
Op 21 januari worden Stefanus Wenno en zijn vrouw Mila (43), beide christenen, door moslims aangevallen. Zij breken de arm van Mila op twee plaatsen. Een van de gevolgen is dat zij geen gevoel meer in haar arm heeft, omdat ook haar zenuwen geraakt zijn.[297]

20 april 2001
Vanwege het aanhoudende geweld op de Molukken hebben katholieke bisschoppen van Indonesië opgeroepen tot verzoening: 'Onze gemeenschap bevindt zich in een diepe en zware crisis en als er niet snel wat gebeurt, is de schade zo groot dat er niks meer aan gedaan kan worden', laten de bisschoppen weten in een paasboodschap die in Jakarta gepubliceerd wordt. Aan allen die direct betrokken zijn bij het geweld tussen christenen en moslims, vragen zij niet te verzaken in het geloof en te blijven reageren in de Geest van Christus.[298]

20 april 2001
Tijdens de bloedige confrontatie tussen de moslims en de christenen op de Molukken vechten kindsoldaten mee. Dat meldt de vluchtelingendienst van de Jezuïeten (JRS). De kindsoldaten worden 'agas' genoemd, een verwijzing naar de naam van een kleine vlieg met een dodelijke steek. Katholieke missionarissen werken aan het herstel van deze kinderen. Al 65% van deze kindsoldaten is op deze manier geholpen.[299]

[297] The Voice of the Martyrs, 19-04-01
[298] Katholiek Nieuwsblad, 20-04-01en KNA.
[299] Katholiek Nieuwsblad, 20-04-01 en ZENIT.

Atambua, 24 april 2001
Er wordt een bom gevonden in de buurt van de bisschoppelijke paleizen in Atambua. Hij is verborgen onder de takken van bananenbomen, ongeveer vijftig meter van de woning van de bisschop. Bisschop Antonius Pain Ratu van Atambua is op dat moment niet thuis.[300]

10 mei 2001
Volgens bronnen in Indonesië is Ja'far Umar Thalib, de hoogste leider van Laskar Jihad, gearresteerd op 4 mei 2001. De arrestatie vindt plaats op het vliegveld van Surabaya, in Oost-Java. Hij wordt ervan beschuldigd mensen tot haat aan te zetten. Sinds zijn aankomst op de Molukken in april 2000, hebben jihadstrijders vele aanvallen op christenen uitgevoerd. Vele duizenden christenen zijn vermoord.[301]

17 mei 2001
In Paso, Centraal Sulawesi, worden op 23 april 2001 op zijn minst vijf huizen van christenen vernield. Getuigen vertellen dat vroeg op die dag een agressieve menigte de huizen begon te bekogelen met stenen. Er vonden wel arrestaties plaats, maar steeds opnieuw keerde een andere groep terug.[302]

18 mei 2001
De Japanse kardinaal Peter Shirayanagi pleit tijdens een internationale conferentie van religieuze leiders in november, voor interventie in de oorlog op de Molukken. Hij zal hen vragen hierop aan te dringen bij hun politieke leiders en bijvoorbeeld bij de Verenigde Naties. Daarnaast vraagt hij hen om zich in te spannen voor het zenden van materiële hulp aan het alweer enkele jaren door oorlog tussen christenen en moslims verscheurde gebied.[303]

Ambon, 21 mei 2001
Zes mensen worden vermoord en zeventien raken zwaar gewond bij nieuwe gewelddadigheden van militante moslims tegen christenen. Ongeveer vijftig mensen, bewapend met messen, bajonetten en machetes, branden in Mardika en Soya Kecil talloze huizen plat. Lokale bronnen melden dat veiligheidstroepen slechts toekijken bij het geweld.[304]

Rome, 08 juni 2001
De zeven Indonesische katholieke bisschoppen veroordelen in een pastorale brief de etnische conflicten op het eiland Borneo. Het is een conflict tussen

[300] UCAN, 24-04-01
[301] The Voice of the Martyrs, Canada, 10-05-01
[302] The Voice of the Martyrs, 17-05-01
[303] Limburgs Dagblad, 18-05-01
[304] Catholic World News Briefs, 21-05-01. Zie ook: CRTN, 23-05-01, zie ook: KNA, 22-05-01

Malys, Dayaks en moslims, dat sinds 1997 vele honderden doden tot gevolg heeft gehad. De bisschoppen roepen de katholieken op mee te werken aan de vrede en dialoog, en hun haat te begraven.[305]

22 juni 2001
Islamitische extremisten hebben vorige week op het eiland Ambon een katholieke missiepost overvallen en verwoest. Enkele tientallen bewapende mannen drongen binnen in het door missionarissen van het Heilig Hart geleide centrum Gonzalo Veleso in Ambon-stad. De aanvallers verrasten de ordeleden en de ter bescherming aanwezige veertien Indonesische soldaten in hun slaap. Terwijl de militairen in de tegenaanval gingen, probeerden de overvallers de kapel en de woonvertrekken met granaten in brand te steken. Het vuur verwoestte enkele gebouwen en sloeg over op ernaast gelegen huizen. Talloze mensen sloegen daarop op de vlucht. Volgens ooggetuigen vielen er acht doden.[306]

Jayapura, 10 juli 2001
Christelijke- en moslimleiders in het Indonesische Borneo, inclusief de katholieke bisschop Leo Laba Ladja van Jayapura, roepen op tot beëindiging van de etnische zuiveringen op centraal- en westelijk Kalimantan. Zij roepen op tot een vreedzame oplossing van de problemen 'die de menselijke waardigheid en de gelijke rechten voor allen' garandeert. In de loop van 1999 zijn in dit gebied meer dan drieduizend mensen gedood in het geweld. In de eerste maanden van 2001 komt dat aantal al boven de vijfhonderd uit.[307]

Jakarta, 23 juli 2001
Twee kerken in het oosten van Jakarta, in de buurt van een militair complex, worden gebombardeerd. In de katholieke Sint Annakerk van Jakarta, ontploft een bom juist op het moment dat er een mis is. Er zijn achthonderd mensen aanwezig. Velen raken gewond, anderen verliezen ledematen. Een paar minuten later explodeert een bom in een nabijgelegen protestante kerk. Hier raakt niemand gewond.[308]

Volgens het bericht van FIDES raken bij de aanval op de parochiekerk meer dan zeventig mensen gewond. Een getuige verklaart gezien te hebben dat iemand voor de mis de kerk binnenkwam, een pakketje achterliet en snel verdween. De pastoor, pater Vincenzo Suryatma, verklaart dat de ontploffing tijdens zijn homilie plaatsvond. De tweede ontploffing betreft de Huriah Kristen Batakkerk van protestante christenen. De ochtend na deze ontploffingen vindt dichtbij

[305] CRTN, 11-06-01
[306] KNA, en Katholiek Nieuwsblad, 22-06-01, zie ook: KATHPRESS, 13-06-01
[307] CRTN, 11-07-01
[308] CRTN, 23-07-01

deze protestante kerk nog een ontploffing plaats. Kardinaal Julius Darmaatmadja, aartsbisschop van Jakarta, reageert woedend: 'Ik ben geschokt door deze gebeurtenissen. Ik ben bedroefd en bezorgd, niet alleen voor wat mijn volk is aangedaan, maar voor alle slachtoffers van geweld hier en elders'.[309]

30 juli 2001
Het tien jaar oude meisje Tien, weet te ontsnappen uit handen van islamitische jihadstrijders. Dat gebeurt op het noordelijke Molukse eiland Doi. Haar redders vertellen dat zij door de jihadstrijders werd uitgehongerd, nadat haar moeder in juni reeds ontsnapt was.[310]

24 augustus 2001
Een Indonesische rechtbank veroordeelt op maandag 13 augustus Edi Sugiarto tot elf jaar gevangenis, omdat hij op kerstavond 2000 veertien bombrieven naar kerken en priesters heeft gestuurd. De veroordeelde is één van de drie mannen die in de provinciehoofdstad Medan gearresteerd worden, nadat de politie een aantal bommen heeft ontdekt en gedemonteerd. Tijdens de reeks aanslagen eind december vorig jaar, op christelijke kerken waarbij wel bommen afgingen, werden minstens negentien mensen gedood en meer dan honderd zwaar gewond.[311]

Jakarta, 13 september 2001
De Indonesische politie maakt bekend, dertien mensen gearresteerd te hebben die met Kerstmis 2000 bommen gegooid hebben en negentien mensen gedood hebben. De daders zijn gearresteerd in de stad Pandeglang, ten zuidwesten van Jakarta. Autoriteiten stellen dat zij betrokken zijn geweest bij bombardementen op christelijke doelen in negen steden.[312]

Surakarta, 24 september 2001
Na de terreuraanslagen in de VS en de reactie van de VS op de aanslagen, openen islamitische groeperingen in Indonesië de aanval op Amerikanen in het land. 'Verscheidene radicale moslimgroeperingen in Indonesië beginnen zondag, in de stad Surakarta op Midden-Java, de jacht op buitenlandse toeristen. Dat staat op een Indonesische website, Detik.com', zo meldt het Japanse persbureau Kyodo.[313] Groepen van 25 tot dertig mensen van de zogeheten 'Macht tegen Amerikaans terrorisme' drongen de internationale luchthaven Adi Sumarmo en vijf vijfsterrenhotels binnen om het personeel te dwingen informatie over buitenlanders te geven. Zij waren duidelijk op zoek naar Amerikanen. 'Maar als de VS Afghanistan

[309] FIDES, 23-07-01
[310] International Christian Concern, Press Release, 30-07-01'.Daring Rescue in Indonesia'.
[311] Katholiek Nieuwsblad, 24-08-01
[312] Catholic World News, 14-09-01
[313] ANP, 24-09-01

aanvallen, moeten alle Amerikanen als vergelding onmiddellijk uit Surakarta en Indonesië verdwijnen', zegt een woordvoerder van de groepen.

27 september 2001
Moslimmilitanten vallen op 17 september om zeven uur 's ochtends huizen en kerken van christenen aan. Dat gebeurt in het dorpje Klaksanaan, in het district Tasikmalaya. De schade: 23 huizen van christenen worden in brand gestoken, 58 christelijke families zijn nu dakloos, twee kerken raken zwaar beschadigd.[314]

Jakarta, 08 november 2001
Het proces van verzoening tussen de strijdende christelijke en islamitische groeperingen op de Molukken gaat voort; dit ondanks de negatieve uitwerking van de oorlog in Afghanistan. Religieuze leiders hebben elkaar reeds diverse keren ontmoet en de wil getoond om in vrede naast elkaar te leven.
Tussen 23 en 25 oktober ontmoeten 25 vertegenwoordigers van de zogenoemde BakuBaeMaluku-groepering elkaar in Malang, op Oost-Java. Op de vergadering zijn ook vertegenwoordigers van de staatsuniversiteit van Pattimura aanwezig, alsmede afgevaardigden van het Instituut voor islamitische Studies (onder staatsleiding) van Ambon, van de christelijke universiteit UKIM, van de islamitische universiteit van Darussalam en van het katholiek insituut Trinitas.[315]

08 november 2001
Volgens verschillende bronnen valt een militante islamitische groepering, die in verbinding staat met de terroristische groepering Laskar Jihad, in de vroege ochtend van 1 november drie christelijke dorpen in Centraal-Sulawesi aan. Meer dan driehonderd mensen raken gewond, de kerken worden opgeblazen. Drie christenen in het dorp Tomata worden gedood. Meer dan duizend christenen vluchten letterlijk het bos in. De dag daarop wordt het christelijke dorp Malitu door dezelfde groep aangevallen. Ook hier worden bijna alle huizen en kerken verwoest. Hier maakt men geen melding van doden.[316]

15 november 2001
Rapporten over christenen in Indonesië melden dat gedurende het afgelopen weekeinde, duizenden islamitische jihadstrijders dorpen en steden op het eilandje Sulawesi vernield hebben. Meer dan vijftigduizend christenen verkeren in een gevaarlijke situatie, omdat zij door moslimmilitanten omringd worden. Christelijke leiders vrezen een massale moord op christenen.[317]

---

[314] The Voice of the Martyrs, 27-09-01
[315] FIDES, 08-11-01
[316] The Voice of the Martyrs, 08-11-01, zie ook FIDES, 09-11-01
[317] The Voice of the Martyrs, 15-11-01

MYANMAR (BIRMA)

Oppervlakte: 678.500 km^2
Bevolking: 48.081.302
Religie: Boeddhist: 85% Christen: 6% Moslim: 4% Hindoe: 3% Animist: 2%
Ethnische groeperingen: Birmanen, Shan, Karen[318]

Eén van de extremistische groepen is de Democratic Karen Buddhist Army (DKBA). Deze beweging wordt door de regering gesteund. Religieuze publicaties dienen voor uitgave door de staatscensor gecontroleerd te worden. Het is illegaal en derhalve verboden om de bijbel in de diverse landstalen te vertalen. Het is bijzonder moeilijk om toestemming te krijgen voor de bouw van nieuwe christelijke kerken. De positie van christenen is zo moeilijk, dat velen van hen naar de omliggende landen vluchten om er asiel te krijgen: naar Thailand, India en Guam.

Myanmar: christenen blijven sterk benadeeld[319]

Königstein, 11 april 2001
'Ondanks de mogelijkheid om in het buitenland te verblijven, waarvan ongeveer zestig priesterkandidaten, zusters en catechisten hebben geprofiteerd voor hun studies, worden de christenen nog altijd sterk benadeeld in vergelijking met de overwegend boeddhistische bevolking van Myanmar', aldus vertegenwoordigers van de internationale hulporganisatie Kerk in Nood. Drie procent van de 47 miljoen Myanmarezen is christen en ongeveer 600.000 daarvan bekennen zich tot het katholieke geloof. Het is niet zonder politieke bijbedoelingen, dat de in 1962 ingevoerde militaire dictatuur het boeddhisme een massa privileges gunt. Op die manier wil het zich immers doen aanvaarden door de bevolking. Zo mogen alleen boeddhisten bepaalde religieuze termen gebruiken in de pers. Naar verluidt, worden alle christelijke publicaties bovendien streng gecensureerd. Daarbij is het verboden buitenlandse christelijke lectuur in te voeren. De in

[318] International Christian Concern, 17-04-01 en CIA The World Factbook, 1999
[319] INFO Königstein, 17-04-01

Manilla gevestigde katholieke zender Radio Veritas heeft niet alleen programma's in het Myanmarees, maar ook in de taal van etnische minderheden zoals de Kachin en de Chin. Hoeveel succes die zender heeft, blijkt uit het grote aantal Kachintalige luisteraars dat zich reeds tot het katholicisme heeft bekeerd, onderstrepen de Aziëspecialisten van de hulporganisatie.

Uit vrees de controle te verliezen over de activiteiten van de christelijke kerken, is het regime wantrouwiger geworden tegen buitenlanders en heeft het zijn toezicht verscherpt. Buitenlanders worden in hotels ondergebracht en mogen niet logeren in kerkelijke instellingen. Bovendien moet men in sommige bisdommen gedetailleerde verslagen over de bezoekers opstellen. Problemen zijn er ook inzake de bouwvergunningen. De plaatselijke overheid verleent alleen dan toestemming om een kerk te bouwen, wanneer deze zich in een afgelegen landelijke streek bevindt en ver van wegen verwijderd is. Op veel plaatsen proberen de bisschoppen die beperkingen te omzeilen, door bouwaanvragen voor gewone huizen in te dienen, waar dan later liturgische vieringen plaatsvinden.

De voorbije vijf jaar heeft Kerk in Nood meer dan tweeënhalf miljoen US-dollar uitgegeven aan steun voor het drukken van religieuze lectuur, het bouwen van kapellen, pastories en parochiehuizen en voor de opleiding van zusters, novices en catechisten.

Juli 2001
Een nieuwe wet van de militaire regering beperkt de vrijheid van religie in het land. Een rij van kerken is gedwongen te sluiten. Kerken die jonger zijn dan honderd jaar moeten de deuren sluiten. Alleen al in de hoofdstad Rangoon worden meer dan tachtig kerken gesloten. In Hlaing Tai worden álle kerken gesloten. Wel mogen christenen in particuliere woningen bijeenkomen; zingen is echter weer verboden.[320]

04 oktober 2001
De militaire regering van Myanmar verplicht christenen om hun erediensten in gebouwen die jonger zijn dan honderd jaar, stop te zetten. Gebouwen die ouder zijn dan een eeuw, mogen hun klokken niet luiden, en er mogen geen kruizen in geplaatst worden. Vele kerken in het land zijn gedwongen hun deuren te sluiten.[321]

[320] Christen in Not, 11/2001
[321] The Voice of the Matyrs, Canada, 04-10-01

NEDERLAND

Oppervlakte: 41.526 km²
Bevolking: 15.892.000
Religie: Rooms-katholiek: 37% Protestant: 30% Moslim: 3%
Etnische groeperingen: Nederlanders: 95% Allochtonen: 5% (waarvan 212.000 Turken, en 165.000 Marokkanen)[322]

Nederland is vanzelfsprekend geen land waar mensen vanwege hun geloof vervolgd of bedreigd worden. Toch wordt in de loop van 2001 het volgende bericht gepubliceerd.

Roermond, 09 juli 2001
Een 21-jarige man uit Roermond is donderdagavond door een onbekende neergestoken omdat hij het verkeerde geloof zou aanhangen. De politie is nog op zoek naar de dader, waarschijnlijk een moslim. Het slachtoffer is een in Sri Lanka geboren christen. Hij is in het ziekenhuis behandeld en verkeert buiten levensgevaar. In het huis waar hij een kamer huurt, werd hij aangesproken door een man die hem vroeg welk geloof hij aanhing. Toen hij antwoordde christen te zijn, kreeg hij te horen dat dit niet goed was, omdat er in het huis Marokkanen wonen. Even later stak de onbekende hem neer.[323]

[322] Islam, personen en begrippen van A tot Z, blz. 208-209
[323] De Volkskrant, 09-07-01

NEPAL

Oppervlakte: 140.800 km²
Bevolking: 24.702.119
Religie: Hindoe: 90% Boeddhist: 5% Moslim: 3% Christen: 400.000
Etnische groeperingen: Newars, Indianen, Tibetanen, Goeroengs[324]

Het land kent geen officiële staatsreligie, maar noemt zich wel een hindoe-koninkrijk. De grondwet staat godsdienstvrijheid toe, maar in de praktijk is bekeringsijver verboden.

15 februari 2001
In de loop van oktober 2000 worden Trond Berg uit Noorwegen en Devi Bhattarai, Thimoty Rai en Prem Bahadur Rai, christenen uit Nepal, opgepakt op beschuldiging van proselitisme. Het hof besluit de vier christenen op 15 februari 2001 vrij te laten, bij gebrek aan bewijs.[325]

Kathmandu, 20 februari 2001
Meer dan duizend christenen nemen deel aan een mars door Kathmandu, op 18 februari. Daarmee wil men de dag van de democratie vieren. De mars wordt geleid door het Nepal Christian Forum. Deelnemers dragen slogans bij zich als 'Religie verheft het volk', 'De bijbel vertelt ons goede burgers te zijn' en 'Moge God de koning en de koningin zegenen'. Pater Stephen Sinha van Zion Church in Kathmandu vertelt dat zo'n mars vijf jaar geleden nog onmogelijk zou zijn geweest.[326]

Rome, 19 juni 2001
Christenen in Nepal zijn bang voor de komende periode, ná de moorden in het koninklijk paleis door de kroonprins Dipendra. 'De laatste koning, Birendra, was een man van de democratie, en had om die reden niets tegen christenen', aldus een vertegenwoordiger van de christelijke Hulpactie in Nepal, Mahara. 'De huidige

[324] International Christian Concern, 19-02-01 en CIA The World Factbook 2000
[325] The Voice of the Martyrs, 15-02-01. Zie ook: Open Doors, mei 2001. Zie ook: HMK-Kurir, 03/2001
[326] CRTN, 21-02-01

regering is totaal in de war samen met de nieuwe koning, die naar mijn mening een harde lijn volgt. Hij is geen voorstander van democratie'.
De angst van de christenen is terecht, vanwege de groei van het hindoefundamentalisme gedurende de laatste jaren. Dit gegeven, gevoegd bij de antidemocratische instelling van de nieuwe koning, belooft niet veel goeds.[327]

NIEUW GUINEA

Oppervlakte: 462.840 km²

Bevolking: 4.599.785

Religie:
Geloof in magie 34% is wijd verspreid
Rooms-katholiek: 22%
Luthers: 16%
Presbyter: 8%
Anglikaan: 5%
Evangelische Alliantie: 4%
Zevendedags Adventisten: 1%
Andere protestante groepen: 10%[328]

Etnische groeperingen:
Melanesiërs, Papua, Negrito,
Micronesiërs, Polynesiërs[329]

Port Moresby, 20 augustus 2001
Een Australische priester wordt vermoord, op 17 augustus 2001, in de hoofdstad van Nieuw Guinea, Port Moresby. De politie is van mening dat een groep mannen zijn kamer in een franciscaans klooster is binnengedrongen en hem heeft neergeschoten. Het klooster is in het verleden al een paar keer 'bezocht' door gewapende bendes. Pater Thorn was lid van de franciscanerorde en heeft veertig jaar gewerkt in dienst van de kerk.[330]

Rome, 26 november 2001
Een dag nadat paus Johannes Paulus II zijn apostolische exhortatie 'Ecclesia in Oceania' uitspreekt, wordt de Nederlandse missionaris pater Hubert Hofmans (62) vermoord. De moord vindt plaats in de buurt van Lae. De priester heeft juist op dat moment een bedrag van 11,64 US-dollar bij zich, om te gaan betalen aan

[327] CRTN, 20-06-01
[328] Zie: www.papua-new-guinea.com.
[329] CIA The World Factbook
[330] Catholic World News, 20-08-01

een familie voor geleverde diensten, als hij aangevallen en vermoord wordt. Hij kwam al dertig jaar geleden naar Nieuw-Guinea, en werd in 1987 tot priester gewijd. Bisschop Cesare Bonivento van Vanimo vertelde aan Radio Vaticaan: 'Papoea-Nieuw-Guinea maakt moeilijke sociale en economische tijden door. Iedereen wordt aangevallen, in het bijzonder zij die een beetje geld hebben. Pater Hubert had slechts een handvol kleingeld bij zich'.[331]

NIGERIA

Oppervlakte: 923.770 km^2
Bevolking: 113.828.587
Religie: Moslim: 40% Christen: 50% Andere: 10% (vooral gebonden aan stammen)
Etnische groeperingen: Engels, Hausa, Fulani, Yoruba, Ibo[332]

Lagos, 09 februari 2001
Ondanks de belofte dat christenen niet meer zouden lijden onder de gevolgen van de invoering van de shari'a, wordt door het islamitische hof van de staat Kano, de 27-jarige Alto Danmama veroordeeld tot twintig zweepslagen en een boete van 20 US-dollar. Hij is beschuldigd van een aanslag, van aanranding en gebruik van valse identiteit.[333]

Abuja, 06 maart 2001
Gedurende deze week zijn de bisschoppen van Nigeria bijeen in Abuja voor de jaarlijkse vergadering. Zij roepen president Olusegun Abasanjo op om de niet-moslim gemeenschap van Noord-Nigeria te beschermen. De bisschoppen merken op dat christenen, na de invoering van de shari'a, het land in groten getale verlaten.[334]

Abuja, 21 maart 2001
De Nigeriaanse katholieke kerk is van plan om de shari'a, die recentelijk in diverse staten in het noorden is ingevoerd, ter discussie te stellen. Aartsbisschop

[331] ACN News, 26-11-01
[332] International Christian Concern, 19-02-01 en CIA The World Factbook 1999
[333] CRTN, 12-02-01
[334] CRTN, 07-03-01. Zie ook: Catholic World News Briefs, 07-03-01

John Onaiyekan van Senegal, vertelt aan een journalist van PANA, dat het 'niet alleen ongrondwettelijk is om de shari'a aan Nigeria als federatie op te leggen, maar dat het zelfs ongrondwettelijk zou zijn, om de shari'a aan welke staat dan ook op te leggen, ook al zou die voor honderd procent door moslims bewoond worden'.
De aartsbisschop levert kritiek op politici, in het bijzonder op president Olusegun Obasanjo, die weinig tot niets doet om het fundamentalisme te stoppen.[335]

Lagos, 23 mei 2001
Tijdens rellen tegen het invoeren van de islamitische wetgeving, de shari'a, wordt in Gombe, in het noordoosten van Nigeria, een katholieke kerk in brand gestoken. Uit de stad Komo komen ook berichten van gewelddadigheden tegen christenen. Er zijn geen berichten van doden; wel raken er mensen gewond en worden winkels in brand gestoken.[336]

Abuja, 05 juni 2001
Woordvoerders van de christelijke gemeenschap van Borno bekritiseren in scherpe bewoordingen de invoering van de shari'a. Borno is de negende Nigeriaanse staat die de shari'a invoert. De staat Borno verklaart dat christenen niet onder de shari'a zullen vallen; toch zijn christenen daar zeer sceptisch over. Nigeriaanse katholieke bisschoppen betitelen de invoering van de shari'a herhaaldelijk als onverantwoordelijk.[337]

Lagos, 20 juni 2001
In het noorden van Nigeria lijden christenen onder de gevolgen van de shari'a, ondanks toezegging van de regering dat deze islamitische wetgeving alleen moslims zou betreffen. Bisschop Anthony Ekezia Ilonu verklaart aan Kerk in Nood dat vele christenen ten gevolge van de shari'a één of twee handen en soms zelfs hun ogen verliezen, nog voordat zij gelegenheid krijgen om aan te tonen dat zij geen moslim zijn. De bisschop vertelt dat de shari'a het dagelijkse leven van de christenen heeft veranderd. De wetgeving heeft onder andere een volledige scheiding van mannelijke en vrouwelijke burgers in publieke gebouwen tot gevolg.[338]

Juni 2001
Eind juni worden in de bondsstaat Nasarawa minstens vijftig mensen gedood. In de christelijke stad Tiv 35.000 mensen, waaronder vele gewonden, vluchten naar de zuidelijke bondsstaat Benue.[339]

[335] CRTN, 21-03-01
[336] Catholic World News, 23-05-01
[337] CRTN, 06-06-01
[338] CRTN, 21-06-01
[339] Christen in Not, 08-08-01

Abuja, 23 juni 2001
Verschillende kerken en moskeeën worden deze weken in brand gestoken, tijdens confrontaties tussen christenen en moslims in de noordelijke staten van Nigeria. Volgens regeringswoordvoerders breken er rellen uit in de stad Tafawa Balewa, als een buschauffeur in zijn bus de mannen van de vrouwen wil scheiden, met het oog op de shari'a. In de Jigawaanse stad Gwaram worden vijf kerken van christenen in brand gestoken. Dat gebeurt na de publicatie van een boek van een christen over de islam.[340]

Kaduna, 05 juli 2001
Op 30 juni 2001 is er in Kaduna een bijeenkomst van de Christian Association of Nigeria. De secretaris-generaal van deze beweging, Saidu Dogo, roept op tot meer religieuze vrijheid in het land. Meer dan dertien noordelijke staten hebben de shari'a intussen geaccepteerd, hetgeen een bedreiging is voor de christenen.[341]

Juli 2001
In de loop van de maand juni 2001 worden vijftien kerken en veertien parochiehuizen in de staat Jigawa in brand gestoken. Bij de acties raakt niemand gewond. Dit alles is een uitvloeisel van de shari'a.[342]

18 juli 2001
De gouverneur van de bondsstaat Kano, Rabiu Musa Kwankwaso, waarschuwt christenen ervoor geen onrust in de maatschappij te veroorzaken. Zijn regering zal hard optreden tegen alle groeperingen die onrust veroorzaken. In Kano is de shari'a ingevoerd.[343]

Kaduna, 03 augustus 2001
In Pambegua, in de noordoostelijke bondsstaat Kaduna, bestaat een centrum voor de opvang van islamieten die zich bekeren tot het christendom. Het gaat in feite uitsluitend om personen die afkomstig zijn van de Haussa-stam. De bekeerlingen worden door hun eigen, islamitische stamgenoten bedreigd. Na de bedreigingen volgen vaak plunderingen en lichamelijk geweld. In het centrum worden ook enkele leden van de Fulani-stam opgevangen.[344]

16 augustus 2001
Ondanks beloften van de regering dat de shari'a beperkt zou worden ingevoerd, gaan vervolging en discriminatie van christenen door. Midden juni 2001 ontvangt Kerk in Nood het bericht dat buschauffeurs van de Yankari Mass Transit passagiers

[340] CRTN, 25-06-01
[341] CRTN, 09-07-01
[342] International Christian Concern, juli 2001
[343] Stimmer der Märtyrer, 09/2001
[344] FIDES, 03-08-01

van elkaar beginnen te scheiden, vanwege de geloofsvoorschriften. In de bussen verplicht men mannen en vrouwen gescheiden te zitten: mannen vooraan, vrouwen achteraan. Ook leden van één gezin ontkomen niet aan deze tijdelijke scheiding. Op 18 juli protesteren duizend moslims bij een politie-inspecteur die de positie van christenen wil verbeteren.[345]

31 augustus 2001
Christenen in Nigeria protesteren tegen de verwoesting van kerken en kerkelijke gebouwen in het land. Verschillende kerken worden door de overheid gesloopt, onder het voorwendsel dat de grond bestemd is voor woningbouw. Moskeeën die op dezelfde manier gebouwd zijn, zouden echter worden gespaard. Volgens de christelijke organisatie NORCEF zou de regering op deze manier het ingezette islamiseringproces versterken. Zij roept op tot verzet tegen de afbraak.[346]

Jos, 10 september 2001
Ten minste zeventig mensen worden gedood tijdens gevechten tussen christenen en moslims in de Nigeriaanse stad Jos. Meer dan zestigduizend mensen vluchten naar politieposten in de hoofdstad van de staat Plateau, in het midden van het land. De gevechten breken vrijdags uit, als een christelijke vrouw langs een barricade probeert te komen die opgericht is om het verkeer te controleren rond de centrale moskee voor het vrijdaggebed. De onrusten die daarna ontstaan, nemen in hevigheid toe; zaterdag stuurt de president, Olusegun Obasanjo, het leger naar Jos om de orde te herstellen. Als dat een dag later niet gelukt is, sluiten de autoriteiten Plateau van de buitenwereld af.[347]

12 september 2001
Volgens bronnen van de World Evangelical Fellowship zijn op zijn minst 160 mensen gedood tijdens drie dagen van geweld tussen christenen en moslims in de noordelijke stad Jos.[348]

Op 12 september, een dag na de terreuracties in de VS, verschijnen moslimjongeren in de straten van Jos, onder het uitroepen van kreten als 'Allah is groot'. Het aantal doden onder christenen is sinds het begin van de gewelddadigheden opgelopen tot boven de vijfhonderd.[349]

Lagos, 17 september 2001
'Godsdienst is slechts een voorwendsel voor geweld; nieuwe regels zijn nodig voor een vreedzame samenleving'. Dat zegt aartsbisschop John Olorunfemi

[345] The Voice of the Martyrs, 16-08-01
[346] Katholiek Nieuwsblad, 31-08-01
[347] De Volkskrant, 10-09-01
[348] The Voice of the Martyrs, 12-09-01
[349] The Voice of the Martyrs, 20-09-01

Onaiyekan van Abuja, de voorzitter van de katholieke bisschoppenconferentie van Nigeria, in een reactie op de meer dan vijfhonderd doden in de stad Jos. Volgens de bisschop kunnen de redenen niet alleen gezocht worden in religieuze achtergronden; men dient ook rekening te houden met politieke, sociale en economische motieven voor het geweld. In het zuiden is in ieder geval duidelijk sprake van spanningen tussen moslims en christenen. Religie wordt gebruikt om etnische en sociale identiteit te benadrukken, aldus de bisschop.[350]

Kaduna, 08 oktober 2001
Drie christelijke kerken en verschillende winkels en restaurants van christenen, waar alcoholische dranken worden verkocht, worden door moslims onder vuur genomen. De incidenten vinden plaats in de wijk Hayin-Banki van Kaduna, waar in het verleden regelmatig incidenten tussen christenen en moslims plaatsvonden. Slechts door snel ingrijpen van christenen kunnen vijf mensen gered worden van de dood.[351]

ACN News bericht over aanvallen van moslimjongeren op drie kerken en tien winkels van christenen. Het zou gebeurd zijn in de wijk Kawo van de stad Kaduna, waar heel veel aanhangers van Osama bin Laden wonen.[352]

Vaticaanstad, 09 oktober 2001
De Nigeriaanse aartsbisschop John Onaiyekan van Abuja zegt tijdens de bisschopssynode in Rome, dat 'terrorisme tot ontbranding wordt gebracht door religieuze intolerantie'. Hij waarschuwt de aanwezigen dat terrorisme 'in landen waar de regeringen discrimineren op basis van religie, en waar de maatschappij intolerantie en fanatisme aanmoedigt', gedurende de komende jaren sterk zal toenemen.[353]

Rome, 16 oktober 2001
Confrontaties tussen moslims en christenen resulteren gedurende het afgelopen weekeinde in op zijn minst tweehonderd doden en honderden gewonden in de stad Kano. De gevechten breken uit naar aanleiding van de aanval van Amerika op Afghanistan.[354]

04 november 2001
Christenen in het noorden van Nigeria lijden zwaar onder druk van de moslim-regering. Tussen 12 en 14 oktober vinden in de noordelijke stad Kano onlusten plaats, waar tweehonderd doden vallen. Honderden christenen worden verdreven

350 FIDES, 17-09-01, zie ook : International Christian Concern, 04-10-01
351 ACN News, 08-10-01
352 CAN News, 10-10-01
353 Catholic World News, 09-10-01, zie ook: FIDES, 09-10-01
354 ACN News, 16-10-01, zie ook: KATHPRESS, 15-10-01

uit hun huizen. Moslimleiders van de noordelijke staat Kaduna hebben aangekondigd, dat in die staat de shari'a wordt ingevoerd.[355]

OEKRAÏNE

Oppervlakte: 603.7000 km²

Bevolking: 49.153.027

Religie:
Orthodox: 55%
Katholiek: 15%
Protestant: 3%
Niet-religieus: 25,5%

Etnische groeperingen:
Oekraïners, Russen, Joden[356]

In het land zijn er geen extremistische organisaties die christenen aanvallen. Scheiding van kerk en staat, uitgesproken in de grondwet van 1996 en in de Wet op Vrijheid van Geweten en Religie, laat de diverse religieuze activiteiten toe. Een amendement van 1993 op de wet van 1991, beperkt echter activiteiten van zogenaamde niet-Oekraïnse religieuze organisaties. Zulke organisaties mogen slechts activiteiten uitvoeren op 'uitnodiging van Oekraïnse organisaties ná officiële goedkeuring door regeringsautoriteiten, die het recht hebben om de status en artikelen van religieuze organisaties te registreren'. De registratie van zulke activiteiten duurt vaak vele maanden.

Vuurproef voor de oecumene Oekraïne vóór het pausbezoek[357]

Van 23 tot 27 juni zal paus Johannes-Paulus II naar de Oekraïne reizen, het op één na grootste land van Europa. Wat die pausreis oecumenisch zo brandend actueel maakt, daarover sprak het hoofd van de Oekraïns Grieks-katholieke kerk, kardinaal Lubomyr Husar, met de internationale hulporganisatie Kerk in Nood/Oostpriesterhulp. De vragen werden gesteld door Michaël Ragg, op 2 april 2001.

---

[355] The Voice of the Martyrs, Canada, 04-11-01, zie ook: Catholic World News, 05-11-01
[356] International Christian Concern, 17-04-01 en CIA The World Factbook, 2000
[357] INFO Königstein, 17-04-01

Michaël Ragg: Mijnheer de kardinaal, wat betekent het geplande bezoek van paus Johannes-Paulus II voor de Oekraïnse katholieken?

Kardinaal Lubomyr Husar: Een grote vreugde voor veel mensen. Wij hebben toch zoveel geleden wegens onze trouw, onze loyaliteit aan de Heilige Stoel. Onze gelovigen hebben veel over de paus gehoord, ze hebben in hem geloofd en nu kunnen ze hem eindelijk zien. Voor ons is het ook heel belangrijk dat de paus het woord richt tot mensen die niet tot een kerk behoren, maar toch God zoeken. De paus kan heel goed en op heel humane wijze met de mensen spreken. Wij hopen dat hij veel inwoners van de Oekraïne religieus en menselijk aanspreekt en hen misschien nieuwe hoop geeft, dat hij hen minstens opmerkzaam maakt op God en op datgene dat echt telt in het leven.

Hoeveel onkerkelijke mensen zijn er dan in de Oekraïne?

Tijdens een enquête die ongeveer twee jaar geleden werd uitgevoerd, zei ongeveer de helft van de bevolking niet tot een kerk te behoren. Dat betekent niet dat ze atheïst zijn of vijandig staan tegenover God. Wij trachten vooral door middel van de radio, ook de mensen in de oostelijke streken van de Oekraïne te bereiken. Maar natuurlijk zal de aanwezigheid van de paus en de aandacht die men aan hem zal besteden, veel belangrijker zijn dan wat wij zelf kunnen doen.

De grootste geloofsgemeenschap van de Oekraïne, de Russisch-orthodoxe kerk, protesteert voortdurend tegen het pausbezoek. Wat is uw mening over dit conflict?

Ik geloof dat men er niet te veel belang aan mag hechten. Wij weten niet precies wat de gelovigen van de Russisch-orthodoxe kerk daarover denken. We hebben alleen uitspraken van bisschoppen, wij hebben hun kerkelijke documenten. Ik weet echter niet hoe trouw het volk aan zijn bisschoppen is. Enkele broederschappen stellen zich natuurlijk zeer agressief op, maar dat zijn zeer kleine groepen in de grote orthodoxe kerk.

Schuilt er achter het verzet van de Russisch-orthodoxe kerkleiding tegen het pausbezoek angst voor het effect dat de paus zal hebben op de eenvoudige gelovigen?

Dat denk ik wel, ja.

De christelijke kerken maken al eeuwenlang ruzie in de Oekraïne. Hoe kan men zo tot een oecumenisch bewustzijn komen?

De geestelijken moeten stoppen met de mensen op te jutten. Wanneer men daarmee stopt, zullen de mensen niet echt vijandig tegenover elkaar staan, geloof ik.

De bezwaren van de orthodoxie gelden ook uw Oekraïns Grieks-katholieke kerk (UGKK). Sedert 1946 was ze onder dwang verenigd met de Russisch-orthodoxe kerk. Als zelfstandige kerk was ze verboden en ze werd gruwelijk vervolgd. Sedert ze in 1989 opnieuw werd toegelaten door Gorbatsjov, kende ze een razendsnelle groei. In haar vroeger kerngebied, Galicië, is de UGKK ondertussen veel sterker dan de orthodoxie, die zich daarover bitter beklaagt en uw succes in West-Oekraïne beschouwt als een obstakel voor vorderingen inzake de oecumene met Rome. Wat schuilt er volgens u achter die bezwaren?

De Russisch-orthodoxe kerk is beledigd, omdat ze in de jaren 1989 tot 1991 meer dan duizend gemeenten heeft verloren. Ze zegt altijd dat ze met geweld van meer dan duizend parochies werd beroofd. Hoewel veel mensen op zon- en feestdagen altijd naar de toegelaten orthodoxe kerk zijn gegaan, bleven ze in hun hart toch katholiek. Zodra ze de gelegenheid kregen, hebben ze zich openlijk weer tot hun eigen kerk bekend. In enkele gemeenten is het echt tot botsingen gekomen. Men vocht om het kerkgebouw of men heeft de priester echt verdrongen. Maar dat gebeurde slechts in een zeer klein aantal gevallen en het is al tien jaar geleden. De wonde is echter gebleven.

Hoe ziet het er omgekeerd uit, wanneer uw Grieks-katholieke kerk parochies wil vormen in Centraal- of Oost-Oekraïne? Kunt u daar vrij werken of wordt u door de staat gehinderd?

Over het algemeen kunnen we ons vrij bewegen. Er zijn echter gevallen geweest, en die zijn er nu nog, waarin de wereldlijke overheid ons niet vriendelijk gezind was en geen nieuwe gemeente wilde laten vormen. Maar dat zijn geïsoleerde gevallen. Over het algemeen is de toestand niet slecht.

We hebben het nu nog maar alleen over de Russisch-orthodoxe kerk gehad. Daarnaast bestaan er in de Oekraïne nog twee andere orthodoxe kerken, die van Moskou afhankelijk zijn. De grootste daarvan, de Oekraïns-orthodoxe kerk van het patriarchaat van Kiev, heeft zich ten gunste van het pausbezoek uitgesproken. Vanwaar die splitsing in de orthodoxie?

Die splitsing ontstond in het begin van de jaren negentig. Ze heeft een politieke en een persoonlijke achtergrond. Ik geloof dat de diepste reden schuilt in de menselijke zwakheid, waardoor men meer denkt aan de uiterlijke politieke en emotionele problemen, dan aan wat echt goed is voor de kerk. Natuurlijk moeten veel mensen veranderen om tot een echte samenwerking en misschien zelfs opnieuw tot eenheid te komen.

In mei zal het erehoofd van de wereldorthodoxie, patriarch Bartholomaios I van Constantinopel naar de Oekraïne komen. Wat verwacht u van dat bezoek?

Hij moet eerst nog komen. Men heeft al bedenkingen gemaakt en betwijfelt of hij wel zal komen. Zijn komst moet de twee kerken die niet met het patriarchaat van Moskou verbonden zijn, de autocefalie, kerkrechtelijke erkenning geven. Natuurlijk zou dat zeer goed zijn, maar jammer genoeg zal het ook leiden tot een botsing met het patriarchaat van Moskou, die veel pijn zal veroorzaken.

Prelaat Iwan Dacko, die bevoegd is voor de externe betrekkingen van uw kerk, heeft gezegd dat hij de orthodoxe kerken van de Oekraïne ziet samengaan met de Oekraïnse katholieken, in een soort patriarchaat van Kiev. Kan men zich voorstellen dat er een kerk bestaat die tegelijkertijd door Rome en door Constantinopel wordt erkend?

Persoonlijk ben ik daar niet van overtuigd. Ik geloof dat men wel door velen kan worden erkend, maar men kan niet tegenover velen loyaal zijn. Van het patriarchaat van Constantinopel is onze traditie gekomen. Maar wij zijn natuurlijk katholiek. Wij erkennen de paus als centrum, als de opvolger van de Heilige Petrus. Een vereniging zouden wij natuurlijk ten zeerste verwelkomen. Wij zullen onszelf als katholieken niet opdringen, want de orthodoxen zijn talrijker dan wij. Het enige wat wij bedingen is, dat het verenigde patriarchaat in de Oekraïne met de Heilige Stoel in gemeenschap, in communio leeft.
En dat valt de eerstkomende decennia niet te verwachten...
De ondergang van de Sovjetunie kwam ook onverwacht. Menselijk gezien hebt u gelijk. Maar niets is louter menselijk.

Vindt u het in verband met de spanningen waarover wij spreken, verstandig dat de paus komt? Kan zo'n bezoek de verhouding tussen de katholieken en de orthodoxen niet voor lange tijd verstoren?

Ik geloof dat de toestand niet zo gespannen is als men zou denken. Het standpunt van de Russisch-orthodoxe hiërarchie is duidelijk. Ze is tegen het pausbezoek. Maar ik ben er niet zeker van of het volk ook tegen is. Uit enquêtes, waarvan men niet weet wat ze waard zijn, blijkt dat de mensen op zijn minst nieuwsgierig zijn om de paus te zien. Ik geloof dat de toestand niet zo eenduidig is als hij in het westen wordt afgeschilderd.

Verwacht u bijzondere gebaren van de paus tegenover de orthodoxie?

Dat zou heel mooi zijn en het zou de weg een beetje effenen. De paus noch wij willen de toestand doen verslechteren. Integendeel. Wij zouden graag hebben dat er uit dit bezoek, zoals in veel andere landen, iets goeds tevoorschijn komt.

Bisschop Lubomyr Husar
Beknopte biografie

Bisschop Lubomyr Husar wordt op 26 februari 1933 geboren in Lviv. Nadat zijn familie uit de Oekraïne verdreven is, verblijft Husar in Oostenrijk, tot hij in 1949 naar de Verenigde Staten emigreert.

In 1954 behaalt Husar zijn baccalaureaat in de wijsbegeerte aan het Sint-Basiliuscollege. Daarna studeert hij theologie aan de Catholic University of America. In 1958 wordt Husar licentiaat aan het Sint-Josafatseminarie en wordt hij tot priester gewijd in het bisdom Stamford.

Van 1958 tot 1969 werkt Husar als leraar en prefect aan het Sint-Basiliusseminarie. Vanaf 1965 is hij pastoor in Kerhonkson. Tegelijk zet hij zijn studies in de wijsbegeerte voort aan de Fordham University te New York. In 1967 wordt Husar magister in de wijsbegeerte.

Husar promoveert in 1972 en treedt in in het Sint-Theodorusklooster te Grottaferrata. In 1978 stelt kardinaal Josyf Slipyj hem aan tot archimandriet van zijn orde voor Europa en Amerika.

Van 1973 tot 1984 heeft Husar een leeropdracht aan de pauselijke Urbania-universiteit in Rome. In 1977 wordt Husar tot bisschop gewijd.

Van 1984 tot 1991 is Husar vicaris-generaal van de Lvivse aartsparochie in ballingschap te Rome. In 1994 keert hij naar de Oekraïne terug. Een jaar later wordt hij exarch van Kiev-Vyshorod. In 1996 wordt Husar hulpbisschop van kardinaal Lubachivskyj, het hoofd van de Oekraïns Grieks-orthodoxe kerk in Lviv/West-Oekraïne. Na diens overlijden kiest de synode van de Oekraïns katholieke kerk Husar op 25 januari 2001, met toestemming van het Vaticaan, tot grootaartsbisschop van Lviv en daarmee tot hoofd van de Oekraïns katholieke kerk. Tijdens het consistorie van 21 februari verheft paus Johannes-Paulus II hem tot kardinaal.

Lubomyr Husar staat bekend om zijn belangstelling voor de oecumene. In zijn aanstelling tot kardinaal zien waarnemers dan ook een signaal in de ruzie tussen de Oekraïns-katholieke en de orthodoxe kerk in de Oekraïne.

Kiev, 07 juni 2001
Enkele honderden orthodoxe priesters van het Moskouse patriarchaat, demonstreren in Kiev op 7 juni tegen het bezoek van de paus aan de Oekraïne tussen 23 en 27 juni. Waarnemers vergelijken de demonstraties met die in Athene, toen de paus die stad zou bezoeken. De orthodoxe priesters beschuldigen Rome van 'het stelen van gelovigen en van kerkelijke eigendommen'.

Vaticaanstad, 11 juni 2001
De Russisch-orthodoxe patriarch, Aleksei II, herhaalt zijn bezwaren tegen het bezoek van de paus aan de Oekraïne. In een interview met het Italiaanse blad Il Messaggero zegt de patriarch, dat het bezoek van de paus aan de Oekraïne 'niet welkom' is. Hij heeft bezwaren tegen het katholieke proselitisme. Als de patriarch aan de verzoenende woorden van de paus in Athene wordt herinnerd, zegt hij dat 'daden belangrijker zijn dan woorden'. De patriarch wijst op het feit dat de katholieke kerk tot nu toe niet ingegaan is op oecumenische toenaderingen. 'Wij betreuren het dat voorgaande overeenkomsten puur papier bleken te zijn', aldus de patriarch. Hij herhaalt vervolgens dat de katholieke kerk onder druk en met geweld parochie-eigendommen van de Oekraïns orthodoxe kerk heeft afgenomen.[358]

[358] CWNews, 11-06-01

OEZBEKISTAN

Oppervlakte: 447.000 km²
Bevolking: 24.300.000
Religie: Moslim: 68,2% Christen: 1,5% De rest atheïsten
Etnische groeperingen: Uzbeken: 71% Russen: 5% Tajiks: 4% Kazkhs: 3% Tataren: 2% Karakalpaks: 6%[359]

Officieel heeft Oezbekistan een seculiere grondwet. Vrijheid van religie is gegarandeerd. Anderzijds laat de regering echter geen enkele vorm van onafhankelijke religie toe. Alle belangrijke religieuze leiders staan onder staatscontrole. De islam wordt als de traditionele religie beschouwd.

Een christelijke geestelijke loopt de kans om tot acht jaar gevangenis veroordeeld te worden, omdat hij leider is van een niet-geregistreerde christelijke kerk. De protestante geestelijke, Nikolai Shevchenko en negen leden van zijn kerk, worden ondervraagd op 24 juni 2001. De kerk heeft herhaaldelijk vergeefs geprobeerd om zich te laten registreren.[360]

27 maart 2001
Regeringsautoriteiten verbieden het optreden van een muziekgroep tijdens een concert in een kerk. Keston Institute bericht dat het hier gaat om een staatsschool, waarvan de leerlingen in het verleden vaker in Tasjkent in een kerk optraden. Volgens de nieuwste regels mogen staatsinstellingen helemaal geen contacten met religieuze instellingen hebben. Ook is het religieuze organisaties verboden sociale instellingen op te richten. Religieuze literatuur mag in het openbaar niet aangeboden worden. Religieuze groeperingen mogen verder geen toegang meer tot de staatsmedia hebben.[361]

[359] Open Doors International: Country Porfiles.
[360] International Christian Concern, juli 2001
[361] HMK-Kurir, juli 2001

PAKISTAN

Oppervlakte: 803.940 km^2
Bevolking: 138.123.359
Religie: Moslim: 77% Sunnieten en 20% Shiieten Hindoe: 1,5% Christen: 1,7%
Etnische groeperingen: Punjabi, Sindhi, Pashtun, Baloch[362]

De groei van de christelijke kerken wordt geschat op 3,9% per jaar. Er zijn naar schatting 736 missionarissen in Pakistan werkzaam. Er zijn diverse extremistische moslimgroeperingen actief in het land. De bekendste zijn: Jamaat-e-islami, Tanzeem Ilhwane-e-Pakistan, Sipah-I-Sahabah en Lashkar-e-Taiba.

In de grondwet wordt de islam als staatsreligie betiteld. Leden van religieuze minderheidsgroeperingen mogen het ambt van president of minister-president niet bekleden. Het kiesstelsel is een soort apartheidssysteem: men mag slechts stemmen op kandidaten van de eigen religie. Gevolg daarvan is dat religieuze minderheden ondervertegenwoordigd zijn.

Evangelisatie is niet illegaal, maar mag niet worden uitgevoerd onder moslims. Alle inwoners van Pakistan vallen onder de shari'a, die reeds in 1991 is ingevoerd. Getuigenissen van christelijke mannen aan een gerechtshof zijn de helft waard van die van moslims; van christelijke vrouwen slechts een kwart.[363]

10 januari 2001
Vele christenen worden gearresteerd na vreedzame demonstraties. De demonstraties worden georganiseerd door de All Faiths Spiritual Movement, met de bedoeling de regering te bewegen de zogenoemde Wet tegen Godslastering buiten werking te stellen. Op basis van deze wet worden veel christenen vervolgd.[364]

[362] International Christian Concern, 19-02-01 en CIA The World Factbook 1999
[363] Christian Persecution in Pakistan, International Christian Concern.
[364] The Voice of the Martyrs, 09-02-01

11 januari 2001
Lokale moslimleiders beklagen zich over een groep van acht christenen, die religieuze literatuur verspreidt in de noordelijke provincie Sindh. Gevolg: arrestatie van enkele christenen.[365]

Amsterdam, 22 januari 2001
Een prominent katholiek priester roept in Pakistan alle christenen op, een campagne te starten om de zeer strenge Wet op de Godslastering in Pakistan af te schaffen. Priester Arnold Heredia van het aartsbisdom Karachi, wordt door de politie voor een week opgepakt als hij tegen deze wetgeving protesteert. Op het beledigen van de islam staan in Pakistan strenge straffen, zoals de doodstraf. In de afgelopen jaren hebben christenen en andere geloofsgemeenschappen vaak geklaagd dat deze wet misbruikt wordt door fundamentalisten.[366]

25 januari 2001
Een hooggerechtshof in Pakistan spreekt vandaag drie christenen vrij, die waren beschuldigd van godslastering. Hierop staat in Pakistan de doodstraf. Hussain Masih, zijn zoon Isaac Masih en Iqbal Sahar Ghouri waren aangeklaagd door hun buurman Ijaz Ahmed, die zich eraan ergerde dat zijn kinderen christelijke liederen en gebeden leerden van de aangeklaagden. Op 25 november 2000 bracht Ahmed honderden islamitische geestelijke leiders op de been, om de plaatselijke politie onder druk te zetten.[367]

30 januari 2001
'Christenen in Pakistan zijn bang voor een genocide, maar blijven toch in het land', aldus de verklaring van Cecil Chaunhry (58). Chaunhry is hoofd van de Saint Anthony's High School Lahore en leider van het Christian Liberation Front, een organisatie van katholieken en protestanten. 'I expect it will be worse than what the Jews suffered under Nazi Germany'.[368]

08 februari 2001
Een groep Pakistaanse christenen wordt gearresteerd na het vertonen van een film over het leven van Jezus. Onder de gearresteerden bevinden zich Yousef Masin (geestelijke), Khalid Masih, Nasir Masih, Mushtaq Ghori, de priester Samuel, Shahid Masih, de priester Benjamin en de priester Waris Sohail.[369]

[365] International Christian Concern, 19-02-01
[366] Trouw, 22-01-01, zie ook: CRTN, 19-01-01
[367] Open Doors, mei 2001
[368] FIDES, 'Ik verwacht dat het voor de christenen erger zal worden dan het destijds geweest is voor de joden onder het naziregime'. 30-01-01
[369] The Voice of the Martyrs, 09-02-01. Zie ook: CRTN, 02-02-01. Zie ook: Christian Solidarity Worldwide, 26-01-01

11 februari 2001
In de nacht van 11 februari dringen Maqsood Ahmed en verschillende andere militante moslims het huis binnen van het veertienjarige christenmeisje Naira Nadia. Zij woont in Mariam-a-bad, in de provincie Shiekhupura. Zij wordt mishandeld en verkracht. Haar familie probeert vergeefs de politie in te schakelen. Korte tijd later ontvangt de familie van Naira een certificaat, waaruit blijkt dat zij intussen overgestapt is naar de islam. Weer later een nieuw certificaat: zij is getrouwd met een veertig jaar oude moslim.[370]

Maart 2001
Zahur Ul Haq (40) uit Sohawa, in de provincie Pandshab, wordt begin maart 2001 ter dood veroordeeld wegens vermeende blasfemische uitspraken.[371]

Islamabad, 12 maart 2001
Christenen in Pakistan gaan door met het boycotten van de lokale verkiezingen, nadat in december 2000 ook de parlementaire verkiezingen geboycot zijn. Volgens de kieswet van 1979, kunnen christenen alleen stemmen op christenen. In een gezamenlijke verklaring van de Pakistaanse katholieke bisschoppenconferentie, de nationale commissie van Iustitia et Pax en een convenant van christelijke organisaties voor sociale actie in Pakistan, kondigt men een boycot aan van de lokale verkiezingen, omdat deze 'onethisch, onconstitutioneel en niet logisch' zijn. Christenen vragen ook om de afschaffing van de Blasfemiewet.[372]

15 maart 2001
Naira Nadia praat op school met een vriendin over haar christelijk geloof. In de nacht van 11 op 12 februari wordt zij vervolgens ontvoerd door de vader van de vriendin en enkele gewapende mannen. Naira wordt verkracht en mishandeld. De dag daarop wordt zij gedwongen zich te bekeren tot de islam. Volgens de Pakistaanse wet kan een minderjarige zo'n besluit niet nemen. De ouders van Naira doen aangifte bij de politie, na ontvangst van de oorkonde waarin staat dat hun dochter islamitisch is geworden. De politie weigert aanvankelijk de aanklacht in behandeling te nemen. Zij doet dat pas na ingrijpen van de Pakistaanse mensenrechtenorganisatie CLF.[373]

[370] Faces of Persecution in Pakistan, International Christian Concern.
[371] HMK-Kurir, 05/2001
[372] Catholic World News Briefs, 12-03-01
[373] The Voice of The Martyrs, 15-03-01. Gedurende 2000 zijn acht gevallen van verkrachting van christelijke meisjes in Pakistan bekend. Zie verder: Catholic World News Briefs, 13-03-01. Tevens persberichten van de Amerikaanse International Christian Concern. Ten slotte: CRTN, 14-03-01. Zie: The Voice of the Martyrs Canadian Website, 20-03-01

29 maart 2001
Het Pakistaanse meisje Naira Nadia, dat ontvoerd is na contacten met moslimvriendinnen, is nog steeds spoorloos.[374]

30 maart 2001
Twee Pakistaanse christenen, Jhang Amjad en Asif Masih, worden tot levenslang veroordeeld op basis van de Blasfemiewet. Door de rechter worden zij ervan beschuldigd de koran verbrand te hebben. The Voice of the Martyrs heeft echter uit betrouwbare bronnen vernomen, dat zij alleen om het feit dat zij christenen zijn, veroordeeld werden.[375]

05 april 2001
Een christelijk meisje, Nadia Klaimason, is recentelijk gekidnapt en gedwongen om zich te bekeren tot de islam. Het gebeuren vindt plaats in Mariamabad, in het district Sheikupura, in de provincie Punjab. Zij is vijftien en de man die verantwoordelijk is voor haar ontvoering, is Maqsood Nawab Sheikh. Hij leent geld aan de familie van het meisje en wint daardoor hun vertrouwen. Op 11 februari 2001 wordt Nadia door Maqsood meegenomen naar een Maulvi, een islamitische geestelijke. Die dwingt haar om zich te bekeren tot de islam. Zij tekent onder dwang een document, waarin staat dat zij slecht behandeld is door haar ouders en daarom samen wil leven met haar moslimechtgenoot.

Als Nadia niet terugkeert, gaat haar familie haar zoeken. Op hun zoektocht vertellen getuigen hen dat Nadia in gezelschap is gezien van zeven mensen; zes mannen en een vrouw. Vijf van hen zijn geïdentificeerd als: Maqsood Nawab Sheikh, Khurshid Bibi, Mohammed Arshad, Nasir Nawab Shkeikh en Papu Nawab Shkeikh. De familie van Nadia doet aangifte bij de politie op 15 februari. De oom van Maqsood, Malik Sheikh, wordt vervolgens gearresteerd, maar even zo snel weer vrijgelaten. Ook de moeder van Mohammed Arshad wordt gearresteerd; ook zij is weer snel op vrije voeten. Ondanks zware druk op de autoriteiten, is men er nog steeds niet in geslaagd om Nadia met haar familie te herenigen.[376]

---

[374] The Voice of the Martyrs, 29-03-01
[375] The Voice of the Martyrs, 30-03-01
[376] Press Release, 05-04-01 van Jubilee Campaign. 'Kidnap and Forced Conversion of Nadia Klaimason - Pakistan'.

April 2001
Het hoofd van een christelijke school in het district Sialkot is beschuldigd van blasfemie jegens Mohammed. De Blasfemiewet wordt zeer frequent tegen christenen gebruikt in discussies met islamieten. De onderwijzer, Pervaz Masih, wordt op 1 april gearresteerd op basis van deze wet, sectie 295C. Hij wordt nog steeds gevangen gehouden in afwachting van berechting.[377]

Lahore, 26 juli 2001
Het hoge hof van Lahore in Pakistan, onder leiding van de rechters Khawaja Sharif en Naeem Ullah Khan Sharwani, bevestigt de doodstraf van Ayub Masih wegens blasfemie, op basis van wet 295C. Ayub Masih is op 14 oktober 1996 gearresteerd wegens onacceptabele opmerkingen over de profeet Mohammed. Op 27 april 1998 is hij wegens blasfemie ter dood veroordeeld. Sindsdien zijn er ook twee aanslagen op hem uitgevoerd, met de intentie hem te doden.[378]

Zowel Amnesty International als FIDES bevestigen dat op 25 juli het hoger beroep van Ayub Masih door het Multan Bench Lahore High Court is verworpen.

Op 20 juni 2001 zegt de president van Pakistan, generaal Musharraf, dat de Blasfemiewet hervormd zou moeten worden, om zo de status van de religieuze minderheden in het land te verbeteren.[379]

06-09-2001
The Voice of the Martyrs ontvangt het bericht over Sheraz, een 23-jarige christen uit een dorp in de buurt van Lahore. Hij behoort tot een christelijke familie, en heeft drie zusters die op een school in het dorp studeren. Sheraz werkt in een plaatselijke fabriek om zo voor zijn ouders en drie zusters te kunnen zorgen. Hij studeert zelf ook op een Bijbel College en evangeliseert onder moslims.
Op 2 augustus 2001 gaat hij naar zijn werk maar is nooit meer aangekomen. De volgende dag hebben mensen vanuit zijn kerk contact opgenomen met het bedrijf waar hij werkt: toen heeft men vernomen dat hij onderweg in discussie is geraakt met extremistische moslims. Men vreest dat deze groepering Sheraz heeft ontvoerd.
Op 9 augustus werd het lichaam van Sheraz ontdekt in een put tegenover zijn kerk. Op zijn lichaam was een brief gevonden met de tekst 'Stop met preken onder moslims'.[380]

[377] The Voice of the Martyrs, 12-04-01. Zie ook: Catholic World News, 06-08-01
[378] The Voice of the Martyrs, Canada, 01-08-01
[379] FIDES, 06-08-01
[380] The Voice of the Martyrs, 06-09-2001.

Peshawar, 19 september 2001
Een van de gevolgen van de terroristische aanslagen in de Verenigde Staten en de dreigende reactie van de VS op geweld door moslimfundamentalisten, is de toename van haat tegen christenen in Pakistan, aldus De Volkskrant in een artikel.[381]

28 september 2001
Pakistaanse extremisten dreigen met aanslagen op kerken, mocht de regering in Islamabad besluiten de VS te helpen in hun strijd tegen het terrorisme. 'Islamitische fundamentalisten hebben de regering meegedeeld, dat ze christelijke kerken en gebouwen zullen vernietigen, indien Pakistan de VS vliegvelden of grond aanbiedt in de strijd tegen de Taliban', aldus directeur Khalid Rashid Asi van het Bureau voor Mensenrechten van de katholieke kerk in Pakistan. De extremisten gaan ervan uit dat de christenen in Pakistan financieel worden ondersteund door de VS.[382]

27 september 2001
Steeds meer berichten wijzen erop dat, ten gevolge van de dreigende Amerikaanse aanvallen op Afghanistan, in Pakistan christenen gemolesteerd worden. Pakistaanse moslims beschrijven de oorlog tegen terroristen als een oorlog tegen de islam. Daarom voeren zij een heilige oorlog, een jihad, tegen de VS en het westen. Rapporten berichten dat op 20 september diverse christenen worden geslagen, hun huizen platgebrand. Tijdens de vrijdaggebeden roept de mullah in Rawalpindi op om voor elke moslim die in Afghanistan zou sterven, twee christenen te doden.[383]

04 oktober 2001
Pervez Masih, de schoolmeester die beschuldigd wordt van blasfemie jegens de profeet Mohammed, zal op 8 oktober voor het hof verschijnen. Sinds zijn arrestatie op 1 april 2001, is hij herhaaldelijk gefolterd en is hij opgesloten in een cel in Sialkot. Zijn cel heeft een grootte van 1,8 bij 1,2 meter en de temperatuur is er dagelijks vijftig graden Celsius. Hij krijgt geen toestemming om zijn cel te verlaten voor een wandeling. Hij mag een keer per week bezocht worden. Hij slaapt op de grond naast zijn toilet. In mei vertelt hij zijn bezoekers, dat de politie hem wil dwingen zich tot de islam te bekeren.[384]

---

[381] De Volkskrant, 19-09-01
[382] Katholiek Nieuwsblad, 28-09-01
[383] The Voice of the Martyrs, 27-09-01, zie ook: FIDES, 22-09-01
[384] The Voice of the Martyrs, 04-10-01

09 oktober 2001
In de stad Karachi gaat het bericht: 'Voor elke gedode Afghaan gaan wij twee christenen doden'. In een stad als Lahore ondervinden christenen nog enige bescherming; op het platteland zijn zij echter volledig onbeschermd.[385]

Behawalpur, 29 oktober 2001
Zestien mensen worden zondagochtend gedood, als gewapende mannen het vuur openen op de katholieke kerk. De vier onbekende mannen nemen de St. Dominic's Church in Behawalpur onder vuur. Volgens bisschop Andrew Francis van Multan, is de St. Dominic's Church ook beschikbaar voor andere erediensten dan de katholieke. De aanval wordt niet geclaimd door een speciale groepering; de politie meent echter dat dit het werk is van een extremistische moslim-groepering.[386]
Volgens De Volkskrant, die een groot artikel wijdt aan dit gebeuren, is dit gebied berucht om het 'sektarische geweld tussen sunnitische en sji'itische moslims'. De afgelopen jaren zijn honderden doden gevallen. 'Dit is echter de eerste keer dat een katholieke kerk wordt aangevallen'.[387]
'Er is hier nog niets gebeurd, maar voor de zekerheid houden wij ons koest; we praten niet over politiek en al helemaal niet over religie', aldus een van de christenen. 'De extremisten denken dat het een oorlog is van de christenen tegen de moslims en dat wij bij Amerika horen. Terwijl ik gewoon een Pakistaan ben - net als zij'.[388]

30 oktober 2001
De bisschop van Multan, waartoe Behawalpur behoort, schrijft ons een brief die gedateerd is op 28 oktober 2001 en waarin hij het volgende vertelt:

Dear Kirche in Not,

Subject: Please pray for us in this hour of great tragedy in the diocese of Multan. St. Dominic Catholic Church is about hundred kilometres southwest from the city of Multan. This church is available for worship of the other denominations too. This morning on the 28th of October 2001 the people of Church of Pakistan

---

[385] Stimme der Märtyrer, 11/2001
[386] CAN News, 29-10-01
[387] De Volkskrant, 29-10-01
[388] The Voice of the Martyrs, 28-10-01, doet in een artikel verslag van de moordpartijen. Volgens dit artikel voelde de kerkgemeenschap zich reeds eerder bedreigd. Vijf dagen voor de aanslag heeft de kerkleiding bij de Deputy Inspector General Police om bescherming gevraagd. Maar niemand merkte dat op.
De St. Dominics' Church werd gebouwd in 1961. Tot de parochie behoren ook twee katholieke scholen: één voor jongens en één voor meisjes. Generaal-majoor Tahir Ali Qureshi van Bahawalpur, die de plek bezocht, verzekert de christelijke gemeenschap alles te zullen doen om de schuldigen te vinden en te straffen.

(Protestant) were gathered together for the Sunday worship.
At the end of the service at about 8:30 a.m. six terrosists came on motorbikes and rushed into the church and opened fire on the praying congregation. Sixteen people have died on the spot (confirmed) this included women and children. Several other are wounded lying in the hospital.
Since the September 11th 2001 i have been negotiating with the Muslim clergy for peace and reconciliation but today's tragedy has left me and my community in a great shock and sadness.
Please pray for us.

Sincerely in Christ,

+ Andrew Francis, Bishop of Multan.[389]

Lahore, 30 oktober 2001
Sinds de aanslagen op de katholieke kerk in Bahawalpur, neemt de angst onder katholieken toe. De agressie wordt door verscheidene religieuze groeperingen veroordeeld. Minister president Musharraf noemt het een 'daad van terorisme'.[390]

Königstein, 02 november 2001
Na de tragische aanvallen op de St. Dominic's Church in Bahalwalpur, wordt de situatie van de christenen in Pakistan steeds moeilijker. Al te vaak worden christenen gelijkgesteld aan 'de westerse wereld'. Vaak worden zij daarom verantwoordelijk gehouden voor wat er in Afghanistan gebeurt.[391]

Quetta, 08 november 2001
In de Pakistaanse stad Quetta is een katholieke gelovige door onbekende daders doodgeschoten. Volgens het bericht van UCA News wordt Minamen Bashir door zestien kogels getroffen. Hij werkt als enige christen op de luchthaven van Quetta. Het enige aanknopingspunt voor zijn dood, zou kunnen zijn dat ook hij afkomstig is uit de katholieke gemeenschap van Bahawalpur, waar in oktober zestien mensen gedood zijn.[392]

389 Brief in bezit van de samensteller van dit boek. Adres bisdom: Bishop's House, 63 Aurangzeb Road, P.O. Box 133, Multan, Cantt. Pakistan. Zie ook: De Volkskrant, 30-10-01
390 FIDES, 30-10-01, zie ook: Catholic World News, 28-10-01
391 Info-Sekretariat, 02-11-01
392 KNA, 08-11-01

Document inzake de positie van christenen in Pakistan

T.a.v.: Hoofd Afdeling Communicatie, Vaticaanstad
Yuill@caritas.va
Lynn Yuill, Hoofd Afdeling Communicatie
Zelenka@caritas.va
Karel Zelenka

Bloedbad in Bahawalpur
Van de contactpersoon van CARITAS

Pakistan, 29 oktober 2001
Religieuze en politieke partijen hebben de aanval die op zondag 28 oktober tijdens de mis werd uitgevoerd op de katholieke congregatie in de St. Dominicus-kerk in Bahawalpur, in de Pakistaanse provincie Punjab, veroordeeld. Zeventien christenen lieten daarbij het leven, waaronder de priester en twaalf leden van één familie. Een islamitische politieman, die was aangesteld om de kerk te bewaken, werd ook gedood.

Ooggetuigen zagen dat schutters eerst de bewaker doodschoten. Vervolgens drongen drie handlangers de kerk binnen en sloten deze van binnenuit af, zodat de gelovigen niet konden ontsnappen aan de willekeurige en koelbloedige moordaanslag, waardoor vooral vrouwen en kinderen werden getroffen. Twee gewapende mannen bleven buiten de kerk staan om ervoor te zorgen dat de moordenaars niet gestoord zouden worden bij de slachting.

Directeur Ayub Sajid van de diocese Multan, onderdeel van Caritas Pakistan, stelde secretaris Javaid William op de hoogte, die onmiddellijk contact opnam met de nationale directeur van Caritas, bisschop Joseph Coutts, en met de bisschop van Multan, bisschop Andrew Francis. Javaid William putte zich uit in toezeggingen van solidariteit, en zegde onmiddellijk elke mogelijke vorm van steun toe die nodig was om de christelijke gemeenschap van Multan medeleven te betuigen. Ook zijn er solidariteitscoalities van Pakistaanse christenen opgericht, die bij de overheid meer veiligheid hebben geëist voor alle christenen en minderheden in het land. De commissie voor vrede en gerechtigheid van de CBCP, de Conferentie van Katholieke Bisschoppen van Pakistan, heeft een verklaring afgelegd waarin de christenen van Pakistan worden opgeroepen om rustig te blijven en zich te beheersen.

Naar verluidt hebben Amerikaanse priesters de veertig jaar oude St. Dominicus-kerk in Bahawalpur geleid. Woordvoerders van de kerk hebben verslaggevers van Pakistaanse kranten laten weten, dat alle Amerikaanse staatsburgers die betrekkingen onderhielden met de parochie, Pakistan verlaten hebben na de terroristische aanslagen in de Verenigde Staten van 11 september.

Het bloedbad in Bahawalpur is echter niet de eerste aanval op christenen in Pakistan na de gebeurtenissen van 11 september. Op 7 oktober 2001, samenvallend met het begin van de Amerikaanse bombardementen op Afghanistan, meldde dominee Father Maxi in Quetta aan Caritas Pakistan, dat een heel dorp, waar tachtig christelijke gezinnen woonden, was aangevallen door islamitische maffia. Ten gevolge hiervan bivakkeerde de christelijke gemeenschap ongeveer een week lang op het terrein van de kerk, onder zware militaire en politiebewaking, voordat ze konden terugkeren naar hun huizen. Tijdens deze week was het plaatselijke Caritaspersoneel niet in staat om contact op te nemen met Father Maxi, en ze konden hem niet bereiken vanwege de militaire barricades rond het terrein van de kerk.

De militaire regering van Generaal Pervez Musharraf is altijd gewezen op dreigende aanvallen op christenen sinds het begin van de Amerikaanse aanvallen op Afghanistan, vooral met het oog op kleinerende en vooringenomen acties die in het westen tegen moslims worden ondernomen sinds de gebeurtenissen van 11 september. De slachting van christenen in Bahawalpur wordt eveneens in verband gebracht met het harteloze bombarderen van Afghanistan door de Verenigde Staten, en het bloedbad wordt gezien als een directe poging om de zinloosheid aan te tonen van het doden van weerloze Afghaanse burgers, vooral vrouwen en kinderen.

In de column van de krant The News van 29 oktober staat dat 'extremisten en radicalen niet op zullen geven zonder een smerige truc te gebruiken, om de volgens hen zinloze doden in Afghanistan te wreken'. Volgens de krant valt de slachting 'in dezelfde categorie van irrationele massamoorden in Afghanistan, waarvan de Verenigde Staten en het westen beschuldigd worden'.

Sommige christelijke en islamitische religieuze groeperingen, en ook de regering, wijzen de Indiase geheime dienst, de RAW (Research and Analysis Wing - afdeling onderzoek en analyse), aan als schuldige. Deze theorie insinueert dat India, Pakistan's aartsvijand sinds 54 jaar, expres probeert om negatieve publiciteit te creëren, die schadelijk is voor minderheden in Pakistan, vooral voor wat betreft de internationale aandacht die hier de laatste tijd wordt besteed aan een onderlinge harmonieuze relatie tussen verschillende religies.

Voor bisschop Andrew Francis, bisschop van de diocese Multan, komt dit incident als een harde klap, aangezien hij jarenlang de sociale harmonie tussen religies onderling heeft gepromoot in uithoeken van Pakistan, waar de christelijke bevolking geconcentreerd is - en dan vooral onder de armen van steden en het platteland. Hij heeft relaties tot stand gebracht die gebaseerd zijn op wederzijds vertrouwen en begrip voor andere religieuze leiders en heeft een interreligieuze dialoog op gang gebracht in gemeenschappen waar moslims en christenen naast elkaar leven. Vooral het vermelden waard, is het feit dat bisschop Francis een groot aandeel had in het leiden van acceptatie-initiatieven tussen religieuze leiders en gemeenschappen, onmiddellijk nadat boze islamitische maffialeden het christelijke dorp Shanti Nagar in Khanewal met de grond gelijk maakten in 1997.

Bahawalpur en Shanti Nagar maken beide deel uit van de Multan diocese, waar zich de grootste concentraties van christenen bevinden. Pakistaanse christenen vertegenwoordigen twee procent van het totale bevolking van ongeveer 140 miljoen inwoners. Volgens de wet hebben christenen en minderheden geen stemrecht bij nationale verkiezingen. Zij moeten hun stem uitbrengen in aparte verkiezingen, zodat zij voor wat betreft de deelname aan de nationale politiek aan de zijlijn staan. Christenen en minderheden zijn ook uitermate kwetsbaar voor persoonlijke en maatschappelijke rancunemaatregelen, voortkomend uit voorkeuren voor wat betreft de interpretatie van de controversiële Pakistaanse 'Blasfemiewet' en met name artikel 295 van het Pakistaanse Wetboek van Strafrecht. Sinds 1990 resulteert dit artikel van de islamitische sharia in een onvermijdelijk doodvonnis, wanneer een individu of een partij schuldig wordt bevonden aan het kwetsen van een religieuze geloofsovertuiging. De Pakistaanse ervaring leert, dat de moslimmeerderheid deze legale platforms in de loop der jaren heeft gebruikt voor het beslechten van persoonlijke geschillen met betrekking tot land of clans, door christenen te betrekken bij opruiende incidenten van religieuze aard. In Pakistan zijn de aparte verkiezingen en de 'Blasfemiewetten' berucht, en er wordt vaak naar verwezen als 'religieuze apartheid'.

President generaal Musharraf bestempelde het bloedbad als een terroristische actie en de minister van minderheidszaken erkent, dat de aanval het gevolg was van een gebrek aan beveiliging, vooral met het oog op het feit dat christenen de regering op de hoogte gesteld hadden van dreigementen en herhaaldelijk om veiligheidsmaatregelen hadden gevraagd, tot aan de vooravond van de slachting in Bahawalpur.

Directieleden van Caritas Pakistan en andere christelijke leiders, hebben op zondagavond een spoedvergadering belegd in Lahore, om een strategie te bepalen voor een antwoord van verzoening en solidariteit voor de meest kwetsbare minderheden in Pakistan. Halverwege de week, na de begrafenissen, wordt een oproep verwacht waarin een gedetailleerde benadering uiteengezet zal worden.

Bisschop Andrew Francis zal de begrafenissen leiden voor de slachtoffers die vandaag, 29 oktober, zijn gevallen in Multan. Daarna zullen de christenen van Pakistan een rouwperiode van zeven dagen in acht nemen voor de slachtoffers, hetgeen tegelijkertijd een uiting van solidariteit zal zijn met de wereldwijde uitroeiing van terrorisme.[393]

Islamabad, 12 november 2001
De katholieke bisschoppen van Pakistan stellen een lijst op met veiligheidsmaatregelen voor de parochies in het land. Naast het inzetten van deurwachters, wordt ook een centrale noodtelefoondienst in het leven geroepen. Via deze telefoondienst kunnen de parochies informatie krijgen over geweld tegen christenen. Aanleiding hiertoe is een aanslag op een kerk in de stad Bahawalpur op 17 oktober 2001.[394]

393 Document in bezit van de auteur.
394 KATHPRESS, 12-11-01, zie ook: UCAN, 10-11-01 en KNA, 10-11-01

PARAGUAY

Oppervlakte: 406.752 km²
Bevolking: 4.800.000
Religie: Rooms-katholiek: 90% De rest Mennonieten en Protestanten
Etnische groeperingen: Gemengd Spaans en Indiaans (Mestizo's): 95%[395]

San Juan Bautista de las Misiones, 31 januari 200
Bisschop Mario Melanio Medina van San Juan Nautista de las Misiones, is onlangs onder politiebescherming geplaatst na bedreigingen. De bedreigingen begonnen nadat hij ten onrechte beschuldigd werd van uitspraken over 'corruptie door de lokale gouverneur'. De bisschop heeft alleen om onderzoek gevraagd naar aanleiding van gebeurtenissen in zijn provincie.[396]

ROEMENIË

Oppervlakte: 237.500 km²
Bevolking: 22.411.121
Religie: Roemeens Orthodox: 69,5% Katholiek: 7% Protestant: 8% Niet-religieus: 14%
Etnische groeperingen: Roemenen, Hongaren, Zigeuners[397]

In Roemenië hebben vooral Grieks-katholieken en baptisten te lijden onder de antipathie van de zijde van de orthodoxe kerk.

[395] www.state.goc
[396] CRTN, 01-02-01
[397] International Christian Concern, 17-04-01, en CIA The World Factbook 2000

Roemenië: Bisschoppenconferentie wil de oecumenische dialoog met de orthodoxe kerk doorzetten

Königstein, 9 maart 2001
De Roemeense bisschoppenconferentie besluit om de dialoog met de Roemeens-orthodoxe kerk door te zetten en te verbeteren. Dat verklaart de bisschop van Satu Mare, Pál Reizer, aan vertegenwoordigers van het internationale hulpwerk Kerk in Nood/Oostpriesterhulp, bij zijn bezoek aan het hoofdkantoor. De bisschoppenconferentie bestaat uit hoogwaardigheidsbekleders van de rooms-katholieke en de Grieks-katholieke kerk. Hoewel de Grieks-katholieke kerk nog tot op heden wacht op de teruggave van de meeste kerkgebouwen die onder de toenmalige communistische regering overgingen in het bezit van de orthodoxe kerk, zet zij zich op de bisschoppenconferentie in voor een voortzetting van de gesprekken.

Het fundament voor deze verzoening tussen de orthodoxe en de katholieke kerk werd reeds in mei 1999 gelegd door paus Johannes Paulus II, toen hij gedurende zijn driedaags bezoek aan Boekarest het hoofd van de Roemeens-orthodoxe kerk, patriarch Teoctist I, ontmoette.
Terwijl het klimaat tussen de vertegenwoordigers van de twee kerken veel verbeterd is sinds het bezoek van de Heilige Vader, is de verhouding tussen de gelovigen van de twee kerken onveranderd gebleven in Satu Mare, de Noordwest-Roemeense bisschopsstad die voor een grote meerderheid door Hongaren bewoond wordt.

In Roemenië, waar ongeveer 87% van de bewoners tot de Roemeens-orthodoxe kerk behoort, beschikt de katholieke kerk met haar drie miljoen aanhangers over twaalf diocesen. Tien daarvan liggen in Transylvanië. Kerk in Nood/ Oost-priesterhulp heeft met meer dan twintig miljoen US-dollar in de laatste tien jaar vooral in dit landsdeel de bouw van kerken en parochiecentra, en ook de opleiding en motorisering van de priesters gesteund.[398]

[398] Info-Sekretariaat, Kirche in Not, persmededeling 09-03-01

RWANDA

Oppervlakte: 26.338 km²
Bevolking: 6.600.000[399]
Religie: Rooms-katholiek: 52,7% Protestant: 24% Adventist: 10,4% Moslim: 1,9% Inheems: 6,5% Geen religie: 4,5%
Etnische groeperingen: Hutu: 84% Tutsi: 15% Twa: 1%[400]

In Rwanda zijn op dit moment 11 bisschoppen, 132 parochies, 274 missiestations waar geen priester aanwezig is, 397 priesters (van wie 257 diocesane priesters en 140 religieuzen), 141 broeders, 1.210 zusters, 359 grootseminaristen, 3.502 catechisten en 12 lekenmissionarissen. De kerk leidt 288 caritatieve organisaties, 1 kleuterschool, 1.079 basisscholen, 116 middelbare scholen.[401]

Dakar, 04 juli 2001
Een Senegalees maandblad, Horizons Africains, publiceert een interview met de voorzitter van de Rwandese bisschoppenconferentie, mgr. Frederic Rubwejanga van Byumba. Hij verklaart hierin persoonlijk getroffen te zijn door beschuldigingen, dat de katholieke kerk direct betrokken zou zijn geweest bij de genocide in 1994. 'Ik heb niets te zeggen dienaangaande, alleen dat deze valse beschuldigingen slechts de vijanden van de kerk van Rwanda en van de rest van de wereld dienen. Kunt u zich voorstellen dat een bisschoppenconferentie of een pastoraal team instructies gegeven zou hebben, om een genocide te beginnen? Ik denk van niet, en toch worden wij hiervan beschuldigd; maar de waarheid komt wel uit', aldus de bisschop.[402]

Noordwijkerhout, 06 juli 2001
'Rwandese kerken spelen een belangrijke rol in het herstel van het land', aldus Aloisea Inyumba, de uitvoerend secretaris van de Rwanda's National Commission

[399] CIA The World Factbook geeft aan: 7.312.756 inwoners.
[400] Zie: CIA The World Factbook.
[401] Church's Book of Statistics, 1998 en FIDES, 20-02-01
[402] CRTN, 05-07-01

for Unity and Reconciliation. Dat zegt hij tijdens een congres van de World Association for Christian Communication (WACC) in Nederland, in Noordwijkerhout. 'Niemand kan in Rwanda over verzoening spreken, tenzij de kerken erbij betrokken zijn'. Hij voegt er wel aan toe, dat het voor sommigen moeilijk is deze rol van de kerken te accepteren.[403]

Rome, 10 oktober 2001
De zestig jaar oude Italiaanse jurist Giuliano Berizzi, wordt op 6 oktober in zijn woning in Rwanda vermoord. Gedurende de laatste acht jaar reisde Berizzi regelmatig voor een lange periode naar Rwanda. Hij verbleef er meestal drie maanden rond Kerstmis om zo armen te helpen. Hij nodigde ook Afrikanen uit in Italië voor opleidingen.[404]

RUSLAND

Oppervlakte: 17.075.200 km^2
Bevolking: 146.001.176
Religie: Russisch Orthodox: 55% Moslim: 8,7% Katholiek en Protestant: 1%
Etnische groeperingen: Russen, Tataren, Oekrainers[405]

De Russisch-orthodoxe kerk streeft ernaar om de groei van nieuwe religieuze groeperingen te beperken. Er zijn sporadische berichten van acties van orthodoxen tegen 'vreemde' religieuze groeperingen.

De Wet op Vrijheid van Geweten en Religieuze Organisaties, verplicht de registratie van religieuze groeperingen. Een wettelijke status is slechts weggelegd voor die groeperingen die hun 'bestaan' in Rusland in de laatste vijftien jaar kunnen bewijzen.

[403] CRTN, 09-07-01
[404] CAN News, 10-10-01
[405] International Christian Concern, 17-04-01 en CIA The World Factbook, 2000

IJzige Siberische koude treft de allerarmsten bijzonder hard

Königstein, 17 januari 2001
Naar schatting van de internationale organisatie Kerk in Nood, lijden dezer dagen meer dan veertig miljoen mensen onder de ergste koudegolf in meer dan vijftig jaar. Als gevolg van de aanhoudende vorst is op verschillende plaatsen de gastoevoer onderbroken. Bij temperaturen tot 56 graden onder nul worden de armsten onder de armen in Siberië het zwaarst getroffen. Kerk in Nood steunt reeds de religieuzen van het gebied bij hun onbaatzuchtig werk. Als gevolg van de koudegolf wordt hun inzet bijzonder op prijs gesteld. In Wladiwostok helpen de Zusters van de Orde van de Heilige Anna alleenstaande jonge moeders, die erover denken een abortus te plegen.

Het zijn voornamelijk daklozen, oude en arme mensen die onder de ondraaglijke koude lijden. Vooral de straatkinderen zijn slachtoffer van de aanhoudende vorst. De Zusters van de Heilige Carolus Borromeus hebben er ongeveer veertig opgenomen. Ook de andere straatkinderen die om hulp vragen, krijgen die zoveel mogelijk aangeboden. Twee jaar geleden werd in Irkutsk de Apostolische Administratuur Oost-Siberië gesticht. Zestien miljoen mensen leven hier. Ongeveer vijftigduizend daarvan zijn katholiek. Eén miljoen mensen staan dichtbij de katholieke kerk. Met een oppervlakte van dertien miljoen vierkante kilometer, is ze de grootste Apostolische Administratuur ter wereld.

Op dit ogenblik is de afdeling spoedgevallen in het stedelijk ziekenhuis van Irkutsk overvol met patiënten die bevriezingsverschijnselen vertonen. Aan de zijde van de talrijke slachtoffers werken voortdurend religieuzen. De Zusters Missionarissen van Steyl, staan de aan aids lijdende kinderen in de moeilijkste omstandigheden bij.
De Zusters van Sint Carolus Borromeus werken in het Hospitium van Irkutsk onder kankerpatiënten. Zij bezoeken en helpen ook alleenstaande en oudere mensen, die lijden onder het gebrekkige systeem van sociale verzekering.
De zusters van het Madonnahuis, dat door Kerk in Nood wordt gesteund, zetten zich in voor daklozen en leiden een open huis voor hulpbehoevenden. Een hulp die bij zulke temperaturen onontbeerlijk is.[406]
De katholieke kerk in Rusland groeit na de omwenteling van 1990 jaarlijks. Ook de structuren worden steeds steviger. Dat blijkt onder andere uit het aantal kloosters dat jaarlijks in omvang toeneemt.

[406] Info-Sekretariaat, persbericht, 18-01-01

1. Mannelijke religieuze orden

Orde	Plaats van het klooster
1. Ordo Fratrum Minorum (OFM)	St. Petersburg, Smolensk, Novosibirsk. Verder zijn er monniken in Novosibirsk en St. Petersburg.
2. Ordo Fratrum Minorum Conventualium (OFM Conv.)	Moskou, Toela, Kaloega, Elista en Cherniakhovsk
3. Salesianen van Don Bosco (Societas S. Francisci Salesii, SDB)	Moskou, Samara, Saratov, Novocherkassk, Rostov-na-Donu, Gatchina en Aldan
4. Dominicanen (Ordo Praedicatorum, OP)	Moskou en St. Petersburg
5. Societas Verbum Dei (SVD)	Moskou
6. Jezuïeten (Societas Jesu, SJ)	Novossibirsk en Moskou
7. Assumptionisten (Congregatio Augustinianorum ab Assumptione, AA)	Moskou
8. Claretinen (Congregatio Missionariorum Filiorum Immaculati Cordis B.M.V. , CMF)	Krasnoyarsk
9. Redemptoristen (Congregatio Sanctissimi Redemptoris, CSSR)	Propop´yevsk en Orenburg
10. Salvatorianen (Societas Divini Salvatoris, SDS)	Irkoetsk
11. Familie van Maria Coredemptoris (Pro Deo et Fratribus, PDF)	Oefa en D. Alexseevka

2. Vrouwelijke religieuze orden

Orde	Plaats van het klooster
1. Dochters van Maria, steun van de christenen (Filiae Mariae Auxiliatricis Christianorum, FMA)	Moskou
2. Missionaire Zusters van de H. Geest (SSpS)	Moskou
3. Religieuzen van het H. Hart van Jezus (RSCJ)	Moskou
4. Vrome gemeenschap van de dochters van de H. Paulus (Filiae Sancti Pauli (FSP)	Moskou
5. Missionaire zusters van het H. Hart van Jezus (Cabrini Sisters, MSC)	Porpo'yevsk

6. Familie van Maria coredemptoris (Pro Deo et Fratribus, PDF)	Schoemanovka en Tal'menka
7. Aanbidsters van het Bloed van Christus (ASC)	Krasnoyarks en Slavgorad
8. Zusters, dienaressen van het H. Sacrament	Novosibirsk en Tomsk
9. Congregatie van de zusters van de H. Agnes (CSA)	Chelyabinsk
10. De familie van Bethanië	In het Aziatische Rusland
11. Zusters van het instituut van Maria	Tyumen
12. Zusters van Moeder Theresa	Moskou, Tomsk en Novossibirsk
13. Missionarissen van Christus	Omsk
14. Missionaire zusters van H. Charles Borromeus	Krasnoyarsk
15. S. S. G. Zusters	St. Petersburg
16. Zusters van de H. Dominicus (OP)	Barnaoel
17. Zusters van de H. Elisabeth	Novosibirsk
18. Zusters van St. Franciscus (OSF)	Omsk

3. Verenigingen van het apostolische leven

Naam	Plaats
1. Vereniging van de Verrijzenis	Krasnayarsk
2. Congregatie van de zendingen (Vincentianen) (Congregatio missionis, CM)	In het Aziatische Rusland
3. Instituut van het vleesgeworden Woord (IVE)	Kazan
4. Societas de Maryknoll pro missionibus exteris, (MM)	Khabarovsk
5. Priestergemeenschap van de missionarissen van de H. Charles Borromeus	Novosibirsk en Karasoek

4. Seculiere orden

Naam	Plaats
1. Dominicaanse leken	Over heel Rusland
2. Seculiere orde van de franciscanen (SFO)	Over heel Rusland

5. Verenigingen van gelovigen

Naam	Plaats
1. Communicatio et Liberatio	Karasoek
2. Focolare	Moskou, Koergan en Chelyabinsk
3. Madonna, Apostolisch Huis	Magadan
4. Memores Domini	Novosibirsk
5. Neo-catechumenaten	Moskou en Novossibirsk
6. Marialegioen	Moskou

6. Seminaries en colleges

Naam	Plaats
1. St. Thomas van Aquino, college voor katholieke theologie	Moskou, pr. Vernadskogo, 103
2. Seminarie, Maria Koningin van de apostelen (grootseminarie)	St. Petersburg, 1-st Krasnoarmejsky per.', 11
3. Kleinseminarie	Novosibirsk, ul. Gorkogo 100

7. Kerken en parochies

a. Katholieke parochie van Kazan
b. Katholieke parochie van Syzran
c. Katholieke parochie van Samara
d. Katholieke parochie van Simbirsk
e. Katholieke parochie van Chelyabinsk
f. Katholieke parochie van Penza
g. Katholieke parochie van Wladiwostok
h. Katholieke parochie van Magadan
i. Missie in Irkoetsk

8. Katholieke massamedia

a. Svet Evangelija (Het Licht van het Evangelie), weekblad. Moskou, Dmitrovskoye, 5/1, 132
b. Sviataya Rodost (Heilige Blijdschap), jongerentijdschrift, Moskou, ul. Malaya Gruzinskaya, 27
c. Geestelijke Bibliotheek, Moskou, Dmitrovskoye shosse, 5/1, 130
d. Boekhandel, Paoline, Moskou, ul. Bolshaya Nikitskaja, 26
e. Istina i Zhizn (Waarheid en Leven), interconfessioneel tijdschrift. Moskou, alja 38
f. Radio DAR, Moskou, (MW 1116 KHz), dagelijks tussen 14.00 en 15.00 uur
g. Radio Maria, St. Petersburg (UKV 66.68)
h. Wladiwostok Sunrise, parochieblad

Moskou, 05 maart 2001
Voor de Poolse priester, de jezuïet pater Stanislaw Opiela, wordt voor de derde keer achter elkaar een visum geweigerd voor Rusland. Opiela heeft een belangrijke rol gespeeld in de opbouw van katholieke instellingen in Rusland. Hij is secretaris van de katholieke bisschoppenconferentie van Moskou en rector van het Thomas van Aquinocollege voor Katholieke Theologie in Moskou. Na een verblijf van zes maanden in het buitenland, kan hij nu niet terugkeren. Het Russische Ministerie voor Buitenlandse Zaken weigert vooralsnog aan Russische katholieke leiders uit te leggen, waarom hij geen visum krijgt. Pater Jerzy Karpinski, provinciaal van de Jezuïetenorde, vertelt dat de derde weigering niet eens meer meegedeeld is.
'Wij verkeren in een kritieke situatie', vertelt pater Karpinski. 'Hij is de enige

die bepaalde christelijke disciplines kan onderwijzen. Verder blijft pater Stanislaw de secretaris van de Russische bisschoppenconferentie en rector van het College. Op dit moment voer ik zijn taken uit'. Pater Bogdan Sewerynik, vicaris-generaal van de apostolische administratie van de Latijnse katholieken in het Europese Rusland, verklaart totaal verrast te zijn, omdat zoiets in Rusland met een katholieke priester nog niet eerder is voorgekomen.[407]

Moskou, 09 maart 2001
Vladimir Zhirinovsky, de leider van de Liberale Democratische Partij en vice-voorzitter van de Russische Doema, heeft aangekondigd maatregelen te zullen nemen tegen de invloed van katholieken in het land en tegen het bezoek van de paus aan de Oekraïne. Ria Novosti bericht dat de Doema op aandringen van Zhirinovsky, een comité voor Internationale Zaken heeft ingesteld, om informatie te verzamelen over de expansie van de katholieke kerk in Rusland en in andere orthodoxe staten.[408]

Vaticaanstad, 12 maart 2001
Aartsbisschop Tadeusz Kondrusiewicz van Moskou, verklaart samen met Russische katholieken diep bezorgd te zijn om de uitspraken van Zhirinovsky. Volgens de aartsbisschop zijn katholieken altijd bereid tot een 'constructieve dialoog met de burgermaatschappij'. De kerk is voorstander van wederzijds respect jegens alle religies.[409]

Irkoetsk, 20 april 2001
Pater Jan Franzkevich, een melkitische katholieke priester, die in Siberië dienst doet, wordt op Eerste Paasdag doodgeslagen. Politieautoriteiten melden dat pater Jan zwaar mishandeld en dood in zijn bed aangetroffen werd.[410]

04 mei 2001
De Russische president Poetin heeft de Commissie voor religie aangepast op een manier die voor geloofsgemeenschappen als de katholieke kerk nadelig zal werken. Aan de ene kant is de commissie dichter bij de staat gekomen en verder weg van de kerk. Anderzijds heeft Poetin de orthodoxe metropoliet Mefodi in de commissie benoemd, de man die in 1992 door aartsbisschop Khrizostom van Vilnius ervan is beschuldigd een KGB-agent en atheïst te zijn. De beschuldigingen heeft hij nooit tegengesproken. Volgens Keston News Service heeft Poetin 'religieus beleid toevertrouwd aan een seculier orgaan'. Dat nieuwe beleid kan heel negatief werken voor westerse missionarissen, die door velen gezien

[407] Catholic World News Briefs, 05-03-01
[408] Cathoilic World News Briefs, 09-03-01 en CWNews, FIDES. Zie ook: CRTN, 12-03-01
[409] Catholic World News Vatican Update, 13-03-01. Zie ook: CRTN, 14-03-01
[410] Catholic World News Features, 20-04-01

worden als agenten van westerse mogendheden. Twee katholieke bisschoppen kregen de afgelopen jaren om die reden geen verblijfsvergunning.[411]

Moskou, 25 oktober 2001
De Russische regering heeft plannen om de activiteiten van buitenlandse religieuze sekten en religieuze extremisten te beperken. De vice-ministerpresident, Valentina Matviyenko, zegt dat de Ministeries van Buitenlandse Zaken, van Binnenlandse Zaken en van Justitie, nieuwe voorstellen zullen voorleggen aan de wetgever om de religieuze activiteiten van buitenlandse groeperingen te controleren. De wet die geïnspireerd wordt door de machtige orthodoxe kerk, heeft ook consequenties voor de katholieke kerk in Rusland. Associated Press bericht dat visa aan buitenlandse religieuze congregaties, inclusief katholieke, al geweigerd zijn.[412]

SAUDI-ARABIË

Oppervlakte: 1.960.582 km^2
Bevolking: 21.504.613
Religie: Moslim: 93,4% (van wie 79% Sunnieten) Hindoe: 0,7% Boeddhist: 0,5% Niet-religieus: 1,4% Christen: 4%
Etnische groeperingen: Arabieren 90%, Afro-Aziaten 10%[413]

Er zijn diverse extremistische groeperingen die zich gesteund voelen door de regering. De islam is staatsreligie en alle burgers moeten islamitisch zijn.
De regering voelt zich de schatbewaarder van de islam. Om alle niet-islamitische invloeden uit te bannen is er een religieuze politie geformeerd, de Mutawwa'in. Het dragen van niet-islamitische religieuze symbolen is ten strengste verboden.

[411] Katholiek Nieuwsblad, 04-05-01, en ZENIT.
[412] CAN News, 25-10-01
[413] International Christian Concern, 19-02-01 en CIA The World Factbook 1999. Zie ook: Christian Solidarity Worldwide, Country Profile for Saudi Arabia. Overigens geeft CSW aan dat 100% van de inwoners islamitisch is.

Juli 2001
Het schijnt dat de regering van Saudi-Arabië een nieuwe, grote aanval op de christenen in de stad Jeddah aan het lanceren is. Op woensdag 25 juli wordt om middernacht het huis van een christen aangevallen door vijf agenten van het Ministerie voor Binnenlandse Zaken. De man, Eskinder Menghis, wordt verdacht van het organiseren van bijeenkomsten voor gebed en bijbelstudie in zijn huis. Hij komt uit Ethiopië en werkt in Saudi-Arabië. Hij en zijn gezinsleden zijn nog wakker als het huis wordt aangevallen. De agenten nemen alle boeken, bijbels, familiefoto's, video's en audiotapes in beslag die ze kunnen vinden. De naam van Eskinder komt voor op een lijst van namen en adressen van verdachte christenen. Een week tevoren werd het huis van de Indiër Prabhu Isaac aangevallen; hij wordt zo zwaar onder psychologische druk gezet dat hij bereid is de namen van andere christenen te noemen. Hij zit nog steeds in de gevangenis van Farifia.[414]

21 augustus 2001
In een artikel getiteld 'Saudi Arabia Continues Sweep of Christians', schrijft Steven L. Snyder dat 'gedurende de laatste drie weken zes christenen in Saudi-Arabië bezoek hebben gekregen van het Ministerie van Binnenlandse Zaken. De namen van de christenen zijn verkregen door foltering van andere christenen'. Volgens de United Churches of Saudi Arabia, gaat het om de volgende personen: Prabhu Isaac (van Indiase afkomst), die op 19 juli opgesloten wordt in de gevangenis van Sharafia, Jeddah; vervolgens Eskinder Menghis (uit Eritrea), die op 25 juli gevangen gezet wordt in Ruais, Jeddah, Tinsaie Gizachew (uit Eritrea), die op 19 augustus opgesloten wordt samen met twee andere leden van zijn kerk: Gabayu en Kebrom, Afobunor Okey Buliamin (uit Nigeria), Mesfin (uit Ethiopië) en Baharu Mengistu (uit Ethiopië).[415]

Later komt het bericht dat ook Dennis Moreno (uit de Filipijnen) is gearresteerd op 29 augustus 2001. Op 19 augustus wordt ook Ibrahim Mohammed (uit Ethiopië) gearresteerd.[416]

Begin september maakt ICC nog verdere arrestaties bekend: op 29 augustus die van Joseph Girmaye (uit Eritrea), op 1 september van Worku (uit Ethiopië) en van Tishome (uit Ethiopië); op 4 september Araya Gesesew (Ethiopië) en Tishome Kebret (uit Ethiopië).[417]

[414] International Christian Concern, Report 25-07-01
[415] International Christian Concern, 'Saudi Arabia Continues Sweep of Christians', 21-08-01
[416] International Christian Concern, 'Saudis Strike Another Blow to Religious Freedom', 29-08-01
[417] International Christian Concern, 'Boy Pleads for Help for Father Detained in Saudi Arabia', 05-09-01

Jeddah, 29 augustus 2001
De christelijke gemeenschap van Saudi-Arabië blijft lijden onder de gevolgen van de restricties voor religieuze vrijheid. Volgens berichten van de humanitaire organisatie Middle East Concern, zijn recentelijk acht christenen door de politie opgepakt. In Jeddah zijn tussen 19 en 20 augustus zes christenen gearresteerd. De namen van drie van de zes zijn bekend: Tinsaie Gizachew (uit Eritrea), Afobunor Okey Buliamin (uit Nigeria), Baharu Mengistu (uit Ethiopië). De exacte identiteit van de drie anderen is niet bekend. Zij worden ervan beschuldigd het christendom verspreid te hebben. Buliamin zit in de moeilijkste situatie, omdat hij via zijn paspoort als moslim is geïdentificeerd: bekering van moslims tot het christendom is een zwaar vergrijp, waarop de doodstraf staat.[418]

30 augustus 2001
Sinds midden juli zijn op zijn minst tien christenen gevangengezet in een recente golf van agressie jegens christenen. Het begint op 19 juli met de arrestatie van de uit India afkomstige Prabhu Isaac. Hij wordt psychologisch gefolterd en geeft daardoor de namen vrij van enkele christelijke leiders in het land. Ook zijn computer wordt geconfisceerd: hierin zijn ook vele namen van christenen opgeslagen. Een week later wordt Eskinder Menghis, uit Eritrea, gearresteerd. Op 19 augustus nog eens vijf christenen: vier uit Eritrea inclusief Tinsaie Gizachew en drie anderen, die alleen bekend staan als Mesfin, Kebrom en Gabayu. Ook de Nigeriaan Afobunor Okey Buliamin wordt gearresteerd. Twee dagen later worden nog eens twee christenen afkomstig uit Ethiopië gearresteerd: Baharu Mengistu en Beferdu Fikri. Op de ochtend van 30 augustus arresteren de autoriteiten Dennis Moreno (afkomstig uit de Filipijnen), na eerst zijn woning helemaal overhoop gehaald te hebben. Er wordt gezocht naar meer informatie over christenen.[419]

04 oktober 2001
Sinds juli 2001 zijn in Saudi-Arabië op zijn minst vijftien christenen gearresteerd in Jeddah. De meeste christenen zijn uit Ethiopië en Eritrea afkomstig. Daarnaast worden nog drie christenen gearresteerd, afkomstig uit India, de Filipijnen en Nigeria. Huiskerken in Jeddah worden vernield.[420]

November, 2001
Jubilee Campaign komt met het volgende bericht over Saudi-Arabië.[421]
Saudi-Arabië is een islamitisch koninkrijk. Publieke samenkomsten van niet-moslims zijn verboden. De laatste tijd zijn in de Saudische havenstad Jeddah al

[418] FIDES, 29-08-01
[419] The Voice of the Martyrs, 30-08-01
[420] International Christian Concern, 04-10-01, zie ook: The Voice of the Martyrs, Canada, 04-10-01
[421] Jubilee Campaign, 2001, no.7

dertien christelijke gastarbeiders opgepakt, vanwege hun geloof. Nieuwe arrestaties zijn niet uitgesloten. Jubilee Campaign NL roept u op, om voor deze christenen in actie te komen.
Iedere Saudi is per definitie moslim. Dat is bij de wet geregeld. Overgang van de islam tot een andere godsdienst, kan de doodstraf tot gevolg hebben. Evangelisatie is dan ook streng verboden. Voor gastarbeiders zijn de regels minder streng. Niet-moslims mogen echter geen samenkomsten organiseren.
De Indiër Prabhu Isaac werkt al zeventien jaar in Saudi-Arabië. Omdat Prabhu en zijn vrouw terug willen keren naar India, organiseren vrienden een afscheidsfeestje. Daarvoor huren zij een zaaltje. De politie hoort dat er een christelijke samenkomst gehouden wordt. Daarop wordt op 18 juli 2001 Prabhu Isaac opgepakt. Via Prabhu Isaac komt de politie andere christelijke gastarbeiders op het spoor. Ook zij worden opgepakt. Inmiddels zitten dertien christenen gevangen. Zij komen allemaal uit de Saudische havenstad Jeddah. Het vermoeden bestaat dat de politie via deze buitenlandse christenen Saudi's op het spoor wil komen die interesse hebben getoond voor het christelijke geloof.

SENEGAL

Oppervlakte: 196.722 km^2
Bevolking: 8.534.000
Religie: Sunnieten: 90% Rooms-katholieken: 5% Etnische religies: rest
Etnische groeperingen: Wolof: 40%, Fulbe of Fulani: 18%, Serer: 17%, Toucouleur: 8%, Diola: 5%, Mandin : 5%[422]

Dakar, 16 november 2001
Volgens persberichten is een katholieke priester in de afgelopen week neergeschoten en gedood. Het gaat om pater Simeon Coly, van het bisdom Ziguinchor in de regio Casamance. Reizend per taxibus, wordt hij doodgeschoten op een nationale autoweg die leidt naar Gambia.[423]

[422] Islam, personen en begrippen van A to Z, blz.211
[423] CAN News, 16-11-01

SUDAN

Oppervlakte: 2.505.810 km²
Bevolking: 34.475.690
Religie: Moslim: 70% (Sunnieten) Christen: 19% Anders: 9,9% (vooral aan stammen gebonden religies)
Etnische groeperingen: Blank, Arabisch[424]

De strijd tussen christenen en moslims is al meer dan vijftien jaar gaande. Een van de extremistische groeperingen is Popular Defense Force (PDF), dat door de regering wordt gesteund. Het is bekend dat de regering wapens levert aan bepaalde extremistische groeperingen, die bekend staan onder de naam Mujahadeen of Murahaleen. Door de regeringssteun zijn dergelijke groeperingen beter en breder uitgerust dan het leger zelf. In de PDF zijn de meest extremistische moslims vertegenwoordigd. Daarnaast verstrekt de regering wapens aan diverse andere moslimstammen, die op hun beurt vaak acties uitvoeren tegen het christelijke zuiden.[425]
De regering, die gebaseerd is op het National Islamic Front (NIF), stelt dat er vrijheid van godsdienst is; in feite is echter de islam staatsreligie. Gedwongen bekeringen tot de islam vormen een onderdeel van de staatspolitiek.

Sudan[426]

1. Agau Adom Mayen is nu achttien jaar oud. Als klein jongetje werd hij gedwongen om van huis weg te vluchten uit het door oorlog verscheurde Sudan. Samen met duizenden andere jongens maakte hij de slopende voettocht naar buurland Ethiopië, in de hoop om een toevluchtsoord en veiligheid te vinden. Toen Mengustu ten val kwam in 1991, vluchtten zij terug naar Sudan - waar zij eens te meer vervolgd werden. Uiteindelijk liepen zij naar het zuiden, naar Kenia, en ze kampeerden gedurende drie maanden, totdat ze uiteindelijk werden teruggevonden in een vluchtelingenkamp. Van de twintigduizend jongens die in eerste instantie uit Ethiopië vertrokken, slaagden slechts tienduizend erin om het Keniaanse kamp te bereiken. Vandaag de dag staan zij bekend als 'de

[424] International Christian Concern, 19-02-01 en CIA The World Factbook 1999
[425] International Christian Concern: Sudan - Christian Persecution in Sudan, 07-06-01
[426] Deze drie artikelen zijn geschreven voor de media door Cecilia Bromley-Martin, medewerkster van Church in Need in London.

verloren jongens van Sudan'.
'Vele van mijn vrienden zijn omgekomen door dorst, honger en bommen', vertelde Agau me. 'We plukten de bladeren van de bomen om ze op te eten en als er geen water was, dronken sommigen van ons zelfs hun eigen urine. Als er iemand doodging, lieten we hem maar gewoon op de grond liggen. Onze priester is doodgegaan en we hebben hem gewoon langs de kant van de weg laten liggen'.
'Toen ik wegging, waren mijn ouders en vier andere broers nog in leven; ik weet niet of ik hen nog zou kunnen vinden als ik ooit terug zou gaan. Het is bijna vijftien jaar geleden dat ik mijn familie voor het laatst gezien heb - maar God heeft me het leven gegeven en als Hij het hen ook heeft gegeven, dan hoop ik dat we elkaar in de toekomst weer zullen ontmoeten. Daar bid ik voor'.
Agau's thuis van de afgelopen negen jaar, het Kakuma vluchtelingenkamp, werd oorspronkelijk opgericht in 1992 om deze verloren jongens van Sudan op te vangen. Vandaag de dag bestaat meer dan driekwart van de bewoners nog steeds uit Sudanezen, ofschoon er nu meer dan zeventigduizend vluchtelingen uit negen verschillende landen leven. Hier zijn ze veilig voor de burgeroorlog die hun land nu al achttien jaar lang verscheurt - de moslims uit het noorden tegen de christenen en de animisten uit het zuiden - maar het is een moeilijk bestaan en het gevaar ligt nog steeds op de loer. 'Het leven in Kakuma is niet goed, omdat er geen veiligheid is', vertelde Agau me, 'je kunt 's avonds je huis niet uit, omdat je gevaar loopt neergeschoten te worden door leden van plaatselijke stammen. Ze komen het kamp in om je bezittingen weg te halen en schieten iedereen neer die ze tegenkomen. Vorige maand hebben ze een jongen doodgeschoten in Zone Vier. Hij zat binnen het omheinde gebied voor zijn tent. Ze hebben niks meegenomen, maar hij was een getuige en daarom moest hij vermoord worden'.
Net als Agau zijn veel van de Sudanezen in Kakuma katholiek, en hun geloof heeft niets aan kracht ingeboet, ondanks hun harde leven. Ik heb één van de vervallen lemen kerken van het kamp bezocht, de kerk van de Heilige Petrus en Paulus, waar een groot, enthousiast koor aan het oefenen was voor de zondag. Verderop zat een jonge man te bidden voor één van de staties van de kruisweg die met kalk op de lemen muren waren gekrast. Ze vertelden me dat de kerk op zondag volstroomt voor de mis, en dat er zelfs buiten nog veel mensen staan. Door de week ontmoeten verschillende groepen elkaar in de kerk. Vaak wordt er een priester gestuurd van een plaatselijke parochie, maar als die niet kan komen, gaat één van de catecheten de anderen voor in gebed.
Maar het gaat niet alleen om de vluchtelingen. Door de oorlog hebben ongeveer

één miljoen ontheemde mensen zich over het zuiden van Sudan verspreid. Ze hebben hun huis, hun vee, hun plantages en al hun bezittingen achtergelaten en vele dagen gelopen naar kampen waar onvoldoende voedsel is en waar velen sterven van dorst en cholera of andere ziektes. Maar de katholieken onder hen geven het geloof nog steeds een centrale plaats in hun leven. De eerste ontheemde mensen bereikten Macar-Abiak in september van vorig jaar; ze maakten een voettocht van zeventien dagen en nachten om het kamp te bereiken. Vijftien waren er tijdens de reis omgekomen door honger, dorst of ziektes, maar één van de eerste dingen die ze deden nadat ze waren aangekomen, was een kapel bouwen waar ze konden bidden. Ze kerfden een kruis op een boom en maakten banken van dikke takken.

Het ongekende lijden dat zoveel jaar oorlog, honger en ziekte met zich heeft meegebracht, heeft geleid tot een sterke en oprechte opleving van het kerkelijk leven onder de Zuid-Sudanese bevolking. 'De kracht van dit geloof komt voort uit het feit dat ze zo zwaar worden aangevallen', legde bisschop Erkolano Lodu van Yei uit. 'De mensen zijn verplicht om zichzelf te verdedigen en willen geen moslim worden. Het sacramentele leven zit in de lift en de bijbel wordt steeds meer gelezen. De deelname aan liturgische activiteiten is erg groot, vooral onder de jeugd. Gedurende de komende 25 jaar zal de kerk een sterke positie bekleden in Sudan, omdat de jeugd van nu zo vurig is'.
Deze diepe spiritualiteit van de jeugd was zichtbaar in alle parochies die ik heb bezocht, en de kerk is zich terdege bewust van de noodzaak van het verzorgen en ondersteunen van haar jonge leden. 'Als we de jeugd nu niet vormen', zei een plaatselijke priester, 'dan wordt zij in de toekomst slachtoffer van alles wat er maar kan gebeuren'.
Maar tragisch genoeg haalt de oorlog veel jonge Sudanese mannen weg en maakt hen tot kleine soldaten, die wordt geleerd 'alle vreemdelingen te zien als vijanden die gedood moeten worden', zoals een bisschop het uitdrukte. Talloze jongens gaan de oorlog in en komen lange tijd niet terug - als ze überhaupt ooit terugkeren. De broer van zuster Jacinta Dagbaaboro, Peter, ging in 1991 het leger in, en ze heeft hem niet meer gezien tot 1999, toen hij op doortocht was door hun dorp en dus ook weer vertrok. 'De mannen komen om, of blijven vechten tot de oorlog afgelopen is', vertelde ze me.
Een groot aantal jongeren uit het zuiden voegt zich bij SPLA; Sudan People's Liberation Army - het Bevrijdingsfront Sudanese Bevolking, omdat ze oprecht in de goede zaak geloven, of om genoeg eten te krijgen, uit wraak of omdat ze tegen hun zin worden gerekruteerd. 'Veel jongens van zestien jaar en ouder

verstoppen zich als ze horen dat het leger komt', legt zuster Jacinta uit. 'Anders worden ze meegenomen, of ze willen of niet. Ook als de jongens 'nee' zeggen, neemt het leger ze gewoon mee als ze nodig zijn'. Hoe dan ook, het tekort aan mannen in elke stad die ik bezocht was schrijnend, en dat eist zijn tol van het moreel en van het gezinsleven.
'De vrouwen voelen zich echt verschrikkelijk; ze haten het dat hun mannen, broers en zonen op deze manier worden meegenomen. Maar wat kunnen ze doen? Niets. Al deze factoren zijn van invloed bij het opgroeien van de kinderen. Zij hebben een vader en een moeder nodig om hen groot te brengen. Moeders vinden het moeilijk om hen op te voeden en jongens luisteren vaker naar hun vader. Veel van de kinderen gaan niet naar school, ze hangen de hele dag maar wat rond. Ze leren stelen, omdat ze geen goede familiale achtergrond hebben. Deze oorlog heeft een soort gewelddadigheid met zich meegebracht - mensen zijn erg ruw en niet vergevingsgezind. Ze staan klaar om zich te wreken voor elke kleinigheid. Wij willen christenen vormen die ook in hun geweten christen zijn'.

En de rol van de zusters en priesters van het land blijkt van cruciaal belang te zijn. Juist nu wenden velen in Zuid-Sudan zich tot de kerk. 'Mijn mensen vierden de mis op een afstand van zeven mijl vanaf het front; ze konden de artillerie horen, maar ze bleven tot het einde van de mis en de dopen', vertelde bisschop Mazzolari van Rumbek mij. 'De mensen zullen nooit vergeten dat de kerk is gebleven. Langzaamaan begint de internationale gemeenschap zich te realiseren dat de kerk blijft - het is gebleken dat zij het meest betrouwbaar is, vooral de katholieke kerk. Ze weten dat ze via ons kunnen helpen: wij blijven. Wij zijn de kerk, de kerk is het volk. Wij moeten er zijn. In de kerk bieden wij hen de enige sociale gebeurtenis waar ze vrede hebben - ze willen niet naar huis. Ze willen blijven zingen totdat de zon ondergaat'.

***2.** 'De meest angstaanjagende ervaring van de oorlog is het lawaai van de Antonov-bommenwerpers, die de mensen al van veraf horen aankomen. Het verlamt hen geestelijk. Waar de bommen zullen vallen, is niet bekend; wie zal sterven is niet duidelijk. Het veroorzaakt paniek, niet alleen geestelijke verwoesting'.*
Bisschop Caesar Mazzolari uit Rumbek weet waarover hij praat. 'We zijn bijna wekelijks zwaar gebombardeerd tussen juni en oktober van vorig jaar', vertelde hij me. 'Meestal vallen ze het marktplein aan, zodat er altijd slachtoffers zijn. Meestal zijn het clusterbommen: ze vallen, versplinteren en raken je als scherpe

messen. Je hoofd of ledematen kunnen erdoor worden afgerukt. Maar soms zijn de clusters gemaakt van landmijnen, men vindt ze naderhand in de velden - of kinderen denken dat het speelgoed is: ze rapen ze op en verliezen een arm of zelfs hun leven'.

Het bisdom van bisschop Mazzolari was 'oorlogsgebied nummer één' in deze burgeroorlog, die het zuiden van Sudan de afgelopen achttien jaar heeft geteisterd. Het was de introductie van de shari'a, de islamitische wet die in 1983 weerstand opriep bij het animistische en christelijke zuiden. De invoering van de wet leidde tot de verschrikkelijke gevechten, die al aan meer dan twee miljoen mensen het leven hebben gekost - maar de werkelijke grondslag van de oorlog is veelvoudig. Het is een kwestie van cultuur: de Arabieren tegen de zwarten - de 'slaven', zoals ze hen noemen. Het gaat over grondstoffen: het rijke maar dorre noorden wil de olie en het water van het vruchtbare zuiden. En het gaat om religie: de moslims tegen de christenen. 'De Arabische regering zegt dat het een godsdienstoorlog is', zei een predikant; 'wij zijn niet tegen een bepaalde religie, we vechten alleen voor onze rechten'. Het resultaat hiervan is een onvoorstelbaar lijden: duizenden sterven elk jaar, er is bijna geen medische hulp en scholing is minimaal en ligt vaak in handen van toegewijde maar ongeschoolde leraren.

Het gezinsleven wordt verwoest. In elke stad die ik bezocht, was het tekort aan mannen schrijnend. 'Ik zou zonder enige twijfel kunnen zeggen dat bijna 75% van de bevolking hier uit vrouwen bestaat', zei een priester uit één van de parochies. 'Er zijn zoveel mannen omgekomen en het SPLA rekruteert nog steeds. Ze gaan naar de dorpen, arresteren jonge mannen en nemen hen mee om te vechten. De mannen en jongens die meegaan, komen vaak jarenlang niet terug - als ze überhaupt nog ooit terugkomen'.

Zuster Jacinta Dagbaaboro uit Tomburo, wier broer Peter al jarenlang in het leger zit, zegt: 'We horen niet veel, soms maar twee keer per jaar. Wij komen er moeilijk achter of iemand is omgekomen. Soms hoor je het pas na lange tijd - maar het is niet gemakkelijk om nieuws van het front te krijgen'. Een groot aantal jonge mannen in het zuiden voegt zich bij het leger omdat ze vurig geloven in de zaak, maar anderen gaan eenvoudigweg om genoeg te eten te krijgen, of om wraak te nemen: iedereen heeft wel iemand verloren. Er wordt zoveel gerekruteerd, dat degenen die niet willen vechten gedwongen worden om onder te duiken.

Toch zijn de meeste slachtoffers niet eens soldaten. 'Elk jaar sterven duizenden mensen door deze oorlog', vertelde een plaatselijke priester mij. 'Er zijn er die in

de strijd omkomen, maar er vallen ook slachtoffers onder onschuldige burgers die in het spervuur terechtkomen. Velen sterven door de honger en de uitdroging die de oorlog veroorzaakt. Hier komen geen journalisten die de gebeurtenissen verslaan. Ik heb de indruk dat Khartoem het westen gemakkelijk kan overtuigen'. Bisschop Mazzolari herhaalde deze woorden: hij heeft kortgeleden dringende persberichten afgegeven in een poging om de westerse wereld te wijzen op de benarde toestand van de vele duizenden ontheemden in zijn bisdom. De bisschop vertelde dat hun huizen, hun voedsel en hun eigendommen zijn verbrand, dat hun vee is geroofd en dat ze nu ver van enige bron van water leven, in schrijnende armoede en geïsoleerd.
'Deze mensen staan op de drempel van de dood', schreef hij. 'Als het avond is, kun je door ieder willekeurig dorp lopen, maar je ziet geen vuur in hun hutten ... er wordt niet gekookt, want er is geen voedsel meer om te koken, zelfs niet voor hun kinderen'.
Bisschop Mazzuri beschuldigt de internationale gemeenschap ervan 'deze tragedie te negeren' en dit gevoel van verlating is iets dat ik vaak ben tegengekomen bij de Zuid-Sudanezen. 'We zijn verbaasd en geïrriteerd en bezorgd', zei bisschop Joseph Gasi. 'Waarom trekt de internationale gemeenschap zich er niets van aan? Het lijkt wel alsof wij geen deel uitmaken van de mensheid'. Voor de internationale hulporganisatie Kerk in Nood is priesterhulp voor Sudan een prioriteit, en iedereen wilde ons wanhopig zijn verhaal vertellen, zodat wij hun schreeuw om hulp mee terug konden nemen naar het westen. 'Het feit dat u naar Afrika komt, betekent dat ze ons niet vergeten zijn. Dat de mensen nog steeds aan ons denken', zei broeder Mark Kumbonyaki van de Mupoi parochie. 'We zullen u nooit vergeten, evenmin als het feit dat u ons gevolgd bent tot in de bossen om ons te zien leven in deze armoede'.

En toch, ondanks de honger, het dakloos zijn, de oorlog en de ziektes, doet de kerk het goed en groeit zij in het zuiden van Sudan, waar het geloof centraal staat in het leven van de christenen van het land. De eerste groep vluchtelingen bereikte Macar-Abiak vorig jaar september, na een voettocht van 17 dagen en nachten; sommigen zijn onderweg gestorven van dorst, honger of ziekte. Vandaag de dag moeten zij nog steeds twee uur lopen om water te halen, en de volwassenen zoeken de hele dag naar wilde vruchten, zodat zij hun kinderen te eten kunnen geven. Maar toch was één van de eerste dingen die ze deden toen ze waren aangekomen, het bouwen van een kapel waar ze elkaar konden ontmoeten en waar ze konden bidden; ze kerfden een kruis in een boom en maakten banken van dikke takken.

'Deze toewijding en spirituele kracht zie je overal in het land. Het geloof is enorm snel gegroeid in Sudan, en het is de laatste tien jaar veel dieper geworden', vertelde broeder Galdino, een jonge priester, mij. 'Elke dag komen er mensen die opnieuw beginnen met hun kerkelijk leven, en de programma's van ons jubeljaar hebben velen teruggebracht naar het geloof - sommigen brachten zelfs hun oude hekserijwerktuigen mee om ze te verbranden!'
Broeder Galdino is één van de slechts twaalf priesters in de enorme diocese Tombura-Yambio. De mensen wilden een kathedraal bouwen voor de diocese, gewijd aan Christus Koning, maar de oorlog stuurde hun plannen in de war. Vandaag de dag is de stenen kapel slechts groot genoeg voor de ongeveer driehonderd mensen die door de week om half zeven 's ochtends de mis bijwonen, maar om iedereen plaats te bieden voor de mis op zondag, moeten ze hun eredienst verplaatsen naar de 'groene kapel', onder de bomen.
Mij werd verteld dat de mis om halftien zou beginnen, maar ofschoon ik al vóór negenen gearriveerd was, waren de muziek en de gezangen al begonnen. Ondanks hun armoede had iedereen zich op zijn paasbest gekleed voor het hoogtepunt van de week. De muziek en het zingen bevestigen ééns te meer Afrika's reputatie als 'zingende en dansende kerk'. En het ging nog steeds door toen ik na de mis, die om kwart over twaalf was afgelopen, wegging. 'De mensen zijn enthousiast', zei hun bisschop, Joseph Gasi. 'Ze bidden en dansen als David in het Oude Testament. Er zijn veel huwelijken en de toewijding aan het Heilig Hart beleeft een hoogtepunt. De Heer is nog steeds bij ons en Hij geeft ons moed'.

Of zoals een andere bisschop het zei: 'In de kerk bieden wij hen het enige sociale evenement waar ze veilig zijn - ze willen niet naar huis. Ze willen blijven zingen totdat de zon ondergaat'.
Ofschoon de meeste missen ongestoord kunnen plaatsvinden, is er geen enkele garantie voor wat betreft de veiligheid, alleen omdat men in de kerk is. Inderdaad, in sommige van de zwaarst getroffen oorlogsgebieden in Zuid-Sudan is het één van de laatste veilige plaatsen. Bisschop Erkolano Lodu van Yei gaf toe, dat iemand die de mis bijwoont altijd zijn leven op het spel zet. 'De missen zijn druk bezocht, maar in Yei worden we bijna elke zondag gebombardeerd, om de mensen tijdens de mis te grazen te nemen. Soms moeten we de mis 's avonds vieren. De regering heeft besloten dat zondag de beste dag is om de kerken te bombarderen, omdat ze dan vol zitten'.
"We zitten een uur in de loopgraven om ons te verstoppen voor de vliegtuigen, en vervolgens komen we eruit om de schade te bekijken - en soms de slachtoffers.

Onze bezittingen raken we al jarenlang kwijt, dus daar zijn we aan gewend, maar het menselijke leven is ons méér waard. Soms gebeurt het meer dan twee keer per week; we worden gebombardeerd en vernederd. We kunnen onszelf op geen enkele manier verdedigen. Ze willen het geloof vernietigen en tot nul reduceren'.
Het is een illusie om te veronderstellen dat die opzet zou slagen: het geloof en het vertrouwen van deze vergeten katholieken is onverwoestbaar.
Op een dag hield een oude parochiaan me na de mis staande om te praten. 'We lijden zoveel hier in Zuid-Sudan, en we weten niet wanneer er een einde zal komen aan deze oorlog en aan de armoede', zei hij. 'Maar we leggen ons leven in Gods hand, God is machtig en we loven Hem'.

***3.** Catecheten: de toekomst van de kerk in het door oorlog verscheurde zuiden van Sudan.*
Als kind had Rosa polio. Vandaag de dag kan ze zich alleen verplaatsen door moeizaam rond te kruipen op handen en knieën - ze draagt slippers aan haar handen om ze te beschermen tegen de schroeiende hitte van het Afrikaanse zand. Zoals zo vaak het geval is in het zuiden van Sudan, dat door ziektes geteisterd en door oorlog verscheurd wordt, werden vier van Rosa's vijf kinderen ziek geboren. 'Er is geen ziekenhuis, er zijn geen medicijnen, er is niemand om te helpen', vertelde ze me, terwijl ze op de lemen vloer van haar strooien hut zat. 'De honger maakt het nog erger. Ze zijn gestorven. Mijn man is vertrokken, want hij dacht dat de kinderen doodgingen door mijn ziekte'. Toch leidde ze, toen ik haar voor het eerst ontmoette, een groep vrouwen bij het zingen van een psalm: 'God is goed. God is zo goed voor mij'.
Want Rosa is catecheet. Ze onderwijst al 25 jaar het katholieke geloof aan vrouwen van plaatselijke stammen. 'Ik heb besloten God te dienen met het leven dat Hij me gegeven heeft - zittend', legde ze uit. 'De vrouwen willen leren, maar ons programma wordt vaak opgehouden door ziekte en honger, omdat ze vaak eten moeten gaan zoeken voor hun kinderen'.

De verwoestende burgeroorlog teistert het zuiden van Sudan nu al achttien jaar lang. Iedereen heeft wel iemand verloren. Mannen en jongens vertrekken naar het front - vaak gedreven door een vurig geloof in de zaak, maar soms ook tegen hun wil, of uit wraak, of omdat het eenvoudigweg de enige manier is om genoeg voedsel te krijgen.
Door de felle oorlog en door de mogelijkheid om hun volk en hun huizen te beschermen, hebben maar weinig jonge mannen de kans of de behoefte om

gehoor te geven aan hun roeping tot priester, terwijl degenen die zich wel geroepen voelen, vaak in omstandigheden verkeren waardoor het niet mogelijk is om aan het seminarie te studeren. Aangezien de levensverwachting lager ligt dan vijftig jaar, zijn de meeste van de oudere geestelijken in Sudan al overleden en hebben zij de enkele jonge priesters, die er op één of andere manier in geslaagd zijn om hun studie op het seminarie af te maken, achtergelaten met een taak die veel te zwaar is voor hen alleen. Daarom is iedereen het eens met Rosa's overtuiging: 'De catecheten zijn de toekomst en de hoop van de kerk in Sudan'. Bisschop Caesar Mazzolari uit Rumbek stelt het zelfs zó: 'Velen van hen zijn net zo goed als de priesters. Ze worden erkend als de geestelijke leiders van hun gemeenschap'.
Dit zijn de mensen die op heroïsche en moedige wijze het geloof levend houden onder katholieken die niet meer dan één of twee keer per jaar, of zelfs helemaal nooit, een priester mogen zien of de sacramenten mogen ontvangen. Inderdaad, van 1983 tot 1997 was er helemaal geen priester in het afgelegen en geïsoleerde Nuba-gebergte. Alles wat de mensen er op pastoraal gebied hadden, was een catecheet om hen te evangeliseren, om hen te onderwijzen en om met hen te bidden. Maar toen de priesters daar enkele jaren later eindelijk arriveerden, kwamen ze erachter dat bijna driekwart van de mensen christen was - door toedoen van die ene catecheet. 'Sudan is een land dat door oorlog wordt verscheurd, en het eerste wat zij nodig hebben, is het Woord van God. Ze hebben Jezus nodig, dus wij moeten onszelf opofferen zodat zij de Vrede van Christus van ons kunnen leren'.

Het was de ongekende moed van deze toegewijde mensen die altijd indruk op mij heeft gemaakt. Tegen een kleine financiële vergoeding nemen zij hun gezinnen mee naar mensen die het geloof het hardst nodig hebben. Een 27- jarige catecheet vertelde me heel eenvoudig en pragmatisch over zijn dagelijkse leven in de diocese van Wau: 'Ik werd benoemd als verantwoordelijke voor meer dan vijftig kapellen. In één gebied bevonden wij ons vlakbij de spoorweg, en toen de Arabieren kwamen en mensen biddend aantroffen, vermoordden zij hen en staken de kapellen in brand. Drie van mijn kapellen werden in brand gestoken, dus baden we buiten'.
Meer dan twee miljoen mensen zijn al omgekomen in deze tragische oorlog, die wijd en zijd wordt genegeerd - het sterke islamitische noorden tegen het overwegend christelijke en animistische zuiden. Nog eens een miljoen mensen zijn dakloos geworden en sterven van honger, ziekte of dorst. Ze hebben hun thuis, hun bezittingen, hun vee en hun plantages verloren. Velen hebben familieleden

verloren. Maar ze houden zich vast aan hun geloof in God - en hierin spelen de catecheten een cruciale rol. 'Wij zijn er om de mensen aan te moedigen in tijden van oorlog', legde één van hen uit. 'Anders verliezen de mensen hun vertrouwen in God, als de priesters er niet zijn'.

Om deze reden worden met het St. Josephine Bakhita Vormingscentrum in de Keniaanse stad Kitale vele gebeden verhoord. Het is een interdiocesaan centrum dat werd opgericht in 1996. Er worden cursussen gegeven voor catecheten, priesters in opleiding, onderwijzers, zusters en vredesagenten. Aangezien het praktisch onmogelijk is om in Zuid-Sudan te zorgen voor een goede, degelijke, ononderbroken opleiding onder veilige omstandigheden, is het centrum van vitaal belang voor het toekomstige werk van de kerk in dit land.

Maar van de studenten vergt het een flinke aanpassing om de oorlog en hun thuis te verruilen voor het betrekkelijke comfort en de overvloed in Kenia.

'Ze hebben geïsoleerd geleefd', legde één van hun onderwijzers, de Peruaanse broeder Roy Zuniga, uit. 'Het is een schok voor hen om hier te komen - het is totaal anders. Ze zien auto's en huizen en krijgen een echte cultuurshock'.

Toch bestaat er geen gevaar dat degenen die in Kitale gestudeerd hebben zullen weigeren om het vredige, veilige Kenia te verlaten aan het einde van hun studie: op voorhand ondertekenen zij allemaal een geschreven overeenkomst en verklaren daarmee dat zij, eenmaal klaar met hun opleiding, terug zullen gaan naar Sudan om hun bisdom te ondersteunen.

'De training die we hier krijgen is heel nuttig', vertelde één van de studenten mij. 'In het zuiden van Sudan zijn er maar weinig priesters - er zijn meer catecheten. Na deze cursus kunnen wij erheen gaan en de mensen meer leren'.

De kerk in Sudan heeft cursussen zoals deze heel hard nodig, en daarom is het opleiden van deze onzelfzuchtige mannen en vrouwen een prioriteit voor de internationale hulporganisatie Kerk in Nood. Net zoals het bieden van mogelijkheden voor wat betreft het reizen tussen de afgelegen kapellen in het enorme bisdom. In één stad kreeg ik te horen: 'Onze parochie is erg groot en we hebben geen vervoer. Er zijn 52 kapellen in de parochie, maar de priester is niet in staat om ze allemaal te bezoeken, want hij heeft niet eens een fiets. De priesters en de catecheten hebben echt vervoer nodig om de kapellen te bezoeken'.

Het is overal hetzelfde. De meeste catecheten hebben geen enkel vervoersmiddel, en dus moeten ze urenlang lopen over de stoffige, hobbelige wegen en de Afrikaanse hitte trotseren om hun verafgelegen stations te bereiken; vaak moeten ze daarvoor ook nog door vijandig gebied. Hun toewijding is absoluut, want ze weten dat heel veel katholieken afhankelijk zijn van hen.

Je voelt je klein worden als je de toewijding en de liefde van het geloof van de christenen in Zuid-Sudan ziet. Een Comboni broeder vertelde me dat, toen de eerste katholieke missionarissen midden jaren negentig naar het bovenste gebied van de Nijl kwamen, zij aan de mensen vroegen: 'Wat willen jullie?' Het antwoord was niet, zoals zij hadden verwacht, 'vrijheid', maar 'het Woord van God'. Het is grotendeels te danken aan vele honderden toegewijde en moedige catecheten, dat zoveel gelovigen kunnen deelnemen aan het Evangelie.

02 februari 2001
Troepen van het Sudanese leger maken opnieuw jacht op slaven in dorpen in Zuid-Sudan. Medewerkers van de in Zürich gevestigde organisatie Christian Solidarity International, berichten dat gewapende troepen van de regering in Khartoem op 12 januari minstens 103 vrouwen en kinderen als slaven meevoeren tijdens gerichte acties in de dorpen Chelkou en Mabior. Plaatselijke leiders van de dorpsgemeenschappen, schatten dat op dit moment zo'n honderdduizend slaven in Noord-Sudan vastgehouden worden. De meeste slaven zijn christenen uit het zuiden, die al jaren lang worden vervolgd. Als de slaven eenmaal in het noorden zijn, worden zij verdeeld onder hun meesters. Daar worden zij persoonlijk onderworpen aan geweldpleging, seksueel misbruik, onbetaald werk en gedwongen bekeringen.[427]

Khartoem, 16 februari 2001
Op 15 februari 2001 doet de politie een gewelddadige inval in de kantoren van de Sudanese bisschoppenconferentie in Khartoem. Volgens het persbureau MISNA doen tien officieren een inval in de gebouwen en confisceren ze zes auto's van de Medini Health Training Institute. Er wordt geen verdere verklaring afgegeven inzake deze inval.[428]

Nairobi, 15 maart 2001
Rebellen van het Sudanese Bevrijdingsleger (SPLA) vallen de stad Nyal aan. Vijftienduizend mensen vluchten naar de katholieke Combonimissie, waar de rebellen vervolgens de kerk tot op de grond afbranden. De aanval vindt plaats op 22 februari 2001, maar het nieuws wordt eerst nu pas bekend.[429]

Khartoem, 09 april 2001
Een delegatie van de katholieke bisschoppen uit de VS brengt een bezoek aan Sudan. Naar aanleiding daarvan geven de Sudanese bisschoppen een verklaring uit, waarin zij de VS vragen om steun bij het herstellen van de ravage ten gevolge van de burgeroorlog. De bisschoppen verzoeken specifiek om de instelling van een

[427] Katholiek Nieuwsblad, 02-02-01
[428] CRTN, 20-02-01
[429] Catholic World News Briefs, 15-03-01. Zie ook: FIDES, 15-03-01

no-fly-zone, om zo de bombardementen op burgerdoelen te kunnen verhinderen.

In hun oproep wijzen de bisschoppen ook op het gebrek aan religieuze vrijheid voor de Sudanezen:
'Religieuze vervolging is een onderdeel van de recente tragedie in het moderne Sudan en is een van de voornaamste oorzaken van de oorlog'.[430]

12 april 2001
Op 10 april keert een delegatie van Canadese kerkleiders terug van een bezoek aan Sudan. De delegatie roept de regering op tot een moratorium van alle olieproducten vanuit Sudan, inclusief de Talisman Energy in Calgary. De oproep heeft te maken met de regelmatige bombardementen door de Sudanese regering van gebieden waar christenen wonen.[431]

Khartoem, 12 april 2001
Vele gelovigen worden gearresteerd en anderen raken gewond, nadat duizenden christenen voor een katholieke kerk hebben geprotesteerd tegen het besluit van de moslimregering om de paasvieringen te verplaatsen naar plekken buiten de stad. Christenen verzamelen zich bij de kerk van Allerheiligen en beginnen met stenen naar auto's te gooien nadat veertig christenen gearresteerd zijn.[432]

Khartoem, 16 april 2001
Drieënvijftig christenen worden afgeranseld, nadat autoriteiten vergeefs en herhaaldelijk gepoogd hebben om de paasvieringen vanuit de in het centrum van Khartoem gelegen kerk, naar de rand van de stad te verplaatsen. Twee vrouwen en twee kinderen krijgen donderdag vijftien stokslagen voordat zij worden vrijgelaten. Alle 47 mannen krijgen twintig stokslagen en een veroordeling tot twintig dagen gevangenis.[433]

Khartoem, 18 april 2001
Een vliegtuig van de bisschop van El Obeid wordt vlak voor de start met bommenwerpers aangevallen in het Nuba-gebergte. De bisschop, Macram Max Gassis, en zijn gevolg, raken ondanks de aanval niet gewond. Wel sneuvelt één politieman en raken er twee burgers zwaar gewond. De groep is op weg naar het noordelijke Bahr al-Ghazal om er Pasen te vieren. Zonder enige waarschuwing worden zes zware bommen gedropt aan het einde van de startbaan. Het vliegtuig van de bisschop stijgt snel op, om te voorkomen dat de bommenwerper nog eens terugkeert.[434]

[430] Catholic World News Features, 09-04-01
[431] The Voice of The Martyrs, 12-04-01
[432] Catholic World News Briefs, 12-04-01
[433] Catholic World News Briefs, 16-04-01
[434] Catholic World News Service, 18-04-01

Op 16 april bombardeert de regering van Sudan twee burgerdoelen; beide worden bestookt op een moment dat er katholieke bisschoppen aanwezig zijn. Op 16 april wordt een landingsbaan in Kauda, in het Nubagebergte, gebombardeerd. Er worden veertien bommen afgeworpen. Eén persoon komt om en twee raken gewond. Op 22 april dropt de regering zestien bommen op burgerdoelen rond de stad Narus, in oostelijk Equatoria. Twee bommen komen op de marktplaats terecht en twee op een kerkelijke school. Bisschop Macram Max Gassis van het bisdom El Obeid zegt: 'The regime has regularly attempted to block my access to Catholics in these marginalized areas, and when it fails to prevent that, it seeks to disrupt our religious celebrations through the constant threat of aerial bombardment'.[435]

Directeur van JRS Eastern Africa, Stephen Power SJ, zegt: 'I spoke to two Maryknoll Sisters about their first-hand experience of the terror of the recent bombing of Narus. They are just completing their bunker. Bishop Paride Taban was not able to get in a bunker and narrowly escaped being hit by shrapnel. Many more children could have been killed and it was only fortunate that they were not'.

Khartoem, 20 april 2001
Leiders van tien christelijke groeperingen protesteren bij de Sudanese premier tegen de behandeling van een honderdtal christenen tijdens de Goede Week en Pasen. Drie mensen raken gewond door geweerkogels; anderen worden ernstig gewond door stokslagen.[436]

London, 23 april 2001
Amnesty International verzoekt om een onderzoek naar gewelddadigheden en arrestaties van Sudanese christenen, onder wie vele vrouwen en kinderen, gedurende de paasdagen van 2001. De mensenrechtenorganisatie stelt dat 'zij bezorgd is om het feit dat op zijn minst negen personen, onder wie kinderen, afgeranseld zijn, nadat zij met 47 anderen beschuldigd waren van 'verstoring van de publieke orde'. Allen die door de politie zijn opgepakt, moeten de gelegenheid krijgen zich door een advocaat naar eigen keuze te kunnen laten verdedigen'.[437]

April 2001
'Als de internationale gemeenschap niet snel ingrijpt, vallen er binnenkort weer miljoenen doden in Sudan'. Dat zegt bisschop Paride Taban van Tobit in Zuid-

[435] Jesuit Refugee Service: Sudan alert, 02-05-01
[436] Catholic World News Briefs, 20-04-01 en FIDES, 20-04-01
[437] Catholic World News Briefs, 23-04-01

Sudan op zaterdag 17 maart in het afkickcentrum te Cadier en Keer, tijdens de jaarlijkse missiedag van het bisdom Roermond. 'Het land is meer dan dertig jaar in een burgeroorlog verwikkeld. Deze oorlog gaat al lang niet meer over godsdienstige verschillen, maar over macht en rijkdom', aldus de bisschop. 'De regering van Khartoem is helemaal niet geïnteresseerd in vrede. Zolang de oorlog woedt, kunnen ze miljarden aan steun krijgen om weer nieuwe wapens te kopen'.[438]

Nairobi, 18 mai 2001
Vanwege bedreigingen door de rebellen van het Volks Democratisch Front, een splintergroepering van de SPLA, worden twee missionarissen en veertien medewerkers van hulporganisaties uit Ganyli geëvacueerd. De stad is onlangs betiteld als een stad met 'hoog risico', vanwege de frequente aanvallen door moslimmilitanten.[439]

Königstein, 21 mei 2001
Een luchtaanval op de stad Narus, in het uiterste zuiden van Sudan, kost het leven aan drie mensen, onder wie een kind van zes jaar. Dit bericht is afkomstig van de bisschop van Torit, mgr. Paride Taban. De bisschop zelf ontsnapt ter nauwernood aan deze aanval. Dit soort aanvallen zijn er inmiddels sinds achttien jaar. De verantwoordelijkheid ervoor ligt bij de noordelijke moslimlegers. De aanvallen zijn gericht tegen christenen in het zuiden.[440]

24 mei 2001
Er worden veertien bommen gegooid op Tonj, in de regio van Bahr el Ghazal.[441]

Khartoem, 28 mei 2001
Zelfs de Amerikaanse minister van Buitenlandse Zaken, Colin Powell, spreekt van een 'nieuwe poging van de Sudanese moslimregering', om door bombardementen de christelijke gemeenschappen in het Nuba-gebergte zwaar te treffen.
Bisschop Macram Max Gassis van El Obeid, die Canada bezoekt, vertelt nieuwe documenten ontvangen te hebben, die duidelijk maken dat militairen bezig zijn om alle uitvalswegen rondom Kauda en Gidel af te sluiten. 'Ik nodig alle mensen uit, van welke religie dan ook, te bidden voor de mensen en voor mij persoonlijk, die in de Nubabergen wonen. Zij worden systematisch zwaar gebombardeerd en aangevallen. Vele dorpen zijn uitgebrand, veel mensen zijn vermoord, velen zijn gevlucht. Ouderen en kinderen zijn zeer kwetsbaar. Er wordt op mijn priesters en andere medewerkers gejaagd', aldus de bisschop.

---

[438] Contactblad van de Sociëteit voor Afrikaanse missiën, no.123, april 2001, blz.7
[439] CRTN, 21-05-01
[440] Info-Sekretariat, persbericht, 22-05-01
[441] International Christian Concern, 07-06-01

De moslimregering van het noorden is sinds meer dan twintig jaar in oorlog tegen het overwegend christelijke zuiden. In de Nuba-regio zijn in die periode op zijn minst 300.000 mensen gedood. In het hele land betreft het ongeveer twee miljoen doden. De moslimlegers hebben het vooral gemunt op christelijke instellingen. Ook bisschop Gassis is herhaaldelijk aangevallen.[442]

Volgens Open Doors zijn veertien dorpen in de Nuba-gebergte platgebrand, en vijfduizend mensen verbannen.

28 mei 2001
'In the last 17 years, two million persons have been killed, four million have been internally displaced and hundreds of thousands made refugees. Yet the West seems to evince little interest in the hidden holocaust that is consuming Southern Sudan, a situation that the US bishops have rightly called 'one of the worst human tragedies of our times'.[443]

'The religious and political reasons for the slaughter are well known: the Khartoum government is a regime bent on the 'islamization' of the country... The genocide includes wrenching stories of slavery, rape, torture, executions (including reports of crucifixions), the regular bombing of schools, churches and hospitals, as well as restrictions on aid to populations threatened by famine'.[444]

14 juni 2001
Het Huis van Afgevaardigden van de VS neemt een wet aan, die tot doel heeft het vredesproces in Sudan te ondersteunen. Dezelfde wet maakt de bestraffing mogelijk van buitenlandse maatschappijen die het proces dwarsbomen. Aan Amerikaanse bedrijven is reeds verboden om vanuit Sudan te werken. Het betreft in dit verband vooral oliemaatschappijen.[445]

Juli 2001
De islamiseringspolitiek van de regering gaat door. Voordat een kind op zesjarige leeftijd naar de basisschool mag, moet het twee jaar kleuteronderwijs hebben gehad. Dat kleuteronderwijs is in handen van de overheid die de kinderen al op de leeftijd van vier jaar wil indoctrineren met de islam.[446]

Augustus 2001
De Sudanese president Omar al-Bashir benadrukt dat hij, ondanks de acceptatie van een vredesplan, vast wil houden aan de islamitische koers. Hij verwerpt het

[442] Catholic World News, 28-05-01
[443] America, 28-05-01, blz.3
[444] America, 28-05-01, blz.3
[445] The Voice of the Martyrs, Canada, 14-06-01
[446] Open Doors, juli/augustus 2001, blz.8

buiten spel zetten van zijn regering, aldus de president vorige week woensdag tegenover jonge rekruten in Khartoem. Het door bemiddeling van Egypte en Syrië tot stand gekomen vredesplan, voorziet onder andere in een overgangsregering, bestaande uit vertegenwoordigers van de islamitische regering en de christelijke en animistische rebellen in het zuiden. Ook in het voorafgaande weekeinde had Al-Bashir al elke overeenkomst tussen het vredesproces en een regeringswissel verworpen. Hij zei indertijd de macht gegrepen te hebben om de shari'a, het islamitische strafrecht, in te voeren. Daaraan wil hij niets veranderen. Hij noemde het 'illusoir' te geloven dat de acceptatie van het vredesplan een koersverandering van de 'regering van het heil' zou betekenen. In de burgeroorlog zijn inmiddels vijf miljoen mensen op de vlucht gedreven.[447]

09 augustus 2001
In een persbericht maakt Maurice Vellacott, 'Canadian Allaince Member of Parliament for Saskatoon-Wanuskewin', melding van het feit dat Canadese pensioengelden in Sudan gebruikt worden voor genocide. Op blz.18 van zijn rapport maakt hij melding van het feit dat de Canadian Pension Plan op 31 maart 2001 57,3 miljoen US-dollar geïnvesteerd heeft in de Calgary-based Talisman Energy. Volgens het Harker-rapport (2000) heeft dit bedrijf juist in de Sudanese conflictgebieden bijgedragen aan instabiliteit.[448]

Khartoem, 28 augustus 2001
Een tiener en vier mannen raken gewond bij een aanval van de Sudanese regering op dorpen en vluchtelingenkampen in het zuiden van het land. Dit zijn berichten van het bisdom van Torit. Pater Maurice Loguti, woordvoerder van het bisdom Torit, meldt dat de bommenwerpers verschijnen op zondagochtend, als velen een mis bijwonen. Na bombardementen op het dorp, vliegen de bommenwerpers verder in de richting van de stad Ikotos, die vervolgens ook wordt gebombardeerd.[449]

28 augustus 2001
De bisschoppen van Sudan roepen de regering op om onmiddellijk een einde te maken aan de oorlog; onderhandelingen zijn de enige weg tot vrede. De oproep wordt gedaan aan het einde van een bijeenkomst, tussen 12 en 17 augustus, van katholieke en episcopale bisschoppen. De Sudanese regering denkt er anders over: de shari'a is de enige wet.[450]

[447] Katholiek Nieuwsblad, 03-08-01, en bericht KNA
[448] The Voice of the Martyrs, Canada, 09-08-01
[449] Catholic World News, 28-08-01
[450] Jesuit Refugee Service, 28-08-01

Rome, 09 oktober 2001
Volgens mgr. Daniel Adwok, de hulpbisschop van Khartoem, is een dialoog tussen christenen en moslims heel moeilijk, maar noodzakelijk. Gedurende de laatste decennia van de oorlog tussen de islamitische regering van Sudan en christenen, zijn meer dan twee miljoen mensen gedood. In het bisdom Khartoem worden de laatste jaren gemiddeld vijfduizend mensen gedoopt, waaronder vele ex-moslims.[451]

08 oktober 2001
Compass Direct meldt dat Mohammed Saeed Mohammed Omer door de Sudanese geheime politie is gemarteld, nadat hij op 22 september in Khartoem op de straat is opgepikt. Omar werd in december 2000 christen, toen hij studeerde aan een universiteit in India. Als zijn familie te horen krijgt van zijn bekering tot het christendom, wordt Omer verplicht om thuis te komen. Omer gelooft dat de foltering een gevolg is van aangifte bij de politie door zijn familie.[452]

Khartoem, 09 oktober 2001
De 'UN Humanitarian Coordinator' voor Sudan vertelt dat de stad Mangayath op 5, 6 en 8 oktober is gebombardeerd door de Sudanese regering. Alleen al op 6 oktober raken zes mensen gewond en komt één persoon om het leven.[453]

Zürich, Los Angeles, Nyamlell (Sudan), 08 november 2001
Het Sudanese leger doodt 21 burgers en voert 113 vrouwen en kinderen de slavernij in. De gouverneur van het district Aweil-West, vertelt dat zes dorpen ten oosten van de stad Nyamlell aangevallen zijn. Onder de ontvoerde vrouwen is ook Juliana Mururi, een stafmedewerkster van CEAS (Church Ecumenical Action for Sudan). Gedurende de oktoberaanvallen worden 93 burgers gedood en 85 vrouwen en kinderen tot slaaf gemaakt.[454]

Rome, 14 november 2001
De bisschop van het katholieke bisdom in het zuiden van Sudan, heeft de islamitische regering van Khartoem opgeroepen om een hulpverlener uit Kenia vrij te laten. De man is vorige week opgepakt. Bisschop Cesare Mazzolari van Rumbek vertelt aan het persagentschap MISNA in Rome, dat de arrestatie van 'hulpverleners in de noordelijke stad Bahr el Ghazal, duidelijk illlustreert dat Khartoem geen respect heeft voor mensenrechten'. In het bijzonder gaat het hier om Juliana Mururi (zie bericht 08-11-01).[455]

[451] CAN News, 09-10-01
[452] The Voice of the Martyrs, 11-10-01
[453] Catholic World News, 09-10-01
[454] ACN News, 08-11-01
[455] ACN News, 14-11-01

Al in een eerder stadium verwijt bisschop Erkolano Lodu Tombe de islamitische regering van Khartoem dat zij christenen systematisch vervolgt. Het conflict in zijn land is volgens hem 'het resultaat van een systematische campagne voor de islamisering van Sudan'. 'Godsdienstvrijheid wordt methodisch onderdrukt', aldus de bisschop.[456]

SOMALIË

Oppervlakte: 637.657 km²
Bevolking: 7.253.137
Religie: Moslim (Sunnieten): 99,96% Een kleine christelijke minderheid
Etnische groeperingen: Somali, Bantoe, Arabieren[457]

Mogadishu, 07 juni 2001
De officier van justitie van de nationale Somalische overgangsregering, beschuldigt HornAfrik, de grootste en populairste radiozender van het land ervan, de moslimmeerderheid van het land aan te vallen door de uitzending van christelijke radioprogramma's. Moslims voelen zich bijzonder gekrenkt door de uitzending van BBC-programma's.[458]

SRI LANKA

Oppervlakte: 65.610 km²
Bevolking: 19.144.875
Religie: Boeddhisme: 70% Hindoe: 12% Moslim: 7% Christen: 8%[459]
Etnische groeperingen: Singalesen, Tamils, Moren.

456 KATHPRESS, 12-10-01
457 International Christian Concern, en CIA The World Factbook.
458 CRTN, 08-06-01
459 International Christian Concern, 07-06-01 en CIA The World Factbook.

De hindoebevolking is vooral geconcentreerd in het noorden van het land; de christenen vooral in het westen. Het zuiden is overwegend boeddhistisch. Vooral de 'Liberation Tigers of Tamil Ealam' (LTTE) voeren extremistische aanslagen uit. Zij streven naar een 'onafhankelijke, hindoe, Sri Lanka's Tamil-staat'. Daarnaast bestaan er diverse kleine, boeddhistisch-extremistische groeperingen, die het vooral gemunt hebben op christenen.

Mei 2001
Als de protestante gemeente van Nurwarawatte (220 km ten noordoosten van Colombo) op 18 februari 2001 naar de kerk gaat, treft zij een totaal vernielde inboedel aan. Gemaskerde mannen hebben 's morgens vroeg ingebroken en alles kort en klein geslagen. Er staat de gemeente niets anders te doen, dan tussen de brokstukken de eredienst te vieren. Terwijl de voorganger aan het bidden is, overvalt een menigte van honderd, met kapmessen bewapende, fanatieke boeddhisten, de kerkgangers. 36 christenen moeten in het ziekenhuis behandeld worden. Eén van hen is er ernstig aan toe. Hoewel het incident de voorpagina's van de Sri Lankaanse kranten haalt en de president een onmiddellijk onderzoek gelast, wordt het kerkje half maart door onbekenden in de as gelegd.[460]

Colombo, 15 mei 2001
De regering van Sri Lanka maakt bekend een accoord te hebben bereikt met de Liberation Tigers of Tamil Elam (LTTE). De bisschoppenconferentie van de Indian Ocean island's Catholic Bishops, verklaart tevreden te zijn met het akkoord. Geschat wordt, dat het aantal doden dat gedurende het afgelopen jaar door de Tamiltijgers is gemaakt, ongeveer zestigduizend bedraagt. De aanvallen richten zich voornamelijk op christenen.[461]

Mei 2001
Gedurende de laatste weken is weer een sterke toename van geweld door extremistische hindoes. Op 10 mei 2001 vermoorden extremisten in Negombo de priester pater Bernard Costa. Hij wordt dood, liggend in een plas bloed, aangetroffen. In de loop van april 2001 worden twee kerken bedreigd en de priesters ervan wordt verzocht de stad te verlaten.[462]

Colombo, 08 juni 2001
'Deze oorlog is een schandaal voor de mensheid. Het aantal doden (75.000) en het aantal vluchtelingen (1.000.000), overtreft de cijfers van de oorlogen op Oost-Timor, de Balkan en Palestina. Alle pogingen moeten worden ondernomen

[460] Open Doors, mei 2001, zie ook: UCAN, 22-02-01
[461] Catholic World News Briefs, 15-05-01
[462] International Christian Concern, 07-06-01

om de dialoog op gang te brengen', zegt bisschop Malcolm Ranjith van het bisdom Ratnapura. Hij is tevens de secretaris-generaal van de katholieke bisschoppen-conferentie van Sri Lanka en de president van de bisschoppelijke commissie Iustitia et Pax. De bisschop maakt tussen 4 en 15 juni een 'vredestocht' langs een aantal landen: hij bezoekt Noorwegen, Engeland, Zwitserland, Frankrijk en Duitsland.[463]

09 augustus 2001
Boeddhistische monniken hebben zich bij de regering beklaagd over de invloed van het christendom in het land. Met name door de toenemende evangelisatie door christenen voelen 'zij zich als boeddhisten in het land bedreigd'.[464]

SYRIË

Oppervlakte: 185.180 km^2
Bevolking: 17.213.871
Religie: Moslim: de grootste meerderheid 86% Christenen Joden
Ethnische groepen: Arabieren, Koerden, Armeniërs.[465]

In Syrië zijn er geen extremistische groeperingen die zich met name richten tegen de christenen. Er is vrijheid van godsdienst, maar religieuze groeperingen moeten zich laten registreren.

Damascus, 16 maart 2001
De leider van de Syrische moslims verklaart niet samen met de paus te willen bidden, als hij het land in mei 2001 zal bezoeken. De Syrische grootmufti, Sheikh Ahmed Kiftaro, zegt verder: 'Berichten dat er een christelijk-islamitisch gebed uitgesproken zou worden in de Omayyad moskee, zijn volledig onjuist. Er is in deze kwestie geen besluit genomen door de grootmufti. Coëxistentie tussen christenen en moslims vereist geen gemeenschappelijk gebed'.[466]

[463] Fides, 08-06-01
[464] The Voice of the Martyrs, Canada, 09-08-01
[465] International Christian Concern, 17-04-01 en CIA The World Factbook, 1999
[466] Catholic World News Briefs, 16-03-01

Königstein, 30 april 2001
Tijdens de 93e reis van paus Johannes Paulus II, die hem onder andere naar Syrië voert, zal de paus oproepen tot een vreedzame samenwerking tussen moslims en christenen. De meeste aandacht tijdens deze reis gaat echter uit naar ontmoetingen met andere christelijke groeperingen. De grootste christelijke groep wordt gevormd door katholieken van de Byzantijnse rite, ook melkieten genoemd en van de orthodoxen. Damascus was, tot in de zevende eeuw de islam op kwam zetten, bij uitstek een christelijke stad.[467]

Damascus, 05 mei 2001
Bij gelegenheid van het bezoek van de paus aan Syrië, geeft aartsbisschop Mounayer (76) een interview aan FIDES. Mounayer is sinds 1978 hoofd van de Syrisch-katholieke kerk van Damascus. Zijn kerk is met 6.200 gelovigen verdeeld over vier parochies. In het interview vertelt Mounayer over de massale moord op Syrische christenen in 1915. Bij de genocide kwamen 150.000 mensen om. Hij verwacht dat het bezoek van de paus de positie van de kerk in Syrië zal versterken.[468]

Damascus, 07 mei 2001
Een kleine kloostergemeenschap van de abdij van Mar Mussa al-Habashi, genoemd naar St. Moses de Ethiopiër, is van plan om de dialoog aan te gaan met de islam. De abdij ligt in de buurt van Nabak, waar ongeveer 86.000 mensen wonen, waaronder achthonderd christenen. Door hun dagelijkse contacten met de overwegend islamitische buitenwereld, hebben de monniken goede contacten opgebouwd met moslims. Bovendien wordt in het klooster veel tijd besteed aan bestudering van het Arabisch en van de islamitische grondbeginselen.[469]

TADZJIKISTAN

Oppervlakte: 142.100 km^2
Bevolking: 6.440.732
Religie: Sunnieten: 80% Shiïeten: 5%
Etnische groeperingen: Tadzjiks, Uzbeken, Russen[470]

467 INFO, Königstein, persbericht, 30-04-01
468 FIDES, 05-05-01
469 FIDES, 07-05-01
470 International Christian Concern, 22-11-01 en CIA The World Factbook, 2000

Volgens de regering zijn in het land verschillende extremistische moslimgroeperingen actief. De grondwet garandeert de vrijheid van godsdienst. De regering probeert door het vasthouden aan een seculiere staat, de invloed van moslimfundamentalisme te beperken. In 1998 is zelfs een wet ingevoerd die verbiedt politieke partijen op basis van religie op te richten. De wet wordt echter niet toegepast: op dit moment hebben twee leden van een islamitische partij zitting in het parlement. Religieuze organisaties dienen door de overheid geregistreerd te worden. De regering heeft besloten om de islamitische feestdagen als officiële feestdagen voor het hele land te erkennen.[471]

25 oktober 2001
Volgens Keston News Service (KNS) weigert Salijon Valiyev, de islamitische burgemeester van Kurgan-Tyube, om de evangelische kerk te registreren. Kurgan-Tyube is de derde stad van Tadzjikistan. Als verklaring voor zijn weigering, voert Valiyev aan dat het hier gaat om dezelfde baptistenkerk, die al in Dusambee geregistreerd staat.[472]

TSJAAD

Oppervlakte: 1.284.000 km^2 [473]
Bevolking: 8.707.078
Religie: Moslim: 50% Christen: 25% Inheems: 25%
Etnische groeperingen: Arabieren, Toubou, Hadjerai, Fulbe, Kotoko, Kanembou, Boulala, Zaghawa, Baguirmi, Maba [474]

Moundou, 15 juli 2001
De kerk van de florerende evangelische gemeenschap van Moundou, in het zuiden van Tsjaad, wordt binnenkort gesloten na druk van de zijde van de lokale moslimgemeenschap. Het stukje grond waarop de kerk is gebouwd, is ooit bestemd geweest voor de bouw van een moskee. De bouw ging echter nooit door, omdat de grond te ver van het centrum van de stad lag. Daarom kreeg de evangelische

[471] International Christian Concern, 22-11-01
[472] The Voice of the Martyrs, Canada, 25-10-01, zie ook: International Christian Concern, 22-11-01
[473] African Websites - Profile on Chad. www. africanconservation. com
[474] Zie : CIA The World Factbook

gemeenschap de kavel toegewezen. In de tussentijd is het gebied echter een territorium van moslimfundamentalisten geworden. Zij eisen de sluiting van de kerk omdat die hun activiteiten zou dwarsbomen.
Volgens lokale waarnemers is er sprake van een sterke islamisering, die leidt tot destabilisatie van de gezinnen, van de dorpen en de maatschappij in het algemeen. In het naburige Lolo zijn boeren omgekocht om een stukje grond vrij te geven voor de bouw van een moskee. Zodra de moskee gebouwd was, verscheen een bord aan de rand van het dorpje, met de aankondiging dat Lolo een moslimgemeenschap was geworden.[475]

TURKIJE

Oppervlakte:
Bevolking: 64.000.000
Religie: Moslim: 99,8% Christen: 0,2%
Etnische groeperingen: Turken, Koerden[476]

Rijkdom en leed van de Arameeërs van Mesopotamië

Bij een ontmoeting in Damascus twee maanden geleden overhandigde de patriarch van de Syrisch-orthodoxe kerk aan de paus een boek in drie delen over zijn volk. Het is een onthullend boek over de weinig gekende geschiedenis van triomf en leed voor de Arameeërs van Mesopotamië, inclusief een genocide.

Ben van de Venn[477]

De kleine woonkamer van zijn flat in Hengelo is eenvoudig ingericht. Alleen de muren van zijn kamer tonen een bonte pracht van iconen, allerhande kruisbeelden en familiefoto's. Met vuur vertelt Gabriël Sengo over zijn volk, de Aramees sprekende christenen van Mesopotamië, tegenwoordig als Syrisch-orthodoxe christenen aangeduid. Hij ziet het als zijn taak het bestaan en de positie van zijn volk te verdedigen. Sinds 1999 is de wereldwijde organisatie van Arameeërs, de

[475] CRTN, 17-07-01
[476] International Christian Concern, 19-02-01 en CIA The World Factbook 1999
[477] Katholiek Nieuwsblad, 13-07-01

Syriac Universal Alliance, als niet-gouvernementele organisatie door de VN erkend. Sengo is een van de gedelegeerden bij de VN in Genève.

Ook uitgemoord

Hij wil graag wat correcties aanbrengen bij onjuiste berichtgeving in het Katholiek Nieuwsblad. Maar er is nog een andere reden om eens met KN te praten. Veel is er de laatste jaren geschreven over de genocide op de Armeniërs door de Turken in de jaren 1915-1918. Weinig bekend is dat ook de Aramees- of Syrisch-talige christenen het slachtoffer zijn geweest van de slachtpartij die de Turken met behulp van Koerdische handlangers in die jaren aanrichtten. Zo'n 300.000 Aramese christenen werden op brute wijze vermoord. Dat Turkije niets wil weten van het bestaan van Aramese christenen, en al helemaal niet van een genocide op de gemeenschap, bewijst de arrestatie van de Syrisch-orthodoxe priester Yusuf Akbulut in oktober 2000. Toen een journalist van het dagblad Hurriyet hem ondervroeg over de genocide op de Armeniërs, antwoordde hij: 'Niet alleen Armeniërs zijn uitgemoord, maar ook Syriërs'. De kop boven het artikel luidde: 'Verraders onder ons'. Op pijnlijke wijze was de genocide op de Arameeërs in de publiciteit gekomen. Dankzij internationale druk is Akbulut inmiddels vrij.

Eenheid van Christus

Mesopotamië, de streek tussen de rivieren de Eufraat en de Tigris, is altijd bewoond geweest door Arameeërs. Het Aramees was een belangrijke taal in het Midden-Oosten, de taal die ook Jezus sprak. De Arameeërs van Mesopotamië waren een volk van wetenschap en cultuur. Na de komst van Christus aanvaardden zij al snel het christendom. Door de apostelen, de bekeerde joden en de Arameeërs van Mesopotamië, werd de kerk van Antiochië gesticht, het eerste patriarchaat buiten Palestina in de huidige stad Antakya in de uiterste zuidpunt van Turkije. Van hieruit werd het Evangelie aan diverse volken doorgegeven en het was de vertrekplaats van de zendingsreizen van Paulus.

In 451 werd het concilie van Chalcedon bijeengeroepen om de leer omtrent de persoon van Christus bindend vast te leggen. Het concilie stelde dat Christus één enkele persoon is in twee naturen, een goddelijke en een menselijke. De Arameeërs van Mesopotamië konden zich niet vinden in deze formulering. Zonder het Godmenselijke karakter van Christus op te geven, hielden zij vast aan de eenheid van Christus, ook in zijn natuur. Door hun tegenstanders werden zij daarom 'mono-fysieten' (aanhangers van de ene natuur van Christus) genoemd.

Daarmee was de Syrisch-orthodoxe kerk van Antiochië geboren, niet te verwarren met het huidige islamitische Syrië. In de verwarde tijden na Chalcedon voerde de Antiocheense patriarch Petrus de typisch monofysitische toevoeging 'die voor ons gekruisigd werd' toe aan het driewerf 'heilig' van de oude liturgie. In de Syrisch-orthodoxe kerk zingt men ook nu nog bij de aanvang van de woorddienst: 'Heilige God, heilige sterke, heilige onsterfelijke, die voor ons gekruisigd zijt, ontferm u over ons'.

Heilige oorlog

Na de komst van de islam in de regio, begonnen de Turken in de zestiende eeuw met regelrechte pogingen om de Aramese christenen op hun grondgebied te verdrijven of uit te roeien. Boven de ingang van het klooster Mar Gabriel in Tur Abdin lezen we: 'Dit heilig klooster is voor de eerste keer door de Turkse vijanden geplunderd. Ook brachten ze verwoestingen aan in het gehele gebied van Tur Abdin, aan kloosters en dorpen in de omgeving'. Toch heeft de Syrisch-orthodoxe kerk zich op bewonderenswaardige wijze kunnen handhaven. Voor het jaar 1914 was er dan ook een tamelijk sterke Aramese gemeenschap in Turkije.
Maar dan breekt het rampjaar 1914 aan, het 'jaar van het zwaard'.
Op 7 november 1914 roept het hoogste islamitische gezag in Istanbul op tot een 'heilige oorlog' tegen alle vijanden van Turkije. Formeel was het decreet gericht tegen de Engelsen, Fransen en Russen. Maar overduidelijk waren met vijanden ook niet-moslims op Turks grondgebied bedoeld, zoals de Armeniërs en de Arameeërs van Mesopotamië. Zeker toen die beschuldigd konden worden van collaboratie met Rusland.

Bruut geweld

Er bestonden inderdaad banden tussen de Russen en de Arameeërs en Armeniërs en er waren afspraken gemaakt op het vlak van bewapening. Toen het Derde Turkse leger in 1914 ten aanval trok tegen de Russen, werden tegelijkertijd de christenen in Oost-Turkije aangepakt. Razzia's volgden en hele dorpen werden met de grond gelijk gemaakt. De Aramese christenen in de streek Tur Abdin bleven aanvankelijk enigszins buiten schot. Zij hadden geen nationalistische aspiraties, zoals de Armeniërs, en wilden slechts in vrijheid hun geloof in Jezus Christus kunnen belijden. In 1915 werden echter ook de Ga'oer (goddelozen) in de Aramese dorpen het doelwit van Turkse en Koerdische troepen.
Als documentatie van de genocide op de Arameeërs kan onder meer de getuigenis van Abdulmesih Niman Karabas dienen, een student Aramees in het klooster Deyrl'Zahfaran bij de stad Mardin. Hij geeft voorbeelden van de wreedheden aan

de hand van wat hij zelf gezien heeft en wat Turkse militairen nadien vertelden. Zo waren er de gebeurtenissen op 9 april 1915 in Diyarbekir: 'Op bevel van het leger werden 1200 Syrische (Aramese) mannen van aanzien verzameld en op vreselijke wijze gemarteld. Sommigen werden bewerkt met gloeiend hete ijzeren voorwerpen'. De overlevenden werden naar de rivier de Tigris geleid, 'daar uitgekleed en afgevoerd naar een dal waar ze op barbaarse wijze werden afgeslacht'. Gelijksoortige gebeurtenissen speelden zich in andere Aramese dorpen af.
In Kahbia overleefde niemand van de 1650 inwoners een overval. In Hazach werden de twee aartsbisschoppen gemarteld, vermoord en als oud vuil buiten de stad afgevoerd. Pastoor Gabriel in Siirt werd door de Koerd Kasimo met een zwaard en een slagersmes verminkt om hem te dwingen moslim te worden. Toen hij dat weigerde werd hij onthoofd.

Geen erkenning
Het aantal slachtoffers van de genocide op de Arameeërs wordt geschat op tussen de 200.000 en 300.000. Sengo: 'De betrouwbaarste documentatie bij het vaststellen van de omvang van de genocide, vormen de doopregisters in de betreffende dorpen in Tur Abdin. Aan de hand daarvan kan men vaststellen hoeveel Arameeërs er waren voor de bloedbaden en hoeveel er daarna nog over waren'. Veel overlevenden van de massaslachting vluchtten naar Syrië, Libanon en westerse landen. Naar aanleiding van door de Turkse overheid gedoogde discriminatie, vervolging en moordpartijen door de islamitische Koerden in de jaren zeventig en tachtig, zijn opnieuw veel Arameeërs weggetrokken. Nu zijn er nog zo'n vijftiendhonderd in hun stamland Tur Abdin.
Een erkenning van de genocide op de Aramese christenen, lijkt veel verder weg dan van die op de Armeniërs. In het verdrag van Lausanne uit 1923, worden alleen de Grieken en Armeniërs als etnische minderheid in Turkije erkend. De Arameeërs werden en worden veelal aangemerkt als 'bergturken' om hen zo als eigen gemeenschap weg te poetsen. Nog altijd is het gebruik van hun taal, het Aramees, in Turkije verboden. Een lichtpunt is dat de wereldwijd circa vijf miljoen Arameeërs van Mesopotamië, zoals de gemeenschap zich -trots op zijn historische wortels- blijft noemen, in 1999 door de VN is erkend als NGO.

Droom
Hét bindend element van de Arameeërs van Mesopotamië, zowel in hun stamland als in de diaspora, is hun oude kerk met haar rijke liturgie. Hoofd van de kerk is de patriarch van 'Antiochië en geheel het Oosten'. De huidige patriarch, Ignatius Zakka I Iwas, zetelt in Damascus. Er zijn nog vijftien bisdommen, waar-

onder een aantal in de diaspora. In het Twentse klooster Glanerbrug zetelt bisschop Ciçek van Nederland en West-Europa.
Karakteristiek voor de liturgie van de Syrisch-orthodoxen, uiteraard in de Aramese taal, is het grote aantal anafora's (eucharistische gebeden): meer dan zeventig. Over het algemeen beperkt men zich tegenwoordig tot twee. Opvallend is ook het aantal vastenperiodes.
Deze rijkgeschakeerde liturgie is de Arameeërs dierbaar. Sengo: 'De eigen liturgie in het Aramees wordt door de gemeenschappen overal in stand gehouden. Waar grote gemeenschappen zijn, bouwen de Arameeërs van Mesopotamië een eigen kerk, op andere plaatsen maken ze van bestaande kerken gebruik (zoals in Amsterdam). Ik ben ervan overtuigd dat als de kerk er niet was geweest, wij als volk allang opgehouden hadden te bestaan. Als je ziet wat onze leraren en onze kerkvaders aan liturgische rijkdom en wetenschap hebben opgebouwd, dan begrijp je dat stiekem bij ieder van ons de droom leeft van een herrijzenis van de oude en rijke cultuur van de Arameeërs in hun vaderland'.

Januari 2001
Een katholieke priester wordt aangeklaagd omdat hij openlijk protesteert tegen de moord op 500.000 Syrische christenen in 1915. Het betreft pater Yusuf Akbulut, die op 21 december 2000 wordt opgepakt. Hij is pastoor van de Syrisch-orthodoxe parochie van Diyarbakir, in het oosten van Turkije. In het dagblad Hurriyet wordt pater Yusuf 'een verrader onder ons' genoemd. Hij wordt aangeklaagd op grond van artikel 312 van de het Turkse strafrecht, dat 'aanzetten tot religieuze of etnische vijandigheid' strafbaar stelt.[478]

Diyarbakir, 16 februari 2001
Kemal Timur, een Turkse christen, moet voor de rechter verschijnen op beschuldiging van belediging van de islam en van Mohammed. Dat bericht Middle East Concern, een mensenrechtenorganisatie voor het Midden-Oosten, naar aanleiding van een verzoek van Alliance of Protestant Churches om hem met een advocaat te ondersteunen. Timur is 32 jaar en lid van een kleine protestante kerk.[479]

[478] Information und Appelle, 01-01-01, blz.1-3
[479] CRTN, 08-02-01 en International Christian Concern, 19-02-01

Ankara, 22 februari 2001
Het proces tegen Pater Yusuf Akbulut (36), een priester van de Assyrische kerk in het oosten van Turkije, wordt uitgesteld, omdat de beschuldigingen die tegen hem geuit zijn, nog niet bevestigd kunnen worden. Pater Akbulut is destijds gearresteerd nadat hij een interview heeft gegeven aan het Turks-nationalistisch blad Hurriyet, waarin hij stelde dat de Assyriërs, evenals de Armenen, het slachtoffer zijn geworden van een genocide in het begin van de twintigste eeuw.[480]

Frankfurt-Ankara, 21 juni 2001
De Society for Threatened People, een Duitse non-gouvernementele organisatie die verbonden is met de VN, maakt bekend dat een Syrisch-orthodoxe christen in het zuidoostelijke Idil is gearresteerd. De man is op het moment van zijn arrestatie in het bezit van een Zwitsers paspoort en hij maakte filmopnames op een christelijke begraafplaats. Het was zijn bedoeling om een documentaire te maken over het leven in de regio van Tur Abdin. De twintigjarige jongeman, geïdentificeerd als Abrohom S., wordt eerst naar een militair kamp gebracht, voordat hij aan de gevangenis in Midyat wordt overgedragen. Een tweede Syrische christen, die samen met hem wordt gearresteerd, is intussen vrijgelaten.[481]

Ankara, 24 juli 2001
De Turkse president B. Ecevit beveelt het isolement van christelijke dorpen in de regio van Tur Abdin op te heffen. De president reageert op beschuldigingen van Syrische christenen, die vanuit het buitenland willen terugkeren en aan wie de toegang werd geweigerd. Het besluit van de president komt kort na berichten in Duitse en Australische bladen, over genoemde weigering van de Turkse politie. Ook de Zweedse consul-generaal mag deze gebieden niet bezoeken.[482]

[480] CRTN, 26-02-01
[481] CRTN, 22-06-01, zie ook: KNA, 21-06-01
[482] CRTN, 26-07-01

TURKMENISTAN

Oppervlakte: 488.100 km^2
Bevolking: 4.366.383
Religie: Moslim: 76% (Sunnieten) Atheïst: 18,2% Christen: 5,7%
Etnische groeperingen: Turkmenen, Uzbeki, Russen[483]

Januari 2001
In Turkmenistan zijn leden van de zogenoemde niet-geregistreerde christelijke gemeenschappen het slachtoffer van systematische vervolging. CSI bericht dat pastoor Shokrat Piriyev van een kleine kerk in Bagyr, zijn huis moest ontruimen wegens religieuze activiteiten. In november 2000 is hij samen met drie medewerkers gearresteerd, nadat de geheime dienst, de KNB, bij hem video's over het geloof heeft aangetroffen.[484]

04 januari 2001
Een rechtbank beveelt de kerk van de Pinksterbeweging in Ashgabad te confisceren. De kerk heeft ten tijde van de officiële registratie in 1997 geen toestemming gekregen om te functioneren.[485]

05 februari 2001
Shagildy Atakov, een lid van de baptistenkerk, wordt in de gevangenis zo mishandeld, dat voor zijn leven wordt gevreesd. Dat bericht Amnesty International. Atakov heeft reeds meer dan twee jaar in werkkampen vastgezeten. Hij is al in december 1998 gevangen gezet, omdat hij betrokken zou zijn geweest bij fraude; men neemt echter aan dat zijn arrestatie te maken heeft met zijn religieuze activiteiten.[486]

26 maart 2001
Shagildy Atakov is een christelijk leider. Hij en zijn familie krijgen te horen dat 'ze niet meer mogen geloven in Jezus en dat ze zich moeten bekeren tot de islam'. Dat wordt hen medegedeeld door een lokale mullah en ambtenaren van

[483] International Christian Concern, 19-02-01, en CIA The World Factbook 1999. Het aantal christenen groeit per jaar met ong.1,2%.
[484] CSI, januari 2001, blz.5
[485] International Christian Concern, 19-02-01
[486] The Voice of the Martyrs, 09-02-01, verder ook informatie via Amnesty International en Keston Institute.

de KNB, de voormalige KGB. Het voorval wordt gemeld in een rapport van het Keston Institute.[487]

April 2001
De Turkmeense christen Sjagildy Atakov (38), verwacht niet levend uit de gevangenis te komen. Hij zegt dat tegen zijn vrouw die hem op 3 en 4 februari een bezoek mag brengen. Atakov is zwaar mishandeld en zit vol in- en uitwendige kneuzingen. Zijn nieren en lever zijn beschadigd. Ook zou hij zijn 'platgespoten' terwijl hij geen psychische afwijkingen vertoont. Zijn armen en polsen zitten vol met littekens van de injectienaalden.[488]

26 april 2001
Volgens berichten van Keston News Service, zou de baptist Atakov, die in december 1998 is gearresteerd, onder huisarrest zijn geplaatst, in afwachting van overplaatsing naar een gevangenis in Turkmenbashi, het voormalige Krasnodovsk. Hij mag voorlopig geen post ontvangen en geen bezoekers. In de tussentijd gaat zijn gezondheid zodanig achteruit, dat voor zijn leven wordt gevreesd.[489]

17 mei 2001
Twee recente incidenten maken duidelijk dat geweld tegen christenen in dit land toeneemt.

a. Yevgeny Samsonov, die in april reeds gearresteerd werd nadat hij met Pasen deelnam aan de plechtigheden, wordt gedeporteerd. Tijdens zijn arrestatie is hij verschillende keren mishandeld, om hem zo te dwingen een verklaring te tekenen waarin hij erkent een misdadiger te zijn. Als dat niet lukt, tekent hij onder dwang een document, waarin vermeld staat dat hij vrijwillig het land zal verlaten. Hij is intussen in Moskou aangekomen zonder kleren.
b. Op 6 mei vertrekt Vasily Korobov, vanuit een plaatsje ongeveer 350 km van de hoofdstad, naar een viering. De viering is nog maar nauwelijks begonnen, als leden van de geheime dienst KNB de pastoor en twee van zijn collega's arresteren.[490]

Moskou, 20 juni 2001
Volgens bronnen van Keston News Service zijn alle bijbels uit de winkels in Turkmenistan gebannen. Alle eigenaren van boekhandels en kiosken ontvangen een brief van de autoriteiten waarin hen verteld wordt, dat het verboden is bijbels te verkopen.[491]

[487] The Voice of the Martyrs, 29-03-01
[488] Open Doors, april 2001, blz.10. Zie ook: Christen in Not, CSI Informationen und Appelle, 06/2001
[489] The Voice of the Martyrs, 26-04-01
[490] Voice of the Martyrs, Canada, 17-05-01
[491] CRTN, 21-06-01

23 juli 2001
Volgens berichten van Keston Institute is de baptist Shagildy Atakov weer terug in de gevangenis van de Caspian Port van Turkmenbashi. Hij is in mei overgebracht naar Ashgabad om zo hem en zijn gezin ervan te overtuigen, dat zij moeten vertrekken naar de Verenigde Staten. Zowel hij als zijn vrouw weigeren het land te verlaten.[492]

UGANDA

Oppervlakte: 236.040 km2
Bevolking: 23.300.000
Religie: [493] Katholiek: 44,5% Protestant: 39% Moslim: 10,5%[494]
Etnische groeperingen: Baganda: 17% Karamojong: 12% Basogo: 8% Iteso: 8% Langi: 6% Rwanda: 6% Bagisu: 5% Acholi: 4% Lugbara: 4% Bunyoro: 3% Batoro: 3% niet-Afrikaans: (Europees, Aziatisch, Arabisch) 23%[495]

[492] Voice of the Martyrs, Canada, 26-07-01
[493] CIA The World Factbook geeft: Rooms-katholiek 33%, Protestant 33%, Moslim 16%, inheems 18%
[494] Religionsferiheit weltweit, München, 2001, blz.321. Zie: CIA The World Factbook
[495] www.travel.epinions.com

Kampala, 09 januari 2001
De katholieke kerk van Uganda verzoekt om sancties tegen een militair, die opdracht heeft gegeven tot de verwoesting van de Rushogakerk in Mbarara, in het zuidwesten van Uganda. De kerk werd op 29 december 2000 verwoest. Dat gebeurde op instigatie van majoor Jero Bwaishe Bwende, van de Uganda People's Defense Forces (UPDF). Dat verklaart Pater John Tibamwenda, de secretaris van de Ugandese katholieke Bisschoppen Conferentie.[496]

VERENIGDE ARABISCHE EMIRATEN

Oppervlakte: 82.880 km^2
Bevolking: 2.344.402 (80% ervan is niet de oorspronkelijke bevolking)
Religie: Moslim (bijna 100%) Christen Hindoe[497]
Etnische groeperingen: Emiri, Irani, Zuid-Aziaten

Er zijn geen bekende extremistische groeperingen; het feit dat de islam de officiële staatsreligie is, maakt de positie van de christenen echter moeilijk. Zo mogen christenen niet openlijk evangeliseren, noch mogen zij christelijke literatuur verspreiden.

Dubai, 21 maart 2001
Drie Amerikaanse missionarissen worden gearresteerd in Dubai, als zij christelijk materiaal, waaronder video's, aan het verspreiden zijn. Een vierde inwoner van Dubai wordt gearresteerd, omdat hij de drie missionarissen visa had verstrekt. Het Engelstalige Gulf News stelt dat het illegaal is om religies, andere dan de islam, te promoten. Wel mogen niet-moslims erediensten bijwonen.[498]

[496] CRTN, 10-01-01
[497] International Christian Concern, 07-06-01, en CIA The World Factbook, 1999
[498] Catholic World News Briefs, 21-03-01

VIETNAM

Oppervlakte: 329.560 km²
Bevolking: 77.311.210
Religie: Boeddhist: 52% Atheïst: 29,8% Protestant: 0,8% Katholiek: 8,9% De rest behoort tot het Taoïsme, Confucianisme, Caodaisme, Hoa Hoa.
Etnische groeperingen: Vietnamezen: 87% Chinezen: 2%[499]

Vietnam ontkent dat religieuze groeperingen en kerken gesanctioneerd of gecontroleerd zouden worden door overheidsinstellingen. In de praktijk is het echter anders. De Communistische Partij is zeer waakzaam, om te voorkomen dat de aantrekkingskracht van kerken de stroom naar haar massaorganisaties zou schaden.
In 1998 heeft de UN Special Rapporteur on Religious Intolerance, Abdelfattah Amor, geschreven dat de religieuze vrijheden in Vietnam 'beter gegarandeerd dienden te worden'. De regering blijft bij haar standpunt dat álle religieuze activiteiten tevoren door de staat geregistreerd dienen te worden; dat geldt bijvoorbeeld ook voor preken.

In april 1999 heeft de regering een nieuwe wet uitgevaardigd inzake de religie: artikel no.26/1999/ND-CP.15. De wet garandeert enerzijds de vrijheid van religie; anderzijds verplicht zij religieuze organisaties om zich loyaal op te stellen jegens de Staat van de Socialistische Republiek van Vietnam; 'ondermijnende activiteiten' zouden gestraft worden.[500] De wet maakt een zeer uitgebreide controle van religieuze groeperingen en kerken door de overheid mogelijk. De werkzaamheden van seminaries, de benoeming van religieuze leiders staan onder overheidscontrole.

De positie van de katholieken is licht verbeterd nadat in 1999 een delegatie van het Vaticaan Vietnam bezocht, en Vietnam de benoeming van vier nieuwe bisschoppen heeft geaccepteerd.

---

[499] International Christian Concern, 19-02-01 en CIA The World Factbook, 1999
[500] Repression of dissident voices, Human Rights Watch 2000, Vietnam.
Zie ook: Decreet no.26/1999/ND-CP., artikelen 5 en 7

Naam	Religie (geboortedatum)	Tijd en plaats van detentie
1. Thich Huyen Quang	boeddhist (1917)	1977, 1982, 1994 in Nghia Hanh, prov. Quang Ngai
2. Thich Thien Minh	boeddhist (1954)	1979, 1986, 1997 in K2, subkamp van Z30A, Xuan Loc, provincie Dong Nai
3. Thich Hue Dang	boeddhist (1943)	1992, Kamp Z30A, Xuan Loc, provincie Dong Nai
4. Le Minh Triet	Hoa Hao (1942)	1993, in Long Xuyen, in de provincie An Giang
5. Mevr. Le Kim Bien	Cao Dai (1950)	1998, in Rach Gia, provincie Kien Giang
6. Pham Cong Hien	Cao Dai (1950)	1998, in Rach Gia, in de provincie Kien Giang
7. Pater Nguyen Van De	katholiek	1987, 1990, kamp A20, van Xuan Phuoc, in de provincie Phu Yen
8. Pater John Bosco Pham Minh Tri	katholiek (1941)	1987, in kamp Z30A, Ham Tan, Xuan Loc, in de provincie Dong Nai
9. Broeder Benedito Nguyen Viet Huan	katholiek (1951)	1987, in kamp Z30A, Ham Tan, Xuan Loc, in de provincie Dong Nai
10. Broeder John Euder Mai Duc Chuong	katholiek (1931)	1987, Kamp K-3, Long Khanh, Xuan Locin de provincie Dong Nai
11. Broeder Michael Nguyen Van Thin	katholiek (1952)	1987, kamp Z30A, Ham Tan, Xuan Loc, Provincie Dong Nai
12. Lau Si Phuc	katholiek (1968)	1987, kamp Z30A, Xuan Loc, provincie Dong Nai
13. Nguyen Van Dan	katholiek (1966)	1987, kamp Z30A, Xuan Loc, provincie Dong Nai
14. Le Xuan Son	katholiek (1966)	1987, kamp Z30A, Xuan Loc, provincie Dong Nai
15. Mevr. Mguyen Thi Thuy	protestant	1999
16. Dinh Troi	protestant	In de provincie Quang Nai

17. Vu Gian Thao	protestant	1997, Dien Bien Phu gevangenis in de provincie Lai Chai
18. Sung Phai Dia	protestant	Dien Bien Phu gevangenis
19. Vang Gia Chua	protestant	1999, in de provincie Ha Ging
20. Sung Va Tung	protestant	In de gevangenis van Dien Bien Phu, in de provincie Lai Chai
21. Sung Seo Chinh	protestant	In de gevangenis van Dien Bien Phu, in de provincie Lai Chai
22. Sinh Phay Pao	protestant	1999, in de provincie Ha Giang
23. Van Sinh Giay	protestant	1999, in de provincie Ha Giang
24. Phang A Dong	protestant	1999, in gevangenis C-10 van Dien Bien, in de provincie Lai Chau
25. Vang Sua Giang	protestant	1999, in de provincie Ha Giang
26. Lau Dung Xa	protestant	In de gevangenis C-10 van Dien Bien, provincie Lai Chau[501]

Januari 2001
Naar aanleiding van het bezoek van president Clinton in 2000 aan Vietnam, publiceert de Amerikaanse mensenrechtenorganisatie Freedom House documenten uit Vietnam, die duidelijk aantonen dat de communistische regering gelovigen vervolgt. Alle religies, in het bijzonder de christelijke, staan onder strenge regeringscontrole. De Vietnamese regering vecht de authenticiteit van de documenten aan; deskundigen twijfelen echter niet aan het waarheidsgehalte ervan.[502]

Hanoi, 23 januari 2001
Twee katholieke priesters en twee boeddhisten uit Vietnam vragen in een appèl aan hun regering om de erkenning van de mensenrechten en het recht op religieuze vrijheid. De twee katholieke priesters zijn de redemptorist pater

[501] Appendix A: Partial List of Political Prisoners in Vietnam, 29-04-00. Report of HRW.
[502] CSI, januari 2001, blz.4

Chan Tin en pater Thaddeus Nguyen Van Ly, van het aartsbisdom Hue. De twee boeddhisten zijn Bhikkhu Thich Hanh en Le Quang Liem.[503]

Vaticaanstad, 01 maart 2001
Kardinaal Francois Xavier Nguyen Van Thuan krijgt toestemming van de Vietnamese autoriteiten om naar zijn land terug te keren na een verbanning van tien jaar. De nieuwe kardinaal ontvangt op 21 februari zijn kardinaalshoed van de paus. Hij zal 'slechts onderworpen worden aan de gebruikelijke immigratie-procedures', aldus de autoriteiten. De kardinaal verbleef gedurende dertien jaar in de gevangenis, en werd in 1991 gedwongen om zijn land te verlaten. Hij werd destijds onder politiebegeleiding op het vliegtuig naar Australië gezet.[504]

Hanoi, 05 maart 2001
Een katholieke priester werd vorige week gevangen gezet door de communistische autoriteiten vanwege acties 'die volgens de regering bedoeld waren om het socialisme te ondermijnen'. Het communistische blad Hanoi Moi, stelt dat pater Nguyen Van Ly een van de vele anticommunisten is die steeds actiever worden. Pater Ly (54) werd onder zogenaamde 'administratieve detentie' gesteld.[505]

Hanoi, 04 april 2001
Voor het eerst sinds de communistische machtsovername in Zuid-Vietnam in 1975, laten de autoriteiten de protestants-evangelische kerk toe. Daarmee behoort overigens slechts een beperkt deel van de één miljoen protestanten in het land voortaan tot een officieel erkend kerkgenootschap. Men schat hun aandeel op maximaal twintig procent van het totaal aantal protestanten.[506]

Ho Chi Minhstad, 12 april 2001
'Er is een kleine stap gezet op de weg naar godsdienstvrijheid in Vietnam. Voor het eerst sinds de communistische machtsovername van 1975 hebben de autoriteiten een protestante kerk wettelijk erkend'. Dat stelt de nieuwsdienst Compact Direct.
De World Evangelical Fellowship (WEF), meldt dat Le Quang Vinh, hoofd van het bureau voor Religieuze Zaken van de Vietnamese regering, op 23 maart een brief heeft geschreven aan de onlangs verkozen nieuwe leider van de evangelische kerk van Vietnam (ECVN). Volgens de WEF gaf Quing Vinh namens de minister-president te kennen dat hij blij was 'de ECVN te kunnen laten weten dat

[503] CRTN, 24-01-01
[504] Catholic World News, 01-03-01
[505] Catholic World News Briefs, 05-03-01. Zie ook: CRTN, 05-03-01. Zie ook: Catholic World News Briefs, 06-03-01. Tegelijk met de katholieke priester zijn ook boeddhistische leiders aangepakt. De 75-jarige boeddhist mevrouw Mguyen Thi Thu, pleegde zelfmoord om arrestatie te voorkomen.
[506] Trouw, 04-04-01

regeringsfunctionarissen de nieuwe kerkorde goedkeuren en de resultaten van de kerkelijke verkiezingen erkennen.[507]

Hanoi, 23 april 2001
Officiële vertegenwoordigers van de Vietnamese regering beweren dat er in Vietnam geen vervolging vanwege het geloof plaatsvindt. Le Quang Vinh, hoofd van het Regeringscomité voor Religie, vertelt tijdens het congres van de Communistische Partij, dat vijfjaarlijks plaatsvindt, dat Vietnam vrijheid van religie eerbiedigt. Het land zal evenwel nooit accepteren dat religie wordt gebruikt om de partij te ondermijnen. Vinh verklaart dat de autoriteiten nooit mensen hebben gearresteerd of gevangengezet wegens geloofsactiviteiten.[508]

04 mei 2001
Le Quang Vinh, het hoofd van de Vietnamese regeringscommissie voor religie, ontkende eind vorige maand dat er in zijn land geloofsvervolging bestaat. Volgens hem zijn er wel mensen die het geloof misbruiken om de communistische partij te ondermijnen. Een van hen is de katholieke geestelijke Nguyen Van Ly, die werd gearresteerd nadat hij in de VS had getuigd tegenover een commissie van het Congres. Dat staat onder druk om geen goedkeuring te schenken aan een overeenkomst die van belang is voor de Vietnamese economie.[509]

17 mei 2001
Pater Thaddeus Nguyen Van Ly, een katholieke priester die in 2000 is begonnen met een campagne voor religieuze vrijheid in Vietnam, wordt in An Truyen in de parochiekerk gearresteerd. Van Ly is op dat moment juist bezig om zich voor te bereiden op de mis. Zeshonderd veiligheidsagenten omsingelen de kerk. Sommige gelovigen die de priester willen beschermen, worden mishandeld. Het bericht wordt ook bevestigd door Dang Cong Dieu, de voorzitter van het Volkscomité in Phy An.[510]

Vaticaanstad, 18 juni 2001
De Vietnamese regering gaat akkoord met de benoeming van drie nieuwe bisschoppen. Het betreft de bisdommen van Ho Chi Minhstad (een hulpbisschop), Phan Thiet en Bui Chu. De namen van de nieuwe bisschoppen worden op een later tijdstip door Rome bekend gemaakt. Dit is een resultaat van de onderhandelingen tussen de Vaticaanse delegatie en de Vietnamese regering tussen 11 en 17 juni.[511]
Dit jaar accepteert de Vietnamese regering de volgende bisschopsbenoemingen:

[507] KERKWEB, 12-04-01
[508] Catholic World News Briefs, 23-04-01
[509] Katholiek Nieuwsblad, 04-05-01, en CWNews.
[510] FIDES, 17-05-01. Zie ook: Catholic World News, 18-05-01. Zie ook: Katholiek Nieuwsblad, 25-05-01
[511] CRTN, 19-06-01

een bisschop voor het diocees Bui Chu in het noorden; deze zetel is sinds twee jaar vacant na de dood van bisschop Joseph Mary Vu Duy Nhat. Een hulpbisschop voor het bisdom Saigon (Ho Chi Minhstad); Saigon heeft reeds een hulpbisschop die echter ziek is (Aloysius Pham Van Nam). Een coadjutor voor het bisdom Phan Thiet waar de bisschop, mgr. Nicholas Huynh Van Nghi inmiddels 74 jaar is. Rome is bezorgd om de benoeming van drie andere bisschoppen: een coadjutor voor Hanoi, waar de aartsbisschop, kardinaal Joseph Pham Dinh Tung al 82 jaar is; een bisschop voor het noordoostelijke bisdom Hung Hoa, dat sinds 1992 vacant is en tenslotte een bisschop voor Haiphong. Hier is sinds drie jaar een vacature. Voor deze benoemingen is er nog geen overeenstemming bereikt.[512]

Hanoi, 06 juli 2001
De communistische regering van Vietnam onteigent de parochiekerk van Thanh Quang, in de buurt van de stad Da nang, om er een museum in te plaatsen. Dat is het bericht van Free Vietnam Alliance, een lokale mensenrechtenorganisatie. Pater Nguyen Huu Long is de pastoor van de parochiekerk van Thanh Quang. Hij krijgt opdracht om de kerk voor 25 juni te verlaten. De pastoor, ondersteund door de bisschop en zijn gelovigen, weigert de kerk op te geven. Op 25 juni komen duizenden katholieken naar de kerk om de mis te vieren. Vier priesters uit naburige parochies concelebreren. Veiligheidsagenten schrikken van de massa en laten actie achterwege. Zij nemen alleen foto's en maken videobeelden van de kerkgangers. Op 29 juni overhandigt pastoor Long een petitie met tweehonderd handtekeningen aan de autoriteiten, om te protesteren tegen het besluit. In de tussentijd is de telefoonverbinding met de parochie verbroken.[513]

Hanoi, 23 juli 2001
Volgens Viet Catholic News besluiten de Vietnamese autoriteiten een documentaire te laten produceren over hun houding ten opzichte van religies. Zo wil men reageren op buitenlandse kritiek. Volgens Vietnamese autoriteiten zal deze film het buitenland voldoende informeren over de binnenlandse religieuze aangelegenheden.
Het is mogelijk dat het besluit van het Europese Parlement van 5 juli 2001 hiertoe bijgedragen heeft - op die dag namelijk roept het Europarlement Vietnam op de burgerrechten van de bevolking te respecteren, ongeacht de geloofsovertuiging.[514]

[512] FIDES, 18-06-01
[513] CRTN, 09-07-01
[514] CRTN, 24-07-01

20 juli 2001
Jubilee Campaign krijgt meldingen van aanvallen van de Vietnamese regering op de zogeheten Montagnard-bevolking. De Montagnards, ook bekend als Degars, bestaan uit meer dan dertig stammen in de centrale hooglanden van Vietnam. Er zijn 600.000 Montagnards, waaronder meer dan 400.000 christenen. Tijdens de Vietnamoorlog zijn velen van hen in dienst van de VS geweest. Tijdens de oorlog lieten meer dan 200.000 van hen het leven. De meeste van hun dorpen werden vernietigd.
De aanvallen op de Montagnards door de communistische regering gaan nog steeds door. Zo worden op 2 januari 2001 twee christenen, Rahlan Pon en Rahlan Djan in het district Cu Prong, in de provincie Pleiku, zonder aanleiding gearresteerd. Zij worden naar de legerkampen 29 en 47 gebracht, waar zij zwaar gefolterd worden.

Na de invoering van de krijgswet in de centrale hooglanden in februari 2001, vluchten velen naar buurlanden zoals Cambodja. De Cambodjanen deporteren velen weer naar Vietnam. Daar worden de vluchtelingen in de gevangenis gefolterd.

Op 15 mei passeren christelijke Montagnards de grens naar Cambodja in de provincie Mondolkiri: zij vluchten voor religieuze vervolging. Op 17 mei worden zij gedwongen gerepatrieerd en overgeleverd aan de Vietnamese autoriteiten. Achttien van hen zijn nog steeds in gevangenissen.
De namen van de negentien Montagnards die gedwongen zijn terug te keren zijn: Dieu Mblen, Dieu Mol, Dieu Don, Dieu Mao, Dieu Men, Dieu Breo, Dieu Dong, Dieu Hnel, Dieu Bel, Dieu Mling, Dieu Ben, Dieu Men, Dieu Min, Dieu Kual, Dieu Mbeo, Dieu Mbot, Dieu Tuan, Dieu Sol en Dieu Thin. Zij komen allen uit de provincie Daklak.[515]

Meer dan honderd Montagnards uit de centrale hooglanden bevinden zich nog steeds in diverse gevangenissen.[516]

21 augustus 2001
Volgens Compass Direct worden op 17 augustus de Vietnamese christenen, de

[515] Keston Institute geeft de volgende namen van hen die nog steeds in de gevangenissen verblijven: Thich Huyen Quang (Chua Phuoc Quang, boeddhist, sinds 1994 onder arrest), Thich Khong Tanh (boeddhist, sinds 1994 onder arrest), Nguyen Van Thin (Thu Doc, sinds 1994 onder arrest; lid van een katholieke kloosterorde), Mai Duc Chuong (Thu Doc, sinds 1994 onder arrest; lid van een katholieke kloosterorde), Pham Noyoc Lien (Thu Doc, sinds 1994 onder arrest; lid van een katholieke kloosterorde), Mguyen Thien Phung (sinds 1994 onder arrest; lid van een katholieke kloosterorde), Mevr. Nguyen Thi Thuy (kerkelijk leider in Viet Tri, gearresteerd op 10 oktober 1999), de geestelijke Ngo Truong Tien Linh, de evangelist Nguyen Huu Day en een lekenmedewerker, Ngo Ba Tan (van Ha Long, gearresteerd op 15 oktober 2000).

[516] Press Realese from Jubilee Campaign US, 20-07-01'.Mass Detention and Torture of Vietnam's Montagnard People'.

heer en mevrouw Nguyen Hong Quang en Truong Tri Hien Hien gearresteerd, in de provincie Binh Tanh. Quang is een mennonitisch geestelijke, en jurist van huis uit. Hij is door Vietnamese autoriteiten herhaaldelijk bedreigd.[517]

Parijs, 23 oktober 2001
De in Parijs gevestigde Free Vietnam Alliance krijgt bericht dat de regering van Vietnam een katholieke priester tot vijftien jaar gevangenisstraf heeft veroordeeld, wegens zijn inzet voor mensenrechten. Pater Nguyen Van Ly werd in mei 2001 nog gearresteerd. Volgens de organisatie is dit een nieuw teken van de verhevigde acties van de regering om religieuze vrijheid te beknotten.[518]

25 oktober 2001
Het Vietnamese hof veroordeelt een katholieke priester tot vijftien jaar gevangenis, omdat hij de eenheid van het land heeft ondermijnd. Dat meldt de Associated Press. In februari 2001 heeft pater Thadeus Nguyen Van Ly het Amerikaanse Congres opgeroepen om de ratificatie van een bilateraal handelsverdrag uit te stellen, zolang er in het land restricties tegen religies zouden gelden.[519]

ZAMBIA

Oppervlakte: 752.614 km^2
Bevolking: 9.650.000
Religie: Christen Afrikaanse religies[520]
Etnische groeperingen: Bemba stam, Afrikaans: 98,7% Europeaan: 1,1% Anders: 0,2%

Lusaka, 11 mei 2001
De president van Zambia, Frederick Chiluba, roept de katholieke bisschoppen op 'de terminologie van partizanen' te vermijden. Hij werd deze week ingehuldigd als de nieuwe president van Zambia. In zijn toespraak zegt hij: 'Ik roep de kerk op, om elke keer als zij spreekt over politiek, de terminologie van de partizanen te willen vermijden'.[521]

[517] The Voice of the Martyrs, Canada, 23-08-01
[518] CAN News, 23-10-01
[519] The Voice of the Martyrs, Canada,
[520] Profile of Zambia (World News), en Nations of the Commonwealth (Zambia).
[521] Catholic World News Briefs, 11-05-01

4 Verklaringen van het Vaticaan

Johannes Paulus II bezoekt Kazachstan[522]

Paus brengt boodschap van vrede aan conflictgebied
Op het weidse 'Plein van het vaderland' in Astana bidden zondagmorgen allen het Onzevader in de Russische taal. Een religieuze helpt als voorbidster. Velen van de ongeveer vijftigduizend deelnemers aan de eucharistieviering met paus Johannes Paulus II, lezen soms aarzelend de tekst hardop mee. De meesten zijn zonder religie of moslim. Toch was dat het meest ontroerende moment van het pausbezoek aan Kazachstan.

Sef Adams / Ben van de Venn

Met een dringend vredesappèl richtte paus Johannes Paulus II zich afgelopen zondag niet alleen tot de vijftigduizend bezoekers van de mis in de Kazachse hoofdstad Astana, maar tot de hele wereld. Na de terreurdaden in New York en Washington mag het niet tot nieuw geweld komen, aldus de paus: 'Vanuit deze stad, vanuit dit Kazachstan, een land dat een voorbeeld is voor harmonie tussen mensen van verschillende oorsprong en geloofsovertuigingen, wil ik iedere christengelovige en iedere aanhanger van andere religies dringend oproepen om samen te werken en zo een wereld zonder geweld op te bouwen. Een wereld, die het leven liefheeft en in gerechtigheid en solidariteit kan groeien. Wij mogen niet toestaan dat de gebeurtenissen bestaande scheidslijnen nog verder verdiepen. Religie mag nooit als reden voor een conflict worden gebruikt. Vanuit deze plaats roep ik christenen en moslims op om te bidden tot de enige God, wiens kinderen wij allen zijn, opdat het hoogste goed van de vrede in de wereld moge heersen'.

Logica van liefde
In zijn homilie onderstreepte de paus de verbondenheid met de islam. Hij herinnerde aan het gemeenschappelijk fundament van de ene God, waardoor de drie grote wereldreligies met elkaar verbonden zijn: 'Het is deze waarheid, die de christenen van de kinderen van Israël hebben geërfd en met de moslims delen'. De paus richtte zich niet alleen tot de christenen van de diverse confessies of andere geloofsgemeenschappen, maar ook tot de talrijke mensen zonder religieuze overtuiging. Een kwart van het aantal misbezoekers in Astana zal katholiek geweest zijn, meende de Vaticaanse woordvoerder Navarro-Valls. Paus Johannes Paulus II riep de niet-gelovigen op om naar het voorbeeld

[522] Katholiek Nieuwsblad, 28-09-01

van Jezus een logica van liefde te leven, hetgeen betekent de noodlijdenden helpen: 'Het is een logica, die christenen en moslims samenbrengt in het gemeenschappelijk werken aan een cultuur van liefde'. De christengelovigen werden door Johannes Paulus II opgeroepen om in het sinds tien jaar onafhankelijke Kazachstan, mee te werken aan de opbouw van een nieuwe samenleving.

Kerkelijke structuren

Na de zondagse hoogmis lunchte de paus met de katholieke bisschoppen van het Centraal-Aziatische land. Hij herinnerde hen aan de lange jaren van communistische dictatuur, waaronder de gelovigen naar de goelags gedeporteerd werden. Vandaag vormen deze christengelovigen de kleine maar hoopvolle plant van de rooms-katholieke kerk in Kazachstan en zijn zij geroepen tot nieuwe evangelisatie, hield de paus hun voor. De belangrijke taak van de bisschoppen moet bestaan in het verkondigen van het Evangelie en het opbouwen van de kerkelijke structuren in het land. Ondanks het feit dat Kazachstan nog geen bisschoppenconferentie heeft, maar een apostolische administratie vormt, dienen de bisschoppen toch zo goed mogelijk samen te werken. Daarbij moet de kerk zich enerzijds bekommeren om een goede priesteropleiding, maar anderzijds ook om de inzet van leken. Ook bij deze gelegenheid hernieuwde de paus zijn oproep tot harmonie met de moslims. Dialoog is niet alleen bedoeld als gesprek met andere christenen, maar ook met moslims en niet-gelovigen.

Onherhaalbare uniciteit

De ontmoeting van de paus met de jongeren van Kazachstan zondagavond, was zoals gewoonlijk een feest. Enthousiast werd Johannes Paulus II ontvangen. De centrale gedachte die de paus wilde overbrengen was: stel je open voor God. In zijn toespraak trachtte hij te antwoorden op vragen als: 'Wie ben ik volgens het evangelie dat u verkondigt? Wat is de zin van mijn leven? Wat is het doel van mijn leven?' 'Jij bent in Gods gedachte, jij telt voor God in je onherhaalbare uniciteit; dat is de basis van jullie drang naar weten en vrijheid', zo hield de paus zijn jonge gehoor voor. Verder herinnerde de paus de jongeren aan het dodelijke geweld der ideologieën in de geschiedenis van hun land en waarschuwde hij hen geen 'prooi' van het vernielende geweld van het 'niets' te worden. Het is een verstikkend geweld, zo meende de paus, wanneer niets meer telt, wanneer men in niets meer gelooft. In plaats hiervan, zo nodigde de paus uit, dient men zich open te stellen voor de zachtaardige stem van God. 'Het is God, die zijn afdruk in jullie hart heeft achtergelaten, alleen de overgave aan de oneindige en allerhoogste God kan jullie verlangen vervullen'.

Toezeggingen

De 95 e buitenlandse pastorale reis van de 81-jarige paus begon zaterdag. Gezien de internationale spanningen in de regio die de paus bezocht, was de reis door strenge veiligheidsmaatregelen omringd. Tenslotte ging het hier om een in meerderheid door moslims bewoond land. En Kazachstan grenst aan diverse landen die bij een eventueel conflict betrokken zouden kunnen worden. De BBC wist dan wel te vertellen dat de VS toegezegd had geen aanval uit te voeren tijdens het verblijf van de paus in de regio, maar hoe hard die toezeggingen waren, was niet duidelijk. Al voor het vertrek uit Rome werd het bericht verspreid dat kardinaal staatssecretaris Angelo Sodano de paus, tegen de gewoonte in, deze maal niet zou begeleiden. Dat was voor het eerst sinds het aantreden van de 'tweede man' in het Vaticaan. Een veiligheidsmaatregel die onmiddellijk vergeleken werd met het verblijven op gescheiden plaatsen van president Bush en vice-president Cheney. Ook meldingen dat het pausvliegtuig begeleid zou worden door een escorte gevechtsvliegtuigen baarde opzien. Maar al spoedig bleek het hier om journalistieke fantasie te gaan. Wel werd het aantal veiligheidsagenten dat de paus gewoonlijk omringt, aanzienlijk uitgebreid.

Islam

Bij zijn aankomst op het vliegveld van Astana sprak de paus al meteen expliciet over oorlog en vrede. Hij wees erop dat Kazachstan atoomwapens afgezworen heeft en formuleerde op basis daarvan een wereldwijd geldige vredesboodschap. Het was de eerste buitenlandse rede van de paus in het Russisch, de veel gebruikte omgangstaal in Kazachstan. De president van Kazachstan, Nursultan Nazarbayev, zorgde voor een hoffelijke ontvangst in Astana en in zijn welkomstwoord sprak hij de hoop uit dat zijn land als brug tussen oost en west mag dienen. Van betekenis was dat ook het hoofd van de moslims in Kazachstan, grootmufti Absattar Derbassaliew, in afwijking van het protocol, aanwezig was op het vliegveld.
De paus begroette de verantwoordelijken en gelovigen van de islam nog voor hij zich tot de rooms-katholieken en andere christenen wendde. Hij noemde Kazachstan 'een land van martelaren en gelovigen, van gedeporteerden en helden'. 'Het land heeft een lange tijd van duisternis en lijden doorgemaakt', zei de paus, die daarmee de tijd van Stalin en de sovjetmacht in herinnering riep. 'Maar, al blijven de littekens', zo stelde Johannes Paulus, 'Kazachstan heeft met zijn onafhankelijkheidsverklaring tien jaar geleden een nieuwe vrijheid veroverd'.

Wolga-Duitsers

De littekens waarover de paus sprak, hebben mede betrekking op het verblijf van miljoenen door de communisten naar Kazachstan gedeporteerde bevolkingsgroepen, onder wie veel Duitsers, Polen en Oekraïners. Hun nakomelingen vormen de kern van de katholieke gemeenschap in het land. Een omvangrijke groep zijn de zogenaamde Wolga-Duitsers, wiens aanwezigheid tot de achttiende eeuw teruggaat. Toen werden ze door Tsarina Katherina II onder belofte van belastingverlaging en vrijstelling van militaire dienst naar Rusland gehaald. In de negentiende eeuw ontstonden zo talloze 'Duitse Rayons' en in 1924 werd aan de Wolga een autonome republiek van Wolga-Duitsers gesticht. De Duitse aanval op Rusland, bracht Stalin ertoe de republiek af te schaffen en zo'n vierhonderdduizend van hen naar Kazachstan te deporteren. Daar moesten ze dwangarbeid verrichten en hun moedertaal en hun geloof afzweren. Pas in 1955 bracht een amnestiewet enige verlichting voor de Wolga-Duitsers; de voorheen als oorlogsmisdadigers beschouwde Duitsers werden gerehabiliteerd.

Getuigenissen

Op deze en andere bevolkingsgroepen deed Johannes Paulus II een beroep tijdens de laatste eucharistieviering die hij celebreerde op Kazachse bodem. In de nieuwe, met financiële ondersteuning uit het westen gebouwde kathedraal van Astana, had de paus maandagmorgen veel priesters en kloosterlingen uit het hele land en aangrenzende Centraal-Aziatische republieken om zich heen verzameld. In zijn preek nam hij niet toevallig het evangeliewoord als uitgangspunt dat een christen zijn licht niet onder de korenmaat moet stellen en licht van de wereld en het zout van de aarde moet zijn. De door atheïsme verwoeste en door consumptiedrift bedreigde samenleving in Kazachstan, heeft juist nu behoefte aan de kracht van getuigenissen en de verkondiging van de christelijke boodschap, maande de paus. Gezien de nationaliteiten van de aanwezige clerus was het duidelijk dat het hem hierbij om meer ging dan om zijn gebruikelijke aanmaning tot missionair elan. Meer dan tweederde van de geestelijken in Kazachstan is van Poolse herkomst, zoals ook het hele episcopaat van Kazachstan en Midden-Azië Pools is. Daarnaast is er een handvol Duitse priesters en kloosterlingen werkzaam en een aantal van andere nationaliteiten. Hetzelfde geldt voor de seminaristen van het onlangs ingewijde Centraal-Aziatische seminarie in Qaraghandy/Karaganda. Slechts twee van de priesterstudenten zijn van Kazachse afkomst.

Bruggenhoofd

De 'buitenlandse' geestelijken hebben zich volgens de paus te zeer alleen ingezet ten behoeve van de eigen bevolkingsgroepen. Nu komt het erop aan dat ze zich met nieuw elan gaan richten op Kazachse mensen en ongelovige Russen. De paus benadrukte in zijn preek dat op de 'buitenlanders' de plicht rust 'het grote geschenk van het christendom' ook aan andersgelovigen door te geven. Volgens de paus staat er veel op het spel voor de hele Aziatische kerk, als deze nieuwe oriëntering van de geestelijken niet slaagt. Kazachstan is wegens de aanwezigheid van relatief veel jonge priesters en door het in 1998 ondertekende Vaticaans-Kazachs concordaat, het enige betrouwbare bruggenhoofd van de katholieke kerk in Centraal-Azië. Van hieruit kan de toenadering tot China in de toekomst plaatsvinden. En hier kunnen gelovigen en priesters zich tijdelijk terugtrekken bij een bedreiging vanuit conflictgebieden als Oezbekistan, Tadzjikistan of Afghanistan.

Tot het brengen van deze krachtige boodschap aan Kazachstan voelde de paus zich verplicht. Daar heeft de schaduw van de internationale crisis hem niet van af kunnen houden. Zijn boodschap was toekomstgericht en vormde een scherp contrast met de aanklacht van het patriarchaat van Moskou dat de paus opnieuw binnengedrongen was in het 'canonieke territorium' van Moskou.

Vaticaanstad, 16 februari 2001

Paus Johannes Paulus II heeft samen met de Armeense katholieke patriarch Nersos Bedros XIX een liturgie gevierd in de Armeense ritus. De paus herinnerde aan het Armeense volk, dat heel veel heeft geleden vanwege het geloof. Zonder een datum te noemen vertelde de paus 'ernaar te verlangen om een bezoek aan Armenië te brengen'. Na de viering sprak de paus over de genocide op Armeniërs in 1915 en betitelde hij de gebeurtenissen als 'martelaarschap dat in de geschiedenis een constant element is'.[523]

Vaticaanstad, 28-02-2001

Aan het einde van de algemene audiëntie wijst paus Johannes Paulus II op de 'ernstige humanitaire situatie' in Afghanistan. De paus speekt over 'alarmerend nieuws' en stelt dat gedurende de laatste tijd velen de hongerdood zijn gestorven. Nationale organisaties schatten dat ongeveer één miljoen mensen met de hongerdood worden bedreigd.[524]

[523] CRTN, 20-02-01

[524] Catholic World News Vatican Update, 28-02-01

Teheran, 05 maart 2001
Op zondag 4 maart is een Vaticaanse diplomaat hoofdcelebrant in een mis in de hoofdstad van Iran. Hij bemoedigt de katholieke minderheid trouw te blijven aan haar geloof. Aartsbisschop Jean-Louis Taura roept de katholieken op 'goede en betrokken christenen te blijven'. Hij vertelt ook Iraanse leiders te zullen ontmoeten, om zo de 'historische relaties tussen Iran en Rome te versterken'. De aartsbisschop stelt ook dat christenen 'relatief tevreden zijn met de door Iran gegarandeerde vrijheden'.[525]

Vaticaanstad, 07 maart 2001
De Nationale Dienst voor Catechese van de Italiaanse bisschoppen publiceert een boek inzake bekering van moslims naar het christendom. De titel is 'Catecumeni provenienti dall'Islam' en is uitgegeven door Edizione Paoline. Het boek beschrijft het gevaarlijke leven van moslims die - vaak na verblijf in Europa - zich bekeren tot het christendom. Zulke bekeringen vinden plaats in Italië, Engeland, Frankrijk en andere West-Europese landen. In Frankrijk gaan drie- tot vierhonderd moslims per jaar over naar het christendom. Deze keuze is gevaarlijk omdat die overstap niet getolereerd wordt binnen de islam. Zelfs ingezetenen van Europa worden hierom bedreigd, bijvoorbeeld door buren die moslim zijn. Een van de bekeerlingen, Jasmine uit Engeland, vertelt dat zij na haar bekering door haar ouders is geslagen. Haar familie moest Londen verlaten, omdat zij zich niet langer kon vertonen in de moslimgemeenschap.[526]

Vaticaanstad, 09 maart 2001
Een groep van Arabische bisschoppen brengt een ad limina bezoek aan de paus. De paus spreekt zijn zorg uit over de positie van de christenen in het Midden-Oosten, en roept op tot onmiddellijke onderhandelingen tussen Palestijnse en Israëlische leiders. De paus zegt tot de Arabische christenen, dat 'zij niet zouden mogen afzakken tot ontmoediging', of 'het besluit om hun land te verlaten'. En hij vervolgt: 'Ik zou christenen willen aanmoedigen vertrouwen in henzelf te hebben, en te blijven hechten aan het land van hun voorouders'.[527]

Vaticaanstad, 12 maart 2001
Kardinaal Francis Arinze keerde onlangs terug van een reis naar het H. Land. In een gesprek met Radio Vaticaan verklaart hij, dat een religieuze dialoog de sleutel is voor de vrede in het Midden-Oosten. De kardinaal is voorzitter van de Pauselijke Raad voor Interreligieus Dialoog en reisde naar het H. Land op uitnodiging van de pauselijke nuntius in Israël. Hij ontmoette daar de groot-

[525] Catholic World News Briefs, 05-03-01
[526] CRTN, 08-03-01
[527] Catholic World News Vatican Update, 19-03-01

mufti van de moslims, en leiders van de orthodoxe, Armeense, Anglicaanse en Lutherse kerken.
De kardinaal toont zich bijzonder bezorgd om de positie van de christenen in het H. Land. 'Veel christenen', aldus de kardinaal, 'vertrekken naar de Verenigde Staten of andere landen in het westen, vanwege economische, politieke en culturele motieven. Dat is niet goed, noch voor de moslims, noch voor de christenen. De aanwezigheid van de beide godsdiensten zou voor ieder een zegen moeten zijn'.[528]

Vaticaanstad, 18 april 2001
Paus Johannes Paulus II roept tijdens de algemene audiëntie deze week op tot vrede in het Midden-Oosten. Voor een gehoor van twintigduizend mensen stelt de paus dat er onderhandelingen gevoerd moeten worden 'op basis van eerlijke aandacht voor de legitieme aspiraties van alle volkeren met inachtname van de internationale wetten'.[529]

Vaticaanstad, 15 mei 2001
Paus Johannes Paulus II moedigt de bisschoppen van Bangladesh, die een ad limina bezoek aan Rome brengen, aan, voort te gaan met een interreligieuze dialoog en te zorgen voor een betere opleiding van priesters en leken.

Omdat christenen slechts een kleine minderheid in Bangladesh vormen, benadrukt de paus dat 'een interreligieuze dialoog de kern van hun zending is'. Hij moedigt hen aan hun contacten met moslims uit te bouwen om zo het wederzijds wantrouwen weg te nemen. In Bangladesh zijn ongeveer 250.000 katholieken op een inwonertal van 125.000.000; katholieken vormen dus plusminus één procent van de bevolking.[530]

Vaticaanstad, 17 mei 2001
Paus Johannes Paulus II veroordeelt de moord op drie Salesianen in India, als 'een barbaarse aanslag' op de drie priesters. In zijn brief aan pater Juan Edmundo Vecchi, de superior van de Salesianen, uit hij zijn 'diepe gevoelens van medeleven voor het verlies van de dienaren van het Evangelie'. De boodschap van de paus wordt bekend gemaakt op de dag dat Osservatore Romano op de voorpagina de bloedige aanslagen op katholieken in India beschrijft.[531]

[528] Catholic World News Vatican Update, 12-03-01
[529] Catholic World News Service, 18-04-01
[530] Catholic World News Vatican Update, 15-05-01
[531] Catholic World News Vatican Update, 17-05-01

Vaticaanstad, 21 mei 2001
Paus Johannes Paulus II betuigt zijn steun aan de christenen in Pakistan, door de regering op te roepen om de religieuze vrijheden meer te beschermen. Dat doet hij tijdens een ontmoeting met de Pakistaanse bisschoppen op 19 mei 2001, tijdens hun ad limina bezoek. 'Veel katholieken worden vervolgd in Pakistan vanwege hun geloof', zegt de paus.[532]

Vaticaanstad, 29 mei 2001
Paus Johannes Paulus II zegt in zijn rede tot de bisschoppen uit Guatemala, die een ad limina bezoek aan Rome brengen, dat 'zij het recht hebben om naar de ware redenen van de moord op hulpbisschop Juan Gerardi van Guatemala-stad te zoeken'. De bisschop is vermoord in 1998, enkele dagen nadat hij een rapport over mensenrechten publiceerde.[533]

Vaticaanstad, 18 juni 2001
Joaquin Navarro-Valls, directeur van het persbureau van de H. Stoel, maakt bekend dat een kerkelijke delegatie is teruggekeerd van een zesdaags bezoek aan Vietnam. De delegatie reisde onder leiding van mgr. Celestiono Migliore en mgr. Barnaba Nguyen Van Phuong, respectievelijk ondersecretaris van het Vaticaan en chef van het bureau van de Congregatie voor de Evangelisatie van de mensen. De delegatie heeft zowel kerkelijke- als staatsautoriteiten ontmoet. Men heeft ook gesproken over de benoeming van bisschoppen. Inzake deze kwestie verwacht men binnenkort antwoord van de Vietnamese regering.[534]

Vaticaan, 02 juli 2001
Paus Johannes Paulus II noemt Charles de Foucauld, een franciscaanse priester, een model van de dialoog tussen christenen en moslims. Dat zegt de paus in zijn boodschap aan de Franse bisschop mgr. Francois Blondel van Viviers. Deze woont in de loop van de maand juli een lezing bij, tijdens een conferentie over De Foucauld. De Foucauld leefde van 1858 tot 1916 en verliet Frankrijk in 1905, om in Algerije verder te leven bij de Touaregs. Hij werd er in 1916 vermoord.[535]

Vaticaan, 02 juli 2001
Patriarch Maximos V Hakim, emeritus-hoofd van de katholieke melkitische kerk, sterft op vrijdag 29 juni 2001, op 93-jarige leeftijd. Een jaar geleden trad hij terug wegens gezondheidsredenen.[536]

[532] Catholic World News Vatican Update, 21-05-01
[533] CRTN, 30-05-01
[534] Zoals in álle communistische staten, mag ook in Vietnam géén bisschop zonder toestemming van de regering benoemd worden. Zie: CRTN, 20-06-01
[535] Vatican Update from Catholic World News, 02-07-01
[536] Vatican Update from Catholic World News, 02-07-01

Vaticaanstad, 06 juli 200
Paus Johannes Paulus II ontvangt de leden van de Cubaanse bisschoppenconferentie op een ad limina bezoek. Bij de begroeting zegt de paus dat hij 'bijzonder blij is dat sinds zijn bezoek aan Cuba, bepaalde verbeteringen zijn ingetreden'. Hij noemt de mogelijkheid om Kerstmis te vieren, om bepaalde processies te houden, een grotere deelname van gelovigen aan het dagelijkse leven van het land en de aanwezigheid van Cubaanse jongeren op de vijftiende Werelddag voor Jongeren in Rome gedurende het jubeljaar.
'Het stijgend aantal roepingen stemt hoopvol', aldus de paus. 'In dit verband is het noodzakelijk om te overwegen kleinseminaries te stichten, om daar jongeren op te vangen voordat zij hun theologisch-filosofische studies zullen voltooien. Zo kan men hen opleiden in de geest van de christelijke moraal'.[537]

Vaticaanstad, 06 juli 2001
Paus Johannes Paulus II roept tijdens een toespraak voor de Cubaanse bisschoppen de Verenigde Staten op het embargo tegen Cuba op te heffen. Zijne Heiligheid spreekt de rede uit tijdens een ad limina bezoek van de Cubaanse clerus. De maatregelen van de VS jegens Cuba zijn 'onjuist en ethisch niet acceptabel', aldus de paus.[538]

China/Vaticaanstad, 11 oktober 2001
In tegenstelling tot eerdere rapporten in het weekblad Far East Economic Review, is er geen reden om aan te nemen dat China en de H. Stoel hun diplomatieke banden in de nabije toekomst zouden herstellen. Bronnen in het Vaticaan delen mee dat China elke vorm van dialoog heeft afgebroken, nadat het Vaticaan op 1 oktober 2000 honderdtwintig Chinezen zalig verklaarde.[539]

[537] CRTN, 10-07-01
[538] CRTN, 09-07-01
[539] ACN News, 11-10-01

5 Bijlages

5.1 Bijlage 1
Ranglijst van christenvervolgingen[540]

jul 01	jan 01	LAND	AANTAL CHRISTENEN
01	01	Saoedi-Arabië	600.000
02	03	Afghanistan	2.500
03	02	Laos	50.000
04	04	China	60.000.000
05	07	Turkmenistan	60.000
06	08	Iran	200.000
07	05	Noord-Korea	100.000
08	06	Vietnam	6.000.000
09	10	Malediven	250
10	20	Bhoetan	5.000
11	15	Somalië	11.000
12	18	Pakistan	3.250.000
13	11	Jemen	15.000
14	16	Colombia	34.000.000
15	42	Nepal	150.000
16	26	Noord-Soedan	2.500.000
17	12	Comoren	200
18	25	Cuba	4.000.000
19	22	Oezbekistan	300.000
20	17	Marokko	25.000
21	09	Egypte	8.000.000
22	21	Qatar	30.000
23	14	Tunesië	10.000
24	36	Azerbeidzjan	45.000
25	24	Zuid-Mexico	1.000.000
26	28	Birma	2.500.000
27	13	Libië	140.000
28	31	Bahrein	43.000
29	32	Brunei	24.000
30	33	Turkije	90.000
31	34	Ver.Arabische Emiraten	180.000

[540] Open Doors International.

32	27	Djibouti	22.500
33	43	Tsjetsjenië	200
34	35	Koeweit	75.000
35	39	Tadzjikistan	10.000
36	38	Oman	60.000
37	40	Dagestan (Rusland)	1.000
38	41	Irak	500.000
39	30	Mauritanië	2.300
40	44	Kabardino-Balkarija (Rusland)	10.000
41	45	Tatarstan	200.000
42	23	Noord-Nigeria	45.000.000
43	47	Ingoesjetië (Rusland)	200
44	48	Sri Lanka	1.400.000
45	49	Maleisië	1.600.000
46	46	Algerije	40.000
47	50	Syrië	1.200.000
48	37	India	25.000.000
49	29	Indonesië	20.000.000
50	53	Peru	20.000.000

TOELICHTING

Van de top tien van landen van deze lijst met christenvervolging hebben er vier een communistisch regime, alle in Oost-Azië: Laos, China, Noord-Korea en Vietnam. Vijf landen hebben een islamitische signatuur: Saoedi-Arabië, Afghanistan, Turkmenistan, Iran en de Malediven, en één land heeft een boeddhistisch bewind: Boethan.

In vergelijking met zes maanden geleden is de situatie voor de christenen erop vooruit gegaan in Egypte, Tunesië, Mauritanië, Nigeria, India, Indonesië en Zuid-Soedan.
In Nepal, Noord-Soedan, Azerbeidzjan en Tsjetsjenië hebben de christenen het 't afgelopen half jaar (nog) zwaarder gekregen.

Algemeen:
De punten zijn toegewezen aan de hand van een groot aantal criteria, zoals de wettige status van christenen, de rol van de kerk in de samenleving, en de actuele situatie van christenen. Er worden ten opzichte van elk land 38 vragen

gesteld, waarop 164 antwoorden mogelijk zijn. De vragen worden beantwoord aan de hand van passief en actief onderzoek door Open Doors.

5.2 Bijlage 2 MARTYROLOGY OF THE YEAR 2000[541]

N°	Name	Country of origin	Institute	Place and date of death
1.	Frater Yosef Jami	Indonesia	Divine Word Seminarian (SVD)	Ende (Indonesia) - 1/1
2.	Rev. José I. Flores Gaytán	Mexico		Torreón (Mexico) - 17/1
3.	Sr M. Odette Simba Abakumate	D. Congo	Sister of Charity of Jesus and Mary	Bambari (Bangui-Central Africa) - 5/2
4.	Fr. Remis Pepe			Kiliba (D. Congo) - 15/2
5.	Sr. Christine Sequeira	Pakistan	Franciscan Missionaries of Mary	Karachi (Pakistan) - 16/3
6.	Fr. Hugo Duque	Colombia	Diocesan	Supia (Colombia) - 27/3
7.	José da Rocha Dias	Angola	Seminarian	Cunene (Angola) - 29/3
8.	Fr. Ruel Gallardo	Philippines	Claretian	Basilan (Philippines) - 3/5
9.	Fr. Joaquin Bernardo	Spagna	Dominican (OP)	Tirana (Albania) - 7/5
10.	Rev. Pascal Nzikobanyanka	Burundi	Diocesan	Buhoro (Burundi) - 14/5
11.	Fr. Clement Ozi Bello	Nigeria	Diocesan	Kawo (Nigeria) - 23/5
12.	Claude Gustave Amzati	R.D.Congo	Seminarian	Bukavu (D. Congo - 30/31-5
13.	Fr. George Kuzhikandom	India	Franciscan	Uttar Pradesh (India) - 6/6
14.	Fr. Isidro Uzcudum	Spagna	Fidei donum (S. Sebastian)	Mugina (Rwanda) - 10/6
15.	Fr. Remis Karketta	India	Jesuit	Bihan (India) - 12/7
16.	Fr. Victor Crasta	India	Holy Cross Congregation	Balukcherra-Tripura (India) - 25/7
17.	Fr. Anthony Kaiser	United States	Mill Hill Missionaries	Naivasha (Kenya) - 24/8
18.	Fr. Jude Maria Ogbu	Nigeria	Carmelite Decalsed	Ekpoma (Nigeria) - .../9

[541] FIDES, 06-04-01

19.	Fr. Raffaele di Bari	Italy	Comboni Miss.	Pajule (Uganda) - 1/10
20.	Fr. Antonio Bargiggia	Italy	Brothers of the Poor	Kibimba (Burundi) - 3/10
21.	Sr. Floriana Tirelli	Italy	Sister St John Baptist	Solwezi (Zambia) - 7/10
22.	Sr. Gina Simionato	Italy	Sisters of S. Dorothy	Gihiza (Burundi) - 15/10
23.	Fr. Arnoldo Gomez Ramirez	Colombia	Yarumal Missionaries	Buenaventura (Colombia) - 17/10
24.	Fr. Howard Rochester			Hartland (Jamaica) - 28/10
25.	Sr. Pierina Asienzo	Uganda	Little Sisters of Mary Immaculate.	Gulu (Uganda) - 5/11
26.	Sr. Dorothy Akweyo	Uganda	Little Sisters of Mary Immaculate	Gulu (Uganda) - .../11
27.	Frater Regis Grange	France	Sacred Heart Brothers	Man (Ivory Coast) - 11/11
28.	Grace Akullu	Uganda	Voluntary Nurse	Gulu (Uganda) - 17/11
29.	Fr. Shajan Jacob Chittinapilly	India	Diocesan	Manipur (India) - 2/12
30.	Fr. Benjamin Inocencio	Philippines	Oblate Mary Immaculate. (OMI)	Jolo (Philippines) - 28/12
31.	Sr. Teresa Egan	Ireland	Congregation S. Joseph of Cluny	Saint Lucia (Antilles) - 31/12

Martyrology of the year 2000

18 priests (4 diocesan, 10 Religious, 1 fidei donum, 3 unknown)
1 Religious
7 women religious (of 6 congregations)
3 seminarians
1 member of a lay institute: 1 lay voluntary nurse

Nationality

9 Africans (3 Uganda, 2 Nigeria, 2 D. Congo, 1 Angola, 1 Burundi)
8 Asians (4 India, 2 Philippines, 1 Pakistan, 1 Indonesia)
8 Europeans (4 Italy, 2 Spain, 1 France, 1 Ireland)
4 Americans (2 Colombia, 1 Mexico, 1 United States)
2 nationality unknown

Place of martyrdom

17 in Africa (4 Uganda, 3 Burundi, 2 Nigeria, 2 D. Congo, 1 Central African Rep. 1 Angola, 1 Zambia, 1 Ivory Coast, 1 Rwanda, 1 Kenya)
8 in Asia (4 India, 2 Philippines, 1 Pakistan, 1 Indonesia)
5 in America (2 Colombia, 1 Mexico, 1 Jamaica, 1 Antilles).
1 in Europe (Albania).

Notes on circumstances (see information Fides)

1. *Frater Yosef Jami – killed by unidentified persons (Fides 23-1)*
2. *Fr. José I. Flores Gaytán – killed by thieves*
3. *Sr M. Odette Simba Abakumate – killed by bandits on the road*
4. *Fr. Remis Pepe – killed by armed men who attacked the mission (Fides 25-2)*
5. *Sr. Christine Sequeira – killed when the convent was robbed*
6. *D. Hugo Duque – killed by unidentified persons who broke into the house*
7. *José da Rocha Dias – killed while on his way to Mupanda mission*
8. *Fr. Ruel Gallardo – killed by Muslim kidnappers (Fides 19-5)*
9. *Fr. Joaquin Bernardo – found murdered in his apartment*
10. *Fr. Pascal Nzikobanyanka – killed in an ambush*
11. *Fr. Clement Ozi Bello – missing on the way back to the parish, later found dead (Fides 2-6)*
12. *Claude Gustave Amzati – killed during an attack on the seminary (Fides 9-6)*
13. *Fr. George Kuzhikandom – murdered in his sleep by Hindu fundamentalists (Fides 16-6)*
14. *Rev. Isidro Uzcudum – shot during a burglary (Fides 16-6)*
15. *Fr. Remis Karketta – shot while traveling on the highway*
16. *Fr. Victor Crasta – shot by men in uniform*
17. *D. Anthony Kaiser – shot while traveling*
18. *Fr. Jude Maria Ogbu – he bled to death after being shot by thieves*
19. *Fr. Raffaele di Bari – ambushed and shot dead on his way to celebrate Mass (Fides 6-10)*
20. *Fr. Antonio Bargiggia – killed by bandits (Fides 27-10)*
21. *Sr. Floriana Tirelli – killed by thieves in a forest ambush (Fides 27-10)*
22. *Sr. Gina Simionato – ambushed and murdered on her way to Mass (Fides 27-10)*
23. *Fr. Arnoldo Gomez Ramirez – murdered by criminals he reported*
24. *Fr. Howard Rochester – murdered by bandits who stole his car*
25. *Sr. Pierina Asienzo – she chose to stay to care for the sick and died of Ebola*
26. *Sr. Dorothy Akweyo – working in hospital she contracted Ebola and died*
27. *Frater Regis Grange – mortally wounded by thieves and died the day after.*

28. Grace Akullu – voluntary lay nurse offers to care for Ebola patients. She herself contracts it and dies of the illness
29. Fr. Shajan Jacob Chittinapilly – kidnapped and killed by bandits (Fides 8-12)
30. Fr. Benjamin Inocencio - shot as he got out of his car.
31. Sr. Teresa Egan - murdered in the attack to the Cathedral (Fides 19-01-2001)

The Martyrology of the last 20 years (1980/2000)
Rome (Fides) *– According to information collected by Fides in the first decade 1980-1989, 115 missionaries suffered a violent death. However the number is probably higher since out news service refers only to cases actually reported. The table we give below to the years 1990-2000, during which 604 missionaries were killed in action as reported in Fides News Service. This number is considerably higher than in the previous decade but various factors must be taken into account: the genocide in Rwanda (1994) during which 248 members of Catholic Church personnel were murdered; greater speed and accuracy of media reporting cases even in remote places; besides missionaries ad gentes in the strict sense, we count every member of church personnel who was murdered, or died, while putting his or her life at the service of others, or choosing to stay on mission despite serious personal danger, all these Pope John Paul II calls 'martyrs of charity'.*

ANNO	TOT	BIS	SPR	DEA	BROS	SIS	SEM	ICP	CAT	LAY	VOL
1990	17		10			7					
1991	19	1	14		1	3					
1992	21		6		2	13					
1993	21	1C+1	13			4	1	1			
1994	26		20		1	4	1				
1994*	248	3	103		47	65		30			
1995	33		18	1	3	9				2	
1996	48	3	19		8	13	1	2	1	1(ct)	
1997	68	1	19		1	7	40				
1998	40	1	13		5	17	4				
1999	32		17			9	4		2		
2000	31		18		1	7	3	1			1

** = figures refer only to the massacre in Rwanda.*
BIS: Bishops; C: Cardinals; Pr: priests diocesan or religious; DEA: deacons; BROS Brothers ; SIS: Sisters; SEM: seminarians; IVC: members of institutes of consecrated life; CAT: catechists; LAY: laici; VOL: volunteer; ct: catechumen. (5/1/2001)

5.3 Bijlage 3 Remember the Persecuted[542]

'Remember those who are in prison as if you were their fellow prisoners, and those who are mistreated as if you yourself were suffering'. Hebrews 13:3 (NIV)

> *More Christians are persecuted and martyred for their faith in this century than all previous centuries combined. Nearly two thirds of all Christians alive in the world today suffer persecution in varying degrees, including the loss of freedom, discrimination, imprisonment, slavery, torture and even death.*
>
> *'I have always envied those Christians who were martyred for Christ Jesus our Lord. What a privilege to live for our Lord and to die for Him as well. I am filled to overflowing with joy; I am not only satisfied to be in prison. . . but am ready to give my life for the sake of Jesus Christ'.*
>
> ***Mehdi Dibaj,** (martyred in Iran, 1994)*

To Be a Martyr for the Lord

Sung by persecuted Christians in China

1. *From the time the early church appeared on the day of Pentecost,*
   the followers of the Lord all willingly sacrificed themselves.
   Tens of thousands have sacrificed their lives that the Gospel might prosper.
   As such they have obtained the crown of life.

2. *Those apostles who loved the Lord to the end,*
   Willingly followed the Lord down the path of suffering.
   John was exiled to the lonely isle of Patmos.
   Stephen was crushed to death with stones by the crowd.

3. *Matthew was cut to death in Persia by the people.*
   Mark died as his two legs were pulled apart by horses.
   Doctor Luke was cruelly hanged.
   Peter, Philip and Simon were crucified on a cross.

[542] International Christian Concern, 06-04-01

*4. Bartholomew was skinned alive by the heathen,
Thomas died in India as five horses pulled apart his body,
The apostle James was beheaded by King Herod,
Little James was cut up by a sharp saw.*

*5. James the brother of the Lord was stoned to death,
Judas was bound to a pillar and died by arrows,
Matthias had his head cut off in Jerusalem.
Paul was a martyr under Emperor Nero.*

*6. I am willing to take up the cross and go forward,
To follow the apostles down the road of sacrifice.
That tens of thousands of precious souls can be saved,
I am willing to leave all and be a martyr for the Lord.
Chorus: To be a martyr for the Lord, to be a martyr for the Lord,
I am willing to die gloriously for the Lord.*

Examples of Modern Day Martyrs

Zhang Xiu ju (China), a house-church leader who was beaten to death by police in April 1996. She refused to stop holding illegal services in her home and to stop evangelizing.

Mehdi Diba; (Iran), a convert from Islam who was imprisoned for nine years. After his release in 1994, he was abducted and brutally murdered.

Haik Hovsepian Mehr (Iran), a pastor who refused to cease evangelizing and also spoke up in defense of Mehdi Dibaj. On January 20, 1994, he was abducted and later found stabbed to death.

Manzoor Masih (Pakistan), a father of ten who was falsely accused and jailed for blasphemy against Islam. While out on bail, he was gunned down by Islamic extremists.

Lai Manping (China), a 22-year-old evangelist who was beaten to death by the police during a raid on a house church in March 1993.

Among the Persecuted Today
Melek Akyil (Turkey), a Christian businessman arrested June 22, 1996 and falsely accused of terrorism. He's the victim of government intimidation to force the Christians to convert to islam or leave.

Matthias Akabd (Sudan), arrested January 1995, along with his wife and baby, and has not been heard from since.

Jacob Jeyaseelan (Saudi Arabia), arrested December 22, 1995 for leading an illegal Christian gathering of 50 Indian Christians. A total of seven were detained and severely beaten. All but Jacob were released.

Salamat Masih (Pakistan), arrested in 1993 at the age of 12 for blasphemy and threatened with death. He was acquitted in 1995 as a result of international pressure. Extremists have placed a bounty on his life. He has fled his home and family and now lives in hiding.

Soner Onder (Turkey), at the age of 17, was arrested following a Christmas service in 1991. He was beaten and is serving a life sentence.

'Speak up for those who cannot speak for themselves'. Proverbs 31:8

International Christian Concern (ICC) *is an interdenominational human rights organization for religious freedom and for assisting Christians who are victims of persecution and discrimination.*

For information about how you can help persecuted Christians, write or call:

International Christians Concern
2020 Pennsylvania Avenue NW #941
Washington, DC 20006
1 800 ICC-5441

5.4 Bijlage 4 De Kerk in Afrika[543]

Compiled by J. Mutiso-Mbinda

Item	Year Ending 31st December 1997
Total Population	756.918.000
Total Catholics	112.871.000
Percentage of Catholics	14.9%
Ecclesiastical Territories	474
Archdioceses	76
Dioceses	363
Cardinals	14
Patriarchs	2
Native Africa Bishops	435
Non-native Bishops	127
Total number of Bishops	562
Total number of Priests	25.279
Diocesan Priests Incardinated	15.654
Diocesan Priests Present	14.873
Religious Priests	10.406
Permanent Deacons	308
Brothers	7.083
Sisters	49.854
Major Seminarians	19.078
Lay missionaries	1.248
Catechists	329.775
Parishes	10.497
Mission Stations	76.406
Kindergates	9.867
Primary Schools	29.543
Secondary Schools	6.265
Students in Higher Institutions	27.188
Social Service Centers	14.611

543 Zie: Websites Kerk in Afrika.

Compiled by J. Mutiso-Mbinda

Angola and Sao Tome	**Episcopal Conference of Angola and Sao Tome** **C. P.87, LUANDA, Angola** **Tel: +244-2-343-686; Fax: +244-2-345-504**
Benin	**Conférence des Evêques de Benin** **Archevêché, B. P.491 COTOUNOU, Benin** **Tel: +229-31-31-45**
Botswana (see Southern Africa)	**Caritas Botswana** **P.O. Box 42** **GABARONE, Botswana.** **Fax Reachable through Internet free service is:** **Fax: +267-356970**
Burkina Faso and Niger	**Conférence des Evêques de Burkina Faso et du Niger** **B. P.1195, OUAGADOUGOU, Burkina Faso** **Tel: +226-30-60-26**
Burundi	**Conférence des Evêques Catholique du Burundi** **(C. E. C. A. B.)** **5 blvd. de l'Uprona** **B. P.1390 BUJUMBURA, Burundi** **Tel: +256-23-263; Fax: 256-23-270** **E-Mail: cecab@cbinf.com**
Cameroun	**Conférence Episcopale Nationale du Cameroun (CENC)** **B. P.807 YAOUNDE, Cameroun** **Tel:**
Central African Republic	**Conférence Episcopale Centrafricaine (CECA)** **B. P.798 BANGUI, Central African Republic** **Tel: +236-61-31-48**
Cape Verde (see Senegal)	
Congo Kinshasa	**Conférence Episcopale du R. Du Congo** **B. P.3258 KINSHASA-GOMBE, Congo Kinshasa** **Tel:** **E-Mail:conf.episc.rdc@ic.cd**
Congo Brazaville	**Conférence Episcopal du Congo** **B. P.200 BRAZAVILLE, Congo** **Tel: 242-83-06-29; Fax: 242-83-79-08**

Ethiopia and Eritrea	**Episcopal Conference of Ethiopia and Eritria** **P.O. Box 2454 ADDIS ABBEBA, Athiopia** **Tel: 251-1-55-00-09; Fax: 251-1-55-31-13** **E-Mail: ecs@telecom.net.et**
Eritria (has its own Secretariat but both have one Conference)	**Catholic Secretariat** **P.O. Box 1990, ASMARA, Eritria** **Tel: +251-1-12-50-00; Fax: +251-1-12-00-70**
Equitorial Guinea	**Conférence Epicopale de Guinea Equitorial** **Arzbispado** **Apartado 106, MALABO, Equitorial Guinea**
Gabon	**Conférence Episcopal du Gabon** **B. P.209 OYEM, Gabon** **Tel: +241-89-63-20**
Gambia, Liberia and Sierra Leone	**Inter-territorial Catholic Bishops's Conference** **of the Gambia, Liberia and Sierra Leone (ITCABIC)** **P.O. Box 893 FREETOWN, Sierra Leone** **Tel: +220-22-82-40; Fax: +220-22-82-52**
Ghana	**Ghana Bishops' Conference** **National Catholic Secretariat** **P.O. Box 9712, AIRPORT, ACCRA, Ghana** **Tel: +233-776-491/1/2/3**
Guinea	**Conférence Episcopale de la Guinée** **B. P.1006 bis CONAKRY, Guinea**
Guinea-Bissau (see Senegal)	
Ivory Coast	**Conféerence Episcopale de la Côte d'Ivoire** **B. P.1287 ABDJAN 01, Ivory Coast** **Tel: +225-33-22-56**
Kenya	**Kenya Episcopal Conference (KEC)** **Kenya Catholic Secretariat** **P.O. Box 48062, NAIROBI, Kenya** **Tel: +254-2-44-31-33; Fax: +254-2-44-29-10** **E-Mail: csk@africaonline.co.ke**
Lesotho	**Lesotho Catholic Bishops' Conference** **Catholic Secretariat** **P.O. Box 200, MASERU, Lesotho** **Tel: +266-31-25-25**
Liberia (see Gambia)	

Madagascar	**Conférence Episcopal de Madagascar** **102 bis Av. Maréchal Joffre** **B. P.667 ANTANANARIVE, Madagascar** **Tel: +261-2-20-478; Fax: +261-2-24-854**
Malawi	**Episcopal Conference of Malawi** **Catholic Secretariat of Malawi** **P.O. Box 30384, LILONGWE, Malawi** **Tel: +265-782-066; Fax: +265-782-019** **E-Mail: ecm@malawi.net**
Mali	**Conféerence Episcopal du Mali** **Archevêche** **B. P.298 BAMAKO, Mali** **Tel: +223-225-499; Fax: +223-225-214**
Mauritania (see Senegal)	
Mozambique	**Conférencia Episcopal de Moçambique (CEM)** **Secretariado Geral da CEM** **Av. Armando Tivene 1701** **C. P.286 MAPUTO, Mozambique** **Tel: +258-1-492-174; Fax: +258-1-490-766**
Namibia	**Namibian Catholic Bishops' Conference (NCBC)** **Catholic Secretariat** **P.O. Box 11525 WINDHOEK 9000, Namibia** **Tel: +264-61-224-798** **E-Mail:ncbc@windhoek.org.na**
Niger (see Burkina Faso)	
Nigeria	**Catholic Bishops Conference of Nigeria** **Catholic Secretariat** **6 Force Road** **P. O. Box 951, LAGOS, Nigeria** **Tel: +234-1-263-5849; Fax:: +234-1-263-6680** **E-Mail: cathsecl@infoweb.abs.net**
North Africa (Algeria, Tunisia, Morocco, Libya)	**Regional Episcopal Conference of North Africa (CERNA)** **13 rue Khelifa-Boukalfa** **16000 ALGER-GARE, Algeria** **Tel: +213-2-634-244; Fax: +213-2-640-582**

Rwanda	**Conférence Episcopal du Rwanda (CEp. R.) B. P.357 KIGALI, Rwanda Tel: +250-54-39**
Sao Tome (see Angola)	
Senegal, Mauritania, Cape Verde, Guinea Bissau	**Conférence des Evêques du Senegal, de la Mauritania, du Capo Verde et de Guinée-Bissau B. P.941 DAKAR, Senegal**
Sierra Leone (see Gambia)	
Southern Africa	**Southern African Catholic Bishops' Conference (SACBC) Khanya House 140 Visagie Street P.O. Box 941, PRETORIA 0001, South Africa Tel: +27-12-323-6458; Fax: +27-12-326-6218 E-Mail: sacbclib@wn.apc.org**
Sudan	**Sudan Catholic Bishops' Conference (SCBC) SCBC General Secretariat P.O. Box 6011, KHARTOUM, Sudan Tel: +249-11-255-0759**
Swaziland (see Southern Africa)	
Tanzania	**Tanzania Episcopal Conference (TEC) Catholic Secretariat P.O. Box 2133 DAR-ES-SALAAM, Tanzania Tel: +255-51-851-075; Fax: +255-51-851-133 E-Mail: tec@cats-net.org**
Tchad	**Conférence Episcopale du Tchad B. P.456 N'DJAMENA, Tchad Tel: +235-514-443; Fax: +233-512-860**
Togo	**Conférence Episcoplae du Togo B. P.348 LOME, Togo Tel: +228-212-272**
Uganda	**Uganda Episcopal Conference Catholic Secretariat P.O. Box 2886 KAMPALA, Uganda Tel: +256-41-268-157; Fax: +256-41-268-713 E-Mail: ucmb@infocom.co.ug**

Zambia	**Zambia Episcopal Conference (ZEC)** **Catholic Secretariat** **P.O. Box 31965, LUSAKA, Zambia** **Tel: +260-1-212-070; Fax: +260-1-202-996** **E-Mail:zecsap@zamnet.zm**
Zimbabwe	**Zimbabwe Catholic Bishops' Conference (ZCBC)** **Catholic Secretariat** **Causeway, 29 Selous Avenue** **P.O. Box 8135, HARARE, Zimbabwe** **Tel: +263-4-705-368; Fax: +263-4-705-369** **E-Mail: zcbc-sec@harare.inafrica.com**

5.5 Bijlage 5
De kerk in het Midden-Oosten[544]

*a. **De Latijnse kerk.** Bestaat uit: het patriarchaat van Jerusalem (mgr. Michel Sabbah); het aartsbisdom Bagdad (mgr. Paul Dahdah); het apostolische vicariaat van Libanon (mgr. Paul Bassim); het apostolische vicariaat van Alep-Syrië (mgr. Armando Portolozo); het apostolische vicariaat van Koeweit (mgr. Francis Micaleff).*

Het Latijnse patriarchaat van Jerusalem telt: 85 priesters, 60 parochies (daarvan 15 in Palestina, 10 in Israel, 27 in Jordanië, 4 in Cyprus en 3 in de Verenigde Staten).

Het aartsbisdom van Baghdad telt ongeveer 2500 gelovigen; er zijn drie parochies die door elf religieuzen worden bediend; vier carmelieten, vijf dominicanen en twee redemptoristen.
In hetzelfde bisdom zijn er 174 chaldeese en syrische religieuzen: 135 dominikanen van de H. Catharina; 29 dominikanen van de Liefdadigheid; vijf missionarissen franciscanen van het Onbevlekte Hart van Maria; vijf missionarissen van Moeder Theresa.
In het vicariaat van Beiroet zijn er 20.000 gelovigen. Er zijn negen parochies met drie priesters.
In het vicariaat van Alep zijn er 9500 gelovigen; tien parochies en zes priesters; 52 priester-religieuzen en 203 vrouwelijke religieuzen.

[544] Zie: Website: l'eglise latine au Moyen Orient.

In het vicariaat van Koeweit leven 100.000 gelovigen in twee parochies, met vier priesters, een diaken en zeven seminaristen.

b. De Armeens-katholieke kerk

De patriarch, Jean Pierre XVIII Kasparian, zetelt in Beiroet. Er zijn ongeveer 500.000 Armeense christenen in het Midden-Oosten. In Armenië en Georgië zijn er 25 parochies, in Syrië negen, in Turkije vier, in Egypte drie en in Iran twee.

c. De Chaldeese kerk

Het hoofd van deze kerk is patriarch Raphael I Bidawid, patriarch van Babel voor de Chaldeeën. Hij zetelt in Baghdad. De kerk telt ongeveer 600.000 gelovigen, verdeeld over veertien diocesen, met vicariaten in Irak, Iran, Libanon, Syrië, Jordanië, Egypte, Turkije, maar ook in Frankrijk, Italië, Zweden, Denemarken, Engeland, Griekenland, Nederland, Australië en Nieuw-Zeeland. Er zijn vijftien bisschoppen (van wie één emeritus); 93 priesters en 92 parochies.

d. De Syrisch-katholieke kerk

Het hoofd van deze kerk is patriarch Ignace Moussa I Daoud, die in Antiochië zetelt. Er zijn 175.000 gelovigen in negen diocesen; vier in Syrië, twee in Irak, één in Libanon, één in Egypte en verder in de VS en Canada. Binnen de kerk werken 75 priesters en zes diakens.

e. De Syrisch-maronitische kerk van Antiochië

Hoofd van deze kerk is patriarch Mar Nasrallah Boutros Sfeir. Hij is tevens kardinaal en zetelt in Libanon. Het aantal gelovigen is ongeveer 1.200.000. Er zijn 616 priesters, 918 parochies. Ongeveer eenderde van de priesters is getrouwd. De kerk telt vier grote mannelijke religieuze orden en zes vrouwelijke, met respectievelijk 883 en 872 leden.

f. De Grieks-melkitische kerk

Het hoofd is patriarch Maximos V Hakim, die in Damascus resideert. Het aantal gelovigen is 700.000 in het Midden-Oosten en ongeveer 400.000 in Brazilië (wegens emigratie). Er zijn 24 diocesen en exarchaten. Het aantal bisschoppen is 33 (van wie 10 emeriti); er zijn 433 parochies met 360 priesters, 103 mannelijke religieuzen en 482 vrouwelijke religieuzen.

5.6 Bijlage 6
Martelaren in het jaar 2000[545]

ANNO	TOT	BIS	SPR	DEA	BROS	SIS	SEM	ICP	CAT	LAY	VOL
1990	17		10			7					
1991	19	1	14		1	3					
1992	21		6		2	13					
1993	21	1C+1	13			4	1	1			
1994	26		20		1	4	1				
1994*	248	3	103		47	65		30			
1995	33		18	1	3	9				2	
1996	48	3	19		8	13	1	2	1	1(ct)	
1997	68	1	19		1	7	40				
1998	40	1	13		5	17	4				
1999	32		17			9	4		2		
2000	31		18		1	7	3	1			1

Martelaren in het jaar 2000

18 priesters (4 diocesaan, 10 kloosterlingen, 1 fidei donum, 3 onbekend)
1 kloosterling
7 vrouwelijke religieuzen (uit 6 congregaties)
3 seminaristen
1 lid van een lekeninstelling; 1 vrijwilligster

Nationaliteit

9 Afrikanen (3 Uganda, 2 Nigeria, 2 Neder-Zaïre, 1 Angola, 1 Burundi)
8 Aziaten (4 India, 2 Philippijnen, 1 Pakistan, 1 Indonesia)
8 Europeanen (4 Italië, 2 Spanje, 1 Frankrijk, 1 Ierland)
4 Amerikanen (2 Colombia, 1 Mexico, 1 Verenigde Staten)
2 nationaliteit onbekend.

Plaats van martelaarschap

17 in Africa (4 Uganda, 3 Burundi, 2 Nigeria, 2 Neder-Zaïre, 1 Central African Rep.1 Angola, 1 Zambia, 1 Ivoorkust, 1 Rwanda, 1 Kenya)
8 in Azië (4 India, 2 Filipijnen, 1 Pakistan, 1 Indonesia)
5 in Amerika (2 Colombia, 1 Mexico, 1 Jamaica, 1 Antillen)
1 in Europa (Albanië)

[545] FIDES, 05-01-01

Omstandigheden

1. Frater Yosef Jami - vermoord door niet geïdentificeerde personen
2. Fr. José I. Flores Gaytán - vermoord door overvallers
3. Sr M. Odette Simba Abakumate - onderweg vermoord door overvallers
4. Fr. Remis Pepe - vermoord door bewapende mannen tijdens aanval op missiepost
5. Sr. Christine Sequeira - vermoord tijdens overval op convent
6. D. Hugo Duque - vermoord door niet geïdentificeerde personen
7. José da Rocha Dias - vermoord op weg naar missiepost Mupanda
8. Fr. Ruel Gallardo - vermoord door moslim-kidnappers
9. Fr. Joaquin Bernardo - vermoord in zijn huis
10. Fr. Pascal Nzikobanyanka - vermoord in een hinderlaag
11. Fr. Clement Ozi Bello - vermoord onder weg naar zijn missiepost
12. Claude Gustave Amzati - vermoord tijdens aanval op seminarie
13. Fr. George Kuzhikandom - vermoord in zijn slaap door hindoefundamentalisten
14. Rev. Isidro Uzcudum - vermoord door rovers
15. Fr. Remis Karketta - vermoord op weg naar huis
16. Fr. Victor Crasta - doodgeschoten door mensen in uniform
17. D. Anthony Kaiser - vermoord tijdens reis
18. Fr. Jude Maria Ogbu - doodgebloed na een overval
19. Fr. Raffaele di Bari - gedood vanuit een hinderlaag terwijl hij onderweg was naar de mis
20. Fr. Antonio Bargiggia - vermoord door bandieten
21. Sr. Floriana Tirelli - vermoord vanuit een hinderlaag
22. Sr. Gina Simionato - vermoord vanuit een hinderlaag, onderweg naar de mis
23. Fr. Arnoldo Gomez Ramirez - vermoord door misdadigers die hij aangaf
24. Fr. Howard Rochester - vermoord door bandieten die zijn auto stalen
25. Sr. Pierina Asienzo - gestorven t. g. v. ebola
26. Sr. Dorothy Akweyo - gestorven t. g. v. ebola
27. Frater Regis Grange - dodelijk verwond door dieven; een dag later overleden
28. Grace Akullu - vrijwilligster in een ziekenhuis waar zij aan ebola stierf
29. Fr. Shajan Jacob Chittinapilly - ontvoerd en vermoord door bandieten
30. Fr. Benjamin Inocencio - vermoord in zijn auto
31. Sr. Teresa Egan - vermoord tijdens aanval op de kathedraal

The Martyrology of the last 20 years (1980/2000)

Rome (Fides) - *According to information collected by Fides in the first decade 1980-1989, 115 missionaries suffered a violent death. However the number is probably higher since out news service refers only to cases actually reported. The table we give below to the years 1990-2000, during which* ***604 missionaries were killed in action*** *as reported in Fides News Service. This number is considerably higher than in the previous decade but various factors must be taken into account: the genocide in Rwanda (1994) during which 248 members of Catholic Church personnel were murdered; greater speed and accuracy of media reporting cases even in remote places; besides missionaries ad gentes in the strict sense, we count every member of church personnel who was murdered, or died, while putting his or her life at the service of others, or choosing to stay on mission despite serious personal danger, all these Pope John Paul II calls 'martyrs of charity'.*

ANNO	TOT	BIS	SPR	DEA	BROS	SIS	SEM	ICP	CAT	LAY	VOL
1990	**17**		10			7					
1991	**19**	1	14		1	3					
1992	**21**		6		2	13					
1993	**21**	1C+1	13			4	1	1			
1994	**26**		20		1	4	1				
1994*	**248**	3	103		47	65		30			
1995	**33**		18	1	3	9				2	
1996	**48**	3	19		8	13	1	2	1	1(ct)	
1997	**68**	1	19		1	7	40				
1998	**40**	1	13		5	17	4				
1999	**32**		17			9	4		2		
2000	**31**		18		1	7	3	1			1

** = figures refer only to the massacre in Rwanda.*
BIS: Bishops; C: Cardinals; Pr: priests diocesan or religious; DEA: deacons; BROS Brothers ; SIS: Sisters; SEM: seminarians; IVC: members of institutes of consecrated life; CAT: catechists; LAY: laici; VOL: volunteer; ct: catechumen. (5/1/2001)

5.7 Bijlage 7 De Afrikaanse bevolking in cijfers

Land	Bevolking in	Per km/2 miljoenen	Groei in procenten	Verwachting in 2030 (in miljoenen)
Nigeria	120,8	133	2,5	255
Egypte	61,4	62	1,5	92
Ethiopië	61,3	61	2,1	114
Zaïre	48,2	21	2,6	114
Zuid Afrika	41,4	34	1	56
Tanzania	32,1	33	2,1	56
Algerije	29,9	13	2,6	48
Sudan	28,3	12	2,1	50
Oeganda	20,9	105	2,3	41
Ghana	18,5	81	2,2	33
Mozambique	16,9	22	2	30
Madagaskar	14,6	25	2,7	30
Ivoorkust	14,5	2,7	1,6	23
Kameroen	14,3	2,1	2,1	26
Zimbabwe	11,7	30	0,1	16
Angola	11	61	2,8	27
Boerkina Faso	10,6	2,3	2,4	22
Mali	10,6	9	2,7	23
Malawi	10,5	112	2,2	20
Niger	10,1	8	3	24
Zambia	9,7	13	0,8	16
Zambia	9,3	60	1,2	13
Rwanda	8,1	274	2,2	15
Tsjaad	7,2	6	7,3	16
Guinea	7,1	29	2	12
Benin	5,9	54	2,5	12
Sierra Leone	4,9	73	1,9	9
Togo	4,5	82	2	8
Eritrea	3,9	5,7	2,3	7
Rep. Congo	2,7	8	3	6
Mauritanië	2,5	2	2,3	5
Lesotho	2,1	68	1,6	3

Namibië	1,7	2	1,7	3
Botswana	1,6	3	0,9	2
Gambia	1,2	99	2,2	2
Guinee-Bissau	1,2	41	1,8	2[546]

5.8 Bijlage 8
International Christian Prisoners List[547]
Christian Prisoners

Southeast Asia
Indonesia
Name: Salmon Ongirwalu
Date of Arrest: 1998
*Charge: kidnapping**
Sentence: 10 years
Name: Robert Martinus
Date of Arrest: 1998
*Charge: kidnapping**
Sentence: 7 years
Name: Yanwardi Koto
Date of Arrest: 1998
*Charge: kidnapping**
Sentence: 7 years
**These three men and their wives helped to house a young woman who claimed to need protection from her Muslim parents because she wanted to convert to Christianity. Later the woman said she was held against her will by the men, who forced her to become a Christian.*

Myanmar (Burma)
Name: Gracy
Date of Arrest: February 13, 2001
Charge: harboring members of a separatist group
Sentence: 2 years labor

546 African Population, newafrica.com.
547 The Voice of the Martyrs, 02-11-01

***Laos** - Imprisoned Christians listed by province.*

Savannakhet

1. Lerm
2. Khamsone
3. Gnanh
4. Boun Thong
5. Boon Thai
6. Duan
7. Koom
8. Kone
9. Ateum

Attapeu

1. Kaew
2. Kham Seuk
3. Sanguan
4. Khammuan
5. Sinh
6. Virakorn
7. Lang
8. Ilamuan
9. Sompong
10. Cha Leng

Luang Prabang

1. Peto
2. Sisamut
3. Boonme
4. Chai
5. Saeng
6. Champeng
7. Nuamchan
8. Simon

Houaphan

1. Khoua Neg Yang
2. Thao Tchong La
3. Vang Pao Ya
4. Tscheu Yang
5. Pao Ye Yang
6. Vang Yang

Udomsay

1. Boon Chanh
2. Tcheng
3. Chanh
4. Nhot
5. See

Vietnam Ha Giang Province

1. Hau Chung Vu
2. Sung Say Day
3. Vang Sihn De
4. Sinh Mi Pao
5. Giang Xua Chung
6. Sinh Pa Pay
7. Va Sing Giay
8. Van Sua Giang
9. Sing Phay Pao
10. Sung A. Chua

Quang Ngai Province

1. Tran Van Vui
2. Dinh Van Troi
3. Tran Van Chinh
4. Dihn Be
5. Ho Hoang Duy

Phuoc Long Province

1. Dieu Thinh
2. Dieu Vuc
3. Dieu Phuong

Lai Chau and Lao Cai Provinces

1. *Sung Va Tung*
2. *Phang A Dong*
3. *Sung Phia Dia*
4. *Vang Gia Chua*
5. *Vu Gian Thao*
6. *Va Tong*
7. *Lau Dung Xa*
8. *Sung Seo Chinh*
9. *Ly A Cho*
10. *Ly A Sinh*
11. *Ly A Chu*
12. *Ly A Khoa*
13. *Sung Giong Xang*
14. *Ly a Hu*
15. *Lau Giung Se*
16. *Ho Va Tung*

Other

1. *Lo Van Hoa*
2. *Nguyen Van Ly*

East Asia

China

Names: Zheng Yunsu, Zheng Jikuo, Zheng Jiping
Date of Arrest: June 1992
Charge: holding illegal religious meetings
Sentence: 9 years labor
Names: Cao Wen Hai, Zhang Chun Xia, Zhao Song Yin
Date of Arrest: August 10, 1997
Sentence: re-education through labor
Names: Han Rongoin, Song Jianxuan, Wang Kaiju, Quan Ailing, Zhang Quingqun, Liu Xiang, Li Ping, Liu Yuanpo, Ma Yunhai, Li Xiaona
Date of Arrest: October 26, 1998
Sentence: re-education through labor
Names: Lu Lianquan, Zhang Fushan
Date of Arrest: November 5, 1998
Names: Wang Li Gong and Yang Jing Fu

Date of Arrest: November 23, 1999
Names: unknown, 12 believers from Dongsheng city, Inner Mongolia
Date of Arrest: May 26, 2001
Sentence: 2-3 years re-education through labor

North Korea

There are believed to be as many as 100,000 Christians serving time in labor camps. Specific names and charges are unknown. It is reported that Christian prisoners receive the worst treatment in the camps because they refuse to deny their faith.

Central Asia

Afghanistan

24 humanitarian aid workers from the German-based Shelter Now Afghanistan are being held on the charge of proselytizing Christianity. Eight foreign nationals (4 Germans, 2 Americans and 2 Australians) as well as 16 Afghan nationals are being held for investigation.

Pakistan

Name: Ayub Masih
Date of Arrest: October 14, 1996
Charge: blasphemy
Sentence: death
Name: Aslam Masih
Date of Arrest: November 29, 1998
Charge: blasphemy
Sentence: unknown
Name: Jhang Amjad and Asif Masih
Date of Arrest: June 1999
Charge: blasphemy (burning a Koran)
Sentence: life imprisonment
Names: Rasheed and Saleem Masih
Date of Arrest: May 30,1999
Charge: blasphemy
Sentence: 35 years
Name: Augustine 'Kingri' Masih
Date of Arrest: May 4, 2000
Charge: blasphemy

Sentence: not yet decided
Name: Pervez Masih
Date of Arrest: April 1, 2001
Charge: blasphemy
Sentence: not yet decided

Turkmenistan
Name: Shagildy Atakov
Date of Arrest: December 1998
Charge: fraud
Sentence: 4 years labor

Turkey
Name: Soner Önder
Date of Arrest: December 25, 1991
Charge: participation in separatist group
Sentence: life in prison

Middle East
Egypt
Name: Shayboub Arsal
Date of Arrest: September 17, 1998
Charge: murder
Sentence: 15 years labor
Name: Sourial Gayed Isshak
Date of Arrest: December 31, 1999
Charge: Inciting religious strife
Sentence: 3 years labor

Saudi Arabia
Name: Prabhu Isaac (Indian national)
Date of Arrest: July 17, 2001
Charge: Evangelizing Muslims
Sentence: unknown
Name: Eskinder Menghis (Eritrean national)
Date of Arrest: July 25, 2001
Charge: unknown
Sentence: unknown

Names: Tensaye Gezachew (Ethiopian), Ibrahim Mohammad a. k. a. Gebeyew (Ethiopian), Kebrom Haile (Eritrean), and Afobunor Okey Buliamin a. k. a. Benjamin (Nigerian)
Date of Arrest: August 19, 2001
Charges: unknown
Sentence: unknown
Name: Baharu Mengistu (Ethiopian)
Date of Arrest: August 20, 2001
Charges: unknown
Sentence: unknown
Name: Beferdu Fikre (Ethiopian)
Date of Arrest: August 21, 2001
Charge: unknown
Sentence: unknown
Names: Dennis Moreno (Filipino), Joseph Girmaye (Eritrean)
Date of Arrest: August 29, 2001
Charge: unknown
Sentence: unknown
Names: Worku (Ethiopian), Tishome (Ethiopian)
Date of Arrest: September 1, 2001
Charge: unknown
Sentence: unknown
Name: Araya Gesesew (Ethiopian)
Date of Arrest: September 4, 2001
Charge: unknown
Sentence: unknown
Name: Tishome Kebret (Ethiopian)
Date of Arrest: unknown
Charge: unknown
Sentence: unknown

Christians Held Against their Will

Indonesia
At least 5,000 Christians have been forced to convert to Islam and are being held hostage in their own homes and villages by militant Muslims.

Pakistan
Name: Naira Nadia
Date of Abduction: February 11, 2001
Forced to marry a Muslim man against her will

Philippines
Name: Martin and Gracia Burnham Date of Abduction: May 27, 2001Missionary couple held hostage by Abu Sayyaf rebels who want to create an Islamic homeland in the southern part of the country.
LAST UPDATED: October 26, 2001

5.9 Bijlage 9 CATHOLIC CHURCH STATISTICS[548]

Continents	Population	Variations	Catholics	Variations
WORLD 1997	5.820.767.000	+ 80.677.000	1.005.254.000	+ 10.126.000
1998	5.855.623.000	+ 34.856.000	1.018.257.000	+ 13.003.000
1999	5.936.398.000	+ 80.775.000	1.033.129.000	+ 14.872.000
Africa 1997	756.896.000	+ 14.978.000	112.871.000	+ 3.600.000
1998	748.612.000	- 8.284.000	116.664.000	+ 3.793.000
1999	768.999.000	+ 20.387.000	124.270.000	+ 7.606.000
America 1997	788.153.000	+ 7.006.000	495.756.000	+ 4.591.000
1998	799.804.000	+ 11.651.000	504.787.000	+ 9.031.000
1999	810.521.000	+ 10.717.000	512.153.000	+ 7.366.000
Asia 1997	3.562.142.000	+ 59.241.000	105.294.000	+ 2.064.000
1998	3.592.965.000	+ 30.823.000	105.742.000	+ 448.000
1999	3.641.696.000	+ 49.530.000	107.044.000	+ 1.302.000
Europe 1997	684.421.000	- 874.000	283.313.000	- 102.000
1998	684.384.000	- 37.000	283.023.000	- 29.000
1999	684.909.000	+ 525.000	281.704.000	- 1.319.000
Oceania 1997	29.155.000	+ 326.000	8.020.000	- 27.000
1998	29.858.000	+ 703.000	8.041.000	- 21.000
1999	30.273.000	+ 415.000	7.958.000	- 83.000

[548] FIDES, 06-11-01

At the end of 1999 the world population was 5.936,398,000 with an increase of 80,775,000 compared to the previous year. . .

The global increase of 80,775,000 is distributed by continent as follows: 49,530,000 in Asia, 20,387,000 in Africa, 10,171,000 in America, 525,000 in Europe and 415, 000 in Oceania. .

At the same date the number of Catholics was 1.033.129.000, with an increase of 14.872.000 compared with 1998; distributed as follows by continent: increase of 7.366.000 in America, 7,606,000 in Africa, 1.302,000 in Asia; a decrease of 1,319,000 in Europe a decrease of 83.000 in Oceania. Note: The number of Catholics does not include Catholics in countries where it is impossible to make a census.

Continents	Percentage	Variations des Catholics	Ecclesiastical	Variations Circumscriptions
WORLD 1997	17,27%	- 0,07%	2.789	+ 13
1998	17,40%	+ 0,13%	2.806	+ 17
1999	17,40%	= =	2.834	+ 28
Africa 1997	14,91%	+ 0,18%	474	+ 5
1998	15,60%	+ 0,69%	479	+ 5
1999	16,16%	+ 0,56%	489	+ 10
America 1997	62,90%	+ 0,02%	1.034	+3
1998	63,10%	+ 0,20%	1.037	+ 3
1999	63,19%	+ 0,09%	1.048	+ 11
Asia 1997	2,96%	+ 0,01%	484	+ 5
1998	2,90%	- 0,06%	491	+ 7
1999	2,94%	+ 0,04	493	+ 2
Europe 1997	41,39%	+ 0,03%	720	= =
1998	41,40%	+ 0,01%	722	+ 2
1999	41,13%	- 0,27%	727	+ 5
Oceania 1997	27,54%	- 0,40%	77	= =
1998	27,00%	- 0,54%	77	= =
1999	26,32%	- 0,68%	77	= =

The percentage of Catholics in the world remained the same 17,40%. Whereas by continent the situation is as follows: increase of 0,56% in Africa, 0,09% in America, 0,04% in Asia; decrease 0,27% in Europe, 0,68% in Oceania.

Priests per person/Catholics

Continents	Persons per priest	Variations	Catholics per priest	Variations
WORLD 1997	11.270	+ 48	2.487	+ 26
1998	11.321	+ 51	2.517	+ 20
1999	11.474	+ 153	2.551	+ 34
Africa 1997	29.942	- 121	4.465	+ 37
1998	28.764	- 1.178	4.483	+ 18
1999	28.967	+ 203	4.681	+ 198
America 1997	6.567	+ 62	4.131	+ 41
1998	6.649	+ 82	4.196	+ 65
1999	6.747	+ 98	4.263	+ 67
Asia 1997	56.781	- 1.591	2.604	- 16
1998	53.917	- 2.864	2.551	- 53
1999	54.977	+ 1.060	2.502	- 49
Europe 1997	3.207	+ 21	1.328	+ 10
1998	3.231	+ 24	1.336	+ 8
1999	3.253	+ 22	1.338	+ 2
Oceania 1997	5.883	+ 240	1.580	+ 5
1998	5.948	+ 65	1.602	+ 22
1999	6.064	+ 116	1.594	- 8

The number of persons per priest increased altogether in the world by 153 units; on the continents the situation as follows: increase of 203 in Africa, 98 in America; 1.060 in Asia, 22 in Europe, 116 in Oceania.

The number of Catholics per priest increased altogether in the world by 34 units; by continent as follows: increase by 198 in Africa, 67 in America; 2 in Europe, decrease by 49 in Asia and 8 in Oceania.

BISHOPS

(in brackets variations compared with the previous year)

WORLD 1997	4.420 (+ 45)	3.299 (+ 49)	1.121 (- 4)	3.707 (+ 43)	713 (+ 2)
1998	4.439 (+ 19)	3.324 (+ 25)	1.115 (- 6)	3.720 (+ 13)	719 (+ 6)
1999	4.482 (+ 43)	3.370 (+ 46)	1.112 (- 3)	3.742 (+ 22)	740 (+ 21)
Africa 1997	562 (+ 18)	410 (+ 8)	152 (+ 10)	435 (+ 12)	127 (+ 6)
1998	575 (+ 13)	414 (+ 4)	161 (+ 9)	441 (+ 14)	134 (+ 7)
1999	592 (+ 17)	425 (+ 1)	167 (+ 6)	457 (+ 16)	135 (+ 1)
America 1997	1.659 (+ 13)	1.133 (+ 20)	526 (- 7)	1.354 (+ 17)	305 (- 4)
1998	1.672 (+ 13)	1.147 (+ 14)	525 (- 1)	1.365 (+ 11)	307 (+ 2)
1999	**1.675 (+ 3)**	**1.157 (+ 10)**	**518 (- 7)**	**1.358 (- 7)**	**317 (+ 10)**
Asia 1997	617 (+ 15)	442 (+ 16)	175(- 1)	528 (+ 18)	89 (- 3)
1998	617 (=)	446 (+ 4)	171 (- 4)	531(+ 3)	86 (- 3)
1999	**619 (+ 2)**	**453 (+ 7)**	**166 (- 5)**	**534 (+ 3)**	85 (- 1)
Europe 1997	1.464 (=)	1.236 (+ 4)	228 (- 4)	1.312 (- 5)	152(+ 5)
1998	1.459(- 5)	1.240 (+ 4)	219 (- 9)	1.307 (- 5)	152 (=)
1999	**1.477 (+ 18)**	**1.256 (+ 16)**	**221 (+ 2)**	**1.316 (+ 9)**	**161 (+ 9)**
Oceania 1997	118 (- 1)	78 (+ 1)	40 (- 2)	78 (+ 1)	40 (- 2)
1998	116 (- 2)	77 (- 1)	39 (- 1)	76 (- 2)	40 (=)
1999	**119 (+ 3)**	**79 (+ 2)**	**40 (+ 1)**	**77 (+ 1)**	**42 (+ 2)**

PRIESTS

(in brackets variations compared with the previous year)

Continents	Total	Diocesan	Religious
WORLD 1997	404.208 (- 128)	263.521 (+ 622)	140.687 (- 750)
1998	404.626 (+ 418)	264.202 (+ 681)	140.424 (- 263)
1999	**405.009 (+ 383)**	**265.012 (+ 810)**	**139.997 (- 427)**
Africa 1997	25.279 (+ 600)	14.873 (+ 749)	10.406 (- 149)
1998	26.026 (+ 747)	15.535 (+ 662)	10.491 (+ 85)
1999	**26.547 (+ 521)**	**16.371 (+ 836)**	**10.176 (- 315)**
America 1997	120.013 (- 69)	73.495 (+ 509)	46.518 (- 578)
1998	120.297 (+ 284)	74.039 (+ 544)	46.258 (- 260)
1999	**120.138 (- 159)**	**74.282 (+ 243)**	**45.856 (- 402)**
Asia 1997	40.441 (+ 1.037)	23.789 (+ 714)	16.652 (+ 323)
1998	41.456 (+ 1.015)	24.337 (+ 548)	17.119 (+ 467)
1999	**42.789 (+ 1.333)**	**25.175 (+ 838)**	**17.614 (+ 495)**
Europe 1997	213.398 (- 1.664)	148.595 (- 1.306)	64.803 (- 358)
1998	211.827 (- 1.571)	147.517 (- 1.078)	64.310 (- 493)
1999	**210.543 (- 1.284)**	**146.457 (- 1.078)**	**64.086 (- 224)**
Oceania 1997	5.077 (- 32)	2.769 (- 44)	2.308 (+ 12)
1998	5.020 (- 57)	2.774 (+ 5)	2.246 (- 62)
1999	**4.992 (-28)**	**2.727 (- 47)**	**2.265 (+ 19)**

*The number of **Priests** in the world **increased** by **383**: however while the number of diocesan priests increased by **810** (+ **838** in Asia, + **836** in Africa, + **243** in America; **but less 1,060** in Europe and – **47** in Oceania) the number of Religious priests **decreased** by **427**, (+ **495** in Asia and + **19** in Oceania, **but** less **402** in America, - **315** in Africa and – **224** in Europe.*

BROTHERS, SISTERS, CATECHISTS

(in brackets variations compared with the previous year)

Continents	Brothers	Sisters	Catechists
WORLD 1997	58.210 (- 757)	819.278 (- 9.382)	2.019.021 (+ 434.388)
1998	57.813 (- 403)	814.779 (- 4.499)	2.298.387 (+ 279.366)
1999	**55.428 (- 2.385)**	**809.351 (- 5.428)**	**2.449.659 (+ 151.272)**
Africa 1997	7.083 (+ 97)	49.854 (+ 1.161)	329.775 (+ 4.926)
1998	7.025 (- 58)	51.304 (+ 1.450)	343.085 (+ 13.310)
1999	**7.299 (+ 274)**	**51.617 (+ 313)**	**356.259 (+ 13.174)**
America 1997	17.426 (- 317)	240.858 (- 4.064)	1.071.707 (+ 330.638)
1998	16.990 (- 436)	237.504 (- 3.354)	1.258.836 (+ 87.129)
1999	**16.413 (- 577)**	**236.294 (- 1.210)**	**1.368.018 (+ 109.182)**
Asia 1997	7.274 (+ 119)	127.969 (+ 1.664)	188.985 (+ 5.686)
1998	7.764 (+ 510)	134.035 (+ 6.066)	226.500 (+ 37.515)
1999	**7.476 (- 288)**	**135.638 (+ 1.603)**	**219.794 (- 6.706)**
Europe 1997	24.460 (- 538)	388.693 (- 8.175)	399.485 (+ 76.727)
1998	24.097 (- 363)	380.309 (- 8.384)	455.481 (+ 55.996)
1999	**22.306 (- 1.791)**	**374.447 (- 5.862)**	**490.787 (+ 45.306)**
Oceania 1997	1.967 (- 118)	11.904 (+ 32)	29.069 (+ 16.411)
1998	1.937(- 30)	11.627 (- 277)	14.485 (- 14.584)
1999	**1.934 (- 3)**	**11.355 (- 272)**	**14.801 (+ 316)**

*The number of **Brothers decreased** altogether by **2,385**. By continents the situation is as follows: **increase: 274** in Africa; **decrease: 577** in America, **288** in Asia, **1,791** in Europe, **3** in Oceania. The number of **Sisters** shows a marked total **decrease** of **5,428**. By continents as follows: **increase: 1,603** in Asia, **313** in Africa; **decrease: 5,862** in Europe, **1,210** in America and **272** in Oceania.*

*The number **Catechists** in the world **increased** by **151,272**.*

SEMINARIANS

Continents	Major Seminarians	Variations	Minor Seminarians	Variations
WORLD 1997	108.017	+ 3.147	106.210	- 2.741
1998	109.171	+ 1.154	104.857	- 1.353
1999	**110.021**	**+ 850**	**104.885**	**+ 28**
Africa 1997	19.078	+ 922	43.469	+ 2.185
1998	19.654	+ 576	42.306	- 1.163
1999	**19.816**	**+ 162**	**42.867**	**+ 561**
America 1997	34.947	+ 1.904	22.425	- 2.123
1998	36.071	+ 1.124	21.393	- 1.132
1999	**36.166**	**+ 95**	**21.399**	**+ 6**
Asia 1997	25.342	+ 173	22.329	- 1.074
1998	25.481	+ 139	23.847	+ 1.518
1999	**25.726**	**+ 245**	**24.561**	**+ 714**
Europe 1997	27.853	- 788	17.541	- 1.720
1998	27.154	- 699	16.916	- 625
1999	**27.428**	**+ 274**	**15.641**	**- 1.275**
Oceania 1997	797	- 64	446	- 9
1998	811	+ 14	395	- 51
1999	**885**	**+ 74**	**417**	**+ 22**

*The number of **major seminarians** increased altogether by **850**. By continents the situation is as follows: **increase 274** in Europe, **245** in Asia, **162** in Africa and **95** in America, **74** in Oceania.*

*The number of **minor seminarians** increased altogether by **28**. By continents as follows: **increase 714** in Asia, **561** in Africa, **22** in Oceania, and **6** in America. A marked **decreased** in Europe by **1,275**.*

SCHOOLS, PUPILS, STUDENTS

*The Church's work in education serves altogether **50,653,338** pupils with an increase of 2,195,648 compared to 1998 not counting numerous students trained at professional schools.*

	Kindergartens		*Primary Schools*		*Secondary Schools*		*High schools*	*Universities*
	Pupils	*Institutes*	*Pupils*	*Institutes*	*pupils*	*Institutes*	*pupils*	*students*
WORLD	5.112.570	58.224	25.441.837	86.505	13.881.909	34.849	1.411.689	2.033.318
1998	5.221.037	58.274	25.469.255	88.930	14.038.182	35.596	1.589.696	2.109.520
1999	**5.367.009**	**63.125**	**26.130.792**	**89.537**	**14.200.096**	**35.722**	**1.572.449**	**2.382.992**
Africa	781.536	9.867	9.285.102	29.543	2.050.080	6.265	24.093	27.188
1998	829.522	10.479	9.629.479	29.824	1.945.865	6.754	30.966	26.987
1999	**944.471**	**10.774**	**10.033.401**	**30.440**	**1.910.048**	**6.949**	**24.524**	**101.206**
America	1.117.954	14.786	7.321.405	22.411	3.676.894	9.493	458.231	1.276.849
1998	1.226.078	14.631	7.352.671	24.052	3.800.983	9.599	489.704	1.394.735
1999	**1.301.946**	**15.504**	**7.561.528**	**24.348**	**3.788.738**	**9.591**	**540.493**	**1.482.552**
Asia	1.373.087	9.700	4.199.371	13.622	4.199.371	7.931	725.905	474.465
1998	1.324.223	9.702	4.857.594	14.391	4.355.740	8.179	836.903	405.271
1999	**1.391.154**	**10.335**	**4.794.587**	**14.344**	**4.551.707**	**8.244**	**195.058**	**440.296**
Europe	1.810.755	23.283	3.416.138	18.363	3.614.826	10.425	196.918	250.365
1998	1.777.862	22.916	3.053.330	18.081	3.583.720	10.377	217.518	276.788
1999	**1.689.625**	**25.896**	**3.141.464**	**17.663**	**3.593.546**	**10.261**	**197.266**	**349.677**
Oceania	29.238	588	552.900	2.566	340.738	735	6.542	4.451
1998	33.352	546	576.181	2.582	351.874	687	14.605	5.739
1999	**29.813**	**616**	**599.812**	**2.742**	**356.057**	**677**	**15.108**	**9.261**

CHARITABLE INSTITUTES

(1999 figures in bold type, allow a comparison with 1997 and 1998 figures)

	Hospitals	**Dispensaries**	**Leper centres**	**Homes for elderly and handicapped**	**Orphanages**	**Infant centres**
WORLD	5.188	17.157	825	12.209	8.246	11.911
1998	5.215	16.428	823	12.605	8.147	10.666
1999	**6.038**	**17.189**	**799**	**13.238**	**8.711**	**10.368**
Africa	808	4.191	372	455	729	1.645
1998	817	4.381	375	504	705	1.634
1999	**977**	**4.701**	**339**	**532**	**797**	**1.905**
America	1.864	5.676	84	3.166	2.280	5.297
1998	1.941	5.632	92	3.269	2.049	4.231
1999	**1.993**	**5.917**	**89**	**3.466**	**2.489**	**4.149**
Asia	1.027	3.198	361	1.222	2.968	2.485
1998	1.001	3.374	349	1.309	3.040	2.620
1999	**1.662**	**3.333**	**361**	**1.456**	**3.080**	**2.196**
Europe	1.362	3.917	6	7.092	2.043	2.402
1998	1.326	2.858	6	7.218	2.127	2.097
1999	**1.245**	**3.067**	**9**	**7.435**	**2.273**	**2.020**
Oceania	127	175	2	274	226	82
1998	130	183	1	305	226	84
1999	**161**	**171**	**1**	**349**	**62**	**98**

ECCLESIASTICAL CIRCUMSCRIPTIONS DEPENDENT

Congregation for the Evangelization of Peoples

1,061 Circumscriptions dependent on the CEP (17 October 2001)

Continent	AD	D	AT	VA	PA	M	AA	OM	Total
Africa	82	365		13	6	1	1	3	471
America	7	30		45	1	2			85
Asia	69	317	1	14	34	5	4	2	446
Europe	4	8				1	1		14
Oceania	11	30			1	2		1	45
Total	173	750	1	72	42	11	6	6	1,061

Archdioceses (AD); Dioceses (D); Vicariates apostolic (VA); Prefectures apostolic (PA); Missions sui juris (M); Territorial Abbeys (AT); Apostolic Administrations (AA); Military Ordinariates (OM).

Archbishops	156
Bishops	650
Bishops Ap. Administrators of 'sede vacante''*'	2
Apostolic Vicars	68
Apostolic Prefects	12
Superiors of (missions sui juris)	11
Abbots Ordinary	0
Apostolic Administrators	5
Archbishops coadjutor	8
Bishops coadjutor	14
Bishops Auxiliary	80
Archbishop and Bishops emeritus or titular	247

PANORAMA OF RELIGIONS IN THE WORLD

'International Bulletin of Missionary Research USA'– January 2000

	1990	2000	2025 *(estimate)*
World population	5.266.442.000	**6.055.049.000**	7.823.703.000
Christians (total)	*1.747.462.000*	***1.999.566.000***	*2.616.670.000*
Roman Catholics	929.455.000	**1.056.920.000**	1.361.965.000
Protestants	296.339.000	**342.035.000**	468.594.000
Orthodox	203.766.000	**215.129.000**	252.716.000
Anglicans	68.196.000	**79.650.000**	113.746.000
Catholics *non Romans*	5.239.000	**6.688.000**	9.635.000
Non Christians	*3.518.980.000*	***4.055.483.000***	*5.207.033.000*
Muslims	962.356.000	**1.188.240.000**	1.784.876.000
Hindus	685.999.000	**811.337.000**	1.049.231.000
Buddhists	323.107.000	**359.982.000**	418.345.000
Atheists	145.719.000	**150.090.000**	159.544.000
No religion	707.118.000	**768.159.000**	875.121.000
New religions	92.396.000	**102.356.000**	114.720.000
Tribal religions	200.035.000	**228.367.000**	277.247.000
Sikh	19.332.000	**23.258.000**	31.378.000
Jews	14.189.000	**14.434.000**	16.053.000

(19/10/2001)

Acta of the Holy See

6. Gebruikte bronnen

a. Literatuur

1. *Jean Charbonnier: Guide to the Catholic Church in China (Singapore, 2000)*
2. *Koen de Ridder: Footsteps in Deserted Valleys, Missionary Cases, Strategies and Practice in Qing China. (Leuven, 2000)*
3. *Thomas Grimaux: La Force de la Croix. Soudan. (Paris, 1999)*
4. *A. Morigi, V. E. Vernole, C. Verna: Religionsfreiheit Weltweit. (München, 2001)*
5. *Hans Jansen: Te vuur en te zwaard. In: HP/De Tijd, 23 maart 2001*
6. *Human Rights Watch heeft diverse dossiers over de kerken in China uitgegeven:*
   - *a. Freedom of Religion in China (1992)*
   - *b. Religious Repression in China Persists (1992)*
   - *c. Continuing Religoius Repression in China (1993)*
   - *d. Detained in China and Tibet: A Directory of Political and Religious Prisoners (1994)*
   - *e. Persecution of a Protestant Sect in China (1994)*
   - *f. No Progress on Human Rights (1994)*
   - *g. Religious Repression Persists (1995)*
   - *h. Cutting off the Serpet's Head: Tightening Control in Tibet, 1994-1995 (1996)*
   - *i. The Cost of Putting Business First (1996)*
7. *Human Rights Center: List of individuals Arrested and Convicted on Political and Religious Grounds in Uzbekistan (January 1999-April 2000), Moscow, May 2000*
8. *Human Rights Watch: Torture in Uzbekistan. A Human Rights Watch Report, vol 12, no 12 (D), December 2000*
9. *Human Rights Watch: Hearing on the State Department. Annual Report on International Religious Freedom of 2000. (Washington, September 5, 2000)*
10. *J. Orbán (Ed): Geweld tegen christenen anno 2000. (Den Bosch, 2001)*
11. *C. Hope Flinchbaugh: The World Is Not Worthy of Them. July 2001. Zie: **www.persecution.org***
12. *A. Morigi,V. Vernole,C. Verna: Rapporto 2000 sulla libertá religiosa nel mondo. (Roma, 2000)*
13. *Servir, Service Jésuite des Réfugiés. Informatiebulletin van de Jesuit Refugee Service, C. P.6139, 00195 Roma Prati, Italië*
14. *30 Giorni nella Chiesa e nel mondo.30 Tage in Kirche und Welt. Maandblad, uitgeverij: Via Francesco Antolisei 25, I - 00173 Roma*

15. *Verbiest Koerier, Driemaandelijks Informatieblad van de Ferdinand Verbieststichting (China-Europa Instituut), Naamsestraat 63, bus 4, B - 3000 Leuven*
16. *De US Department of State heeft een rapport over religieuze vrijheden, c.q. de schending van religieuze vrijheden uitgebracht. Het is een dik rapport waarin, tientallen diverse landen besproken worden. De volledige Engelse versie is te vinden op de Website van de US Department of State:* ***www.state.gov***
17. *Rob de Wijk: Allah steunt alleen de winnaar, in: Trouw 17-11-2001*
18. *Dirk van Delft: Korankritiek. Ook moslims werken mee aan Encyclopedie van de Koran, in: NRC Handelsblad, 17-11-2001*
19. *Edward Luce: Teachers of the Taliban. In: Financial Times, 17-11-2001*
20. *B. R. Barber: Jihad vs. McWorld. How globalism and tribalism are reshaping the world. (Toronto, 1995)*
21. *Walter Laqueur: The new Terrorism. Fanaticism and the Arms of Mass Destruction. (London, 1999)*
22. *Heinz-Jürgen Förg - Hermann Scharnagl: Glaubenskriege. Führer und Verfïhrte. (Würzburg, 2001)*
23. *David C. Rapoport: Insige Terrorist Organizations. (London, 2001)*
24. *S. Kohlhammer: Die Feinde und die Freunde des Islams. (Göttingen.1996)Bassam Tibi: Kreuzzug und Djihad. Der Islam und die christliche Welt. (München, 1999)*
25. *E. Sivan-M. Friedman (ed): Religious radicalism and politics in the Middle East. (Albany, N. Y. , 1990)*
26. *De Heilige Qor'an. Arabisch - Nederlands. (Hoevelaken, 2001)*
27. *D. Douwes-A. Termeulen: Islam, personen en begrippen van A tot Z. Amsterdam, 1995)*

b. Verklaring van de gebruikte bronnen

1. *Info-Königstein: Kirche in Not beschikt in Königstein i. Taunus (bij Frankfurt, Duitsland) over een grote afdeling die zich bezighoudt met de verwerking van de binnengekomen informatie. Deze informatie is afkomstig uit al die landen waar Kerk in Nood projecten heeft.*
   Ik heb veelvuldig gebruik gemaakt van de informatie die deze afdeling min of meer regelmatig verzendt.
2. *ACN-News: is de voortzetting van de berichten die eerder verzorgd zijn door CRTN. CRTN is de afeling van Kirche in Not in Königstein die zich bezighoudt met de verwerking en bewerking van audio- en videomateriaal..*

3. *International Christian Concern: ICC is een coalitie van christelijke bewegingen in de VS die zich inzetten voor medechristenen die vervolgd worden. Zij onderneemt diverse activiteiten:*
   a. het schrijven van bemoedigingsbrieven aan vervolgden
   b. protestbrieven aan regeringen
   c. het bewustmaken van de publieke opinie
   d. verzoeken om steun door regeringen
   e. het aanbieden van practische hulp aan vervolgden
   f. oproep tot gebed voor de vervolgden.
   International Christian Concern, 2020 Pennsylvania Avenue NW- 941, Washington DC, 20006, USA. (Tel. 1-301-989-1708; fax 1-301-989-1709b. Web: ***www.persecution.org****; e-mail:* ***icc@persecution.org****)*
4. *Mar Thoma Church of Greater Washington-Home, 322 Ethan Allen Avenue, Takoma Park, Maryland 20912 (Tel. 301 891 1633) Het is een organisatie die zich het lot aantrekt van Christenen in India.*
   Website: ***www.marthomawashington.org***
5. *Human Righrs Watch, 350 Fifth Avenue, 34th Floor, New York, NY 10118-3299, USA. Internetsite:* ***www.hrw.org****.*
   (Tel. 1 212 290 4700, Fax 1 212 736 1300)
   Het is een organisatie die zich inzet voor politieke vrijheden, om mensen te beschermen tegen geweld en oorlog, en tegen onrecht. Medewerkers onderzoeken schendingen van mensenrechten
6. *Catholic Online News is een persagentschap voor en van katholieke nieuws berichten. Het is een dienst van Catholic News Service, een samenwerkings verband van de U.S.Catholic Conference. Internetsite:* ***www.catholic.org****.*
7. *Open Doors International, zet zich in voor vervolgde Christenen in de hele wereld. Houdt zich vooral bezig met het verspreiden van Christelijke littera tuur en het verstrekken van informatie over vervolgingen. Internetsite:* ***www.od.org****.*
8. *Christian Solidarity Worldwide houdt zich vooral bezig met schrijfcampag nes naar regeringen waar onrecht jegens Christenen wordt gedaan. Hun adres is: PO Box 99, New Malden, Surrey KT3 3YF. (Tel. 44 208 942 8810, Fax 44 208 942 8821). Internetsite:* ***www.csworldwide.org****.*
9. *The Voice of the Martyrs dient de vervolgde Kerk door informatieverstrek king en gebedsacties. Hun adres in de USA is: P.O.Box 443, Bartlesville, OK 74005, (Tel. 918 337 8015, Fax. 918 338 0189), E-mail:* ***thevoice@vom-usa.org*** *en Internetsite:* ***www.persecution.com****.*
10. *The Voice of the Martyrs Inc. Canada staat ook in dienst van de vervolgde*

Kerk. Hun adres is: P.O.Box 117, Port Credit, Mississauga, Ontario, L5G 4L5. (Tel. 905 602 4832, Fax. 1 905 602 4833), Internetsite: **www.persecution.net** *en E-Mail:* **thevoice@persecution.net**.

11. *International FIDES Service is een nieuwsdienst van de Pontificale Missiegemeenschap van de Propaganda voor het Geloof van Rome. Zij levert korte berichten over de positie van de katholieke Kerk in de hele wereld. Adres: Palazzo de Propaganda Fide, Via di Propaganda 1c, 00187 Roma. (Tel. 39 06 69880115, Fax. 39 06 69880107). Internetsite:* **www.fides.org** *en E-Mail:* **fides@fides.va**.
12. *Catholic World News, levert artikelen en zgn. Updates van het Vaticaan. Haar adres is: Catholic World News, P.O.Box 1608, So.Lancaster, MA 01561, USA E-mail:* **editor@cwnew.com** *en Internetsite:* **www.cwnews.com**.
13. *CRTN is de media-afdeling van Kerk in Nood, gevestigd in Duitsland, Postfach 1209, D - 61452 Königstein. Deze afdeling publiceert - naast het verzorgen van vele radio en tv-documentaires - ook korte berichten over de katholieke Kerk in de Wereld. Internetsite:* **www.kirche-in-not.org** *en E-Mail:* **kinoph@kirche-in-not.org** *(Tel. 49 6174291399, Fax. 49 6174 3423).*
14. *Keston Institute is een instelling, gevestigd in Engeland, die zich specialiseert in informatie over de vroegere communistische landen van Midden- en Oost-Europa en de voormalige Sovjet Unie. Hun adres is: 4 Park Town, Oxford, OX2 6SH, Uk. (Tel. 0044 1865 31 10 22; Fax. 0044 1865 31 1280). Hun E-mail:* **keston.institute@keston.org**.
15. *CESNUR, Center for Studies on New Religions, houdt zich ook bezig met religievrijheid in de hele wereld.* **www.cesnur.org** *CESNUR is in 1988 opgericht en is een internationaal netwerk van wetenschappers op het terrein van de nieuwe religies. Het centrum is: CESNUR International of Torino, Via Confienzia 19, 10121 Torino. (Tel. 0039 011 541905, Fax 0039 011 541905). CESNUR is afhankelijk van welke religieuze denominatie ook.*
16. *Jesuit Refugee Service is in 1980 gesticht door Pater Pedro Arrupe. De organisatie stelt zich ten dienste van vluchtelingen: informeert over de situatie van vluchtelingen; roept mensen op tot engagement met vluchte lingen. Hun adres is: JRS, CP 6139, 00195 Roma Prati, Italia. (Tel. 0039 06 689 773 86; fax 0039 06 687 92 83. E-mail:* **international@jesref.org**) *JRS heeft vestigingen in België, Frankrijk, Luxembourg, Zwitserland, Kroatië, Burundi, Kenya, Zimbabwe, Thailand, India, Dominicaanse Republiek, VS).*
17. *Schutzgemeinschaft für Menschenrechten, Humanitäy und Toleranz e.V. (Ook in het Engels). PSF 7300239, 90244 Nürnberg, Duitsland.*

(Tel. 0049 911 428799; fax 0049 911 4180489). ***www.schutzgemeinschaft.de***

18. *MISNA, Missionary Service News Agency, is een persagentschap, gespecialiseerd in nieuws, achtergrondgegevens over politieke, economische en sociale aspecten van het Zuiden van de wereld. MISNA is opgericht in 1997.* ***www.misna.org.***